WTB

Wissenschaftliche Taschenbücher

Biologie

Eberhard Hofmann

Der Stoffwechsel

Dynamische Biochemie

Teil III

Akademie-Verlag Berlin

WTB Wissenschaftliche Taschenbücher

BIOLOGIE

Eine Auswahl lieferbarer Bände:

Richard Campbell
Mikrobielle Ökologie

Roland Glaser
Grundriß der Biomechanik

Paul Hoffmann
Photosynthese

Eberhard Hofmann
Die stofflichen Grundlagen des Lebens
Dynamische Biochemie, Teil I und II

Lothar Jäger
Grundlagen der Klinischen Immunologie

Manfred Knoke / Hannelore Bernhardt
Mikroökologie des Menschen

Wolfgang A. Knorre
Pharmakokinetik
Theoretische Grundlagen und praktische Anwendungen

Peter Nuhn / Hans-Jörg Hofmann
Molekulare Wirkungsmechanismen von Pharmaka

Eberhard Teuscher
Pharmakognosie
Biogene Arzneimittel, Teil I–III

Helmut Tschäpe
Plasmide
Biologische Grundlagen und praktische Bedeutung

WTB

BAND 91

Eberhard Hofmann

Der Stoffwechsel

Dynamische Biochemie, Teil III

6., bearbeitete Auflage

Mit 85 Abbildungen und 10 Tabellen

AKADEMIE-VERLAG BERLIN

Reihe BIOLOGIE

Verfasser:
Prof. Dr. Eberhard Hofmann
Leipzig

ISBN 3-05-500435-3
ISSN 0084-0963

1990
Erschienen im Akademie-Verlag Berlin, Leipziger Straße 3—4,
DDR - 1086 Berlin

Printed in the German Democratic Republic
Gesamtherstellung: VEB Druckhaus „Maxim Gorki“, 7400 Altenburg
Lektor: Christiane Grunow
LSV 1314
Bestellnummer: 761 397 1 (7091)
00800

Übersicht über die Inhalte der Teile I bis IV der „Dynamischen Biochemie" und der Bände 1 und 2 der „Funktionellen Biochemie des Menschen"

Dynamische Biochemie

Teil I: Bioelemente und Wasser
Aminosäuren und Proteine
Kohlenhydrate
Nucleotide und Nucleinsäuren
Lipide
Porphyrine
Die molekularen Grundlagen der Bildung biologischer Strukturen

Teil II: Katalyse und Enzyme
Biochemische Thermodynamik
Biologische Oxidation
Citronensäurecyclus

Teil III: Stoffwechsel der Kohlenhydrate
Prinzipien der Stoffwechselregulation
Lipidstoffwechsel
Stoffwechsel der Porphyrine
Stoffwechsel der Proteine und Aminosäuren
Stoffwechsel der Nucleinsäuren und Nucleotide

Teil IV: Die Zelle der Pro- und Eukaryonten
Biochemie der Viren
Biosynthese der Proteine
Biochemie der Vererbung
Regulation der Genaktivität und Differenzierung
Biochemie des Krebses

Funktionelle Biochemie des Menschen

Band 1: Blut
Wasser- und Elektrolythaushalt
Säure-Basen-Haushalt
Stütz- und Bindegewebe
Mineralstoffwechsel

Band 2: Hormone
Organstoffwechsel
Verdauung und Resorption
Vitamine
Stoffwechsel und Ernährung

Innerhalb aller sechs Bände wird mit römischen Ziffern (I, II, III, IV) auf die „Dynamische Biochemie" (DB I, DB II, DB III, DB IV) und mit arabischen Ziffern (1, 2) auf die „Funktionelle Biochemie des Menschen" (FB 1, FB 2) verwiesen.

Inhaltsverzeichnis

1. Der Stoffwechsel der Kohlenhydrate

Kohlenhydrate haben in der belebten Welt mannigfaltige Funktionen. Sie dienen als Reserve- und Stützsubstanzen sowie als Energiespender und erfüllen darüber hinaus wichtige spezifische Aufgaben. Viele Vertreter von ihnen weisen eine außerordentlich große Erneuerungsrate auf. Zwischen den vier großen Stoffklassen der belebten Materie, den Kohlenhydraten, Fetten, Eiweißen und Nucleinsäuren, gibt es innige metabolische Beziehungen.

In den folgenden Abschnitten werden die Stoffwechselketten und Einzelreaktionen des Kohlenhydratstoffwechsels besprochen. Wir beginnen dabei mit dem Abbau der Glucose zu Milchsäure.

1.1. Abbau der Glucose zu Milchsäure (Glykolyse)

Unter *Glykolyse* bezeichnet man den Abbau der *Glucose* zu *Milchsäure* in tierischen Geweben, z. B. in der Muskulatur, der Niere, den roten Blutkörperchen usw. Unter alkoholischer *Gärung* versteht man die Bildung von Ethanol und CO_2 aus *Glucose* durch *Hefezellen*. Die Nettogleichung der Glykolyse ist:

$$\underset{\text{Glucose}}{C_6H_{12}O_6} = 2\,\underset{\text{Milchsäure}}{CH_3CHOHCOOH}$$

Die Gleichung für die Gärung ist:

$$C_6H_{12}O_6 = 2\,\underset{\text{Ethanol}}{CH_3CH_2OH} + 2\,CO_2$$

Der Vorgang der Milchsäure- bzw. Alkoholbildung aus Glucose stellt eine Reaktionskette dar, die aus nacheinander ablaufenden Einzelreaktionen zusammengesetzt ist. Jede dieser Einzelreaktionen wird durch ein spezifisches Enzym katalysiert. Im folgenden seien die einzelnen Teilschritte ihrer Reihenfolge nach besprochen.

Phosphorylierung der Glucose (Hexokinase)

D-Glucose + ATP → D-Glucose-6-phosphat + ADP

Auf Grund der Unterschiede in der freien Enthalpie der Phosphatbindungen im ATP (Pyrophosphatbindung) und im Glucose-6-phosphat (Esterphosphat) liegt das Gleichgewicht dieser Reaktion weitgehend auf der rechten Seite, so daß sie praktisch nicht reversibel ist (DB II). Diese Reaktion wird durch die *Hexokinase* katalysiert. Es gibt verschiedene Hexokinasen, die sich in den Substratspezifitäten und Substrataffinitäten unterscheiden.

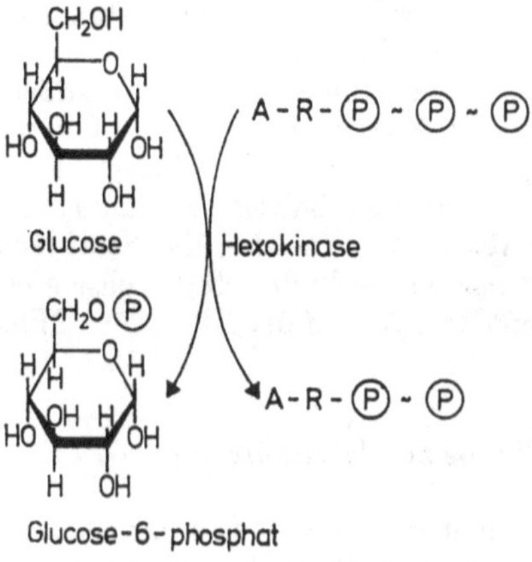

Die unspezifische Hexokinase phosphoryliert Glucose und andere Monosaccharide (nicht aber Galactose) zu den jeweiligen Monosaccharid-6-phosphaten.

Bei den spezifischen monosaccharidphosphorylierenden Enzymen unterscheidet man Glucokinasen, Fructokinasen und Galactokinasen. Glucokinasen und Fructokinase findet man in der Leber; in diesem Organ kommt auch eine unspezifische Hexokinase vor. Die beiden glucosephosphorylierenden Enzyme der Leber unterscheiden sich in ihrer Substrataffinität. Die MICHAELIS-Konstante der Glucokinase für Glucose beträgt 1×10^{-2} mol/l, die der Hexokinase 1×10^{-5} mol/l. Für die Regulation des Blutzuckerspiegels ist die in höherer Aktivität vorhandene Glucokinase entscheidend.

Während die Glucokinase wie die unspezifische Hexokinase Glucose-6-phosphat liefert, bilden die beiden anderen Kinasen

Fructose-1-phosphat bzw. Galactose-1-phosphat. Für die Wirkungsweise aller dieser Enzyme sind Mg^{++}-Ionen essentiell (Substrat ist Mg-ATP). Viele Hexokinasen werden durch Glucose-6-phosphat, wenn auch in unterschiedlicher Stärke, gehemmt; auch ADP kann als Hemmstoff wirken.

Glucose-6-phosphat-Isomerase

Dieses Enzym katalysiert die reversible Umwandlung von Glucose-6-phosphat zu Fructose-6-phosphat.

$$\underset{70\%}{\text{Glucose-6-phosphat}} \rightleftharpoons \underset{30\%}{\text{Fructose-6-phosphat}}$$

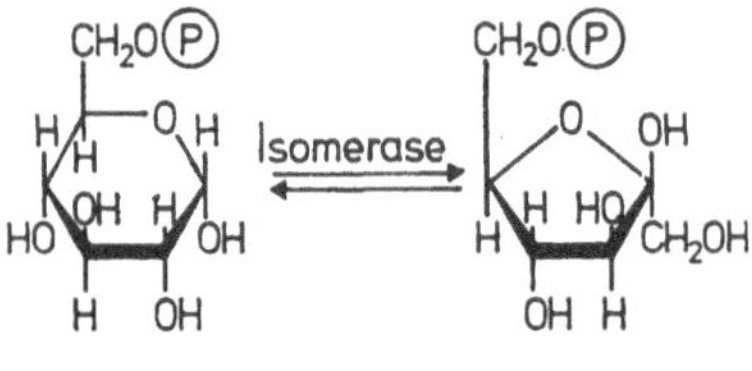

Phosphofructokinase (Fructose-6-phosphat-1-kinase)

Dieses Enzym katalysiert die folgende Reaktion:

Fructose-6-phosphat + ATP → Fructose-1,6-bisphosphat + ADP

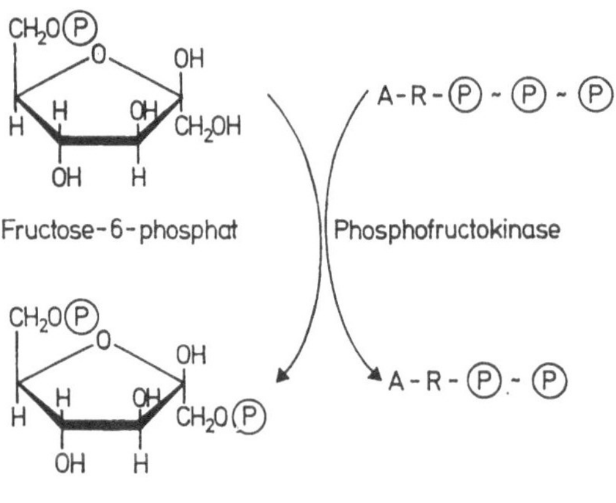

Dazu sind Mg^{++}- sowie K^{+}- bzw. NH_4^{+}-Ionen notwendig. Das Reaktionsgleichgewicht liegt auf der Seite der Fructose-1,6-bisphosphatbildung. Die Phosphofructokinase ist ein allosterisches Enzym. Sie spielt für die Regulation des Kohlenhydratabbaues eine große Rolle.

Aldolase

Dieses Enzym spaltet Fructose-1,6-bisphosphat in die beiden Triosephosphate Dioxyacetonphosphat (nach neuer Nomenklatur: Dihydroxyacetonphosphat) und D-Glycerinaldehyd-3-phosphat.

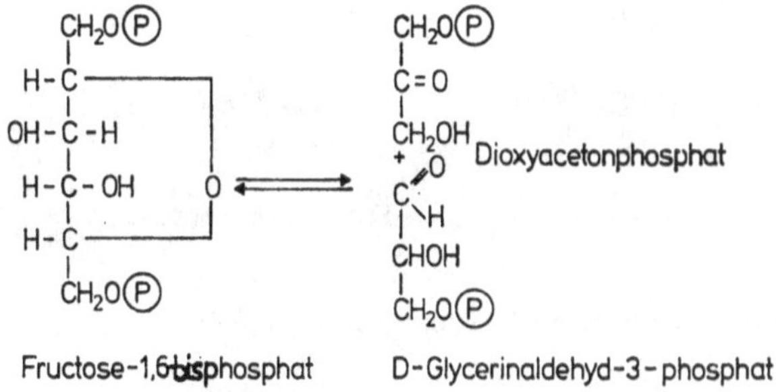

Triosephosphat-Isomerase

Dieses Enzym katalysiert die reversible gegenseitige Umwandlung der beiden durch die Aldolase entstandenen Triosephosphate.

$$\underset{97\%}{\text{Dioxyacetonphosphat}} \rightleftharpoons \underset{3\%}{\text{D-Glycerinaldehyd-3-phosphat}}$$

D-Glycerinaldehyd-3-phosphat-Dehydrogenase (Triosephosphat-Dehydrogenase)

Das Wesen der durch dieses Enzym katalysierten Reaktion besteht in einer Oxidation des Aldehydes, die unter gleichzeitiger Aufnahme von anorganischem Phosphat erfolgt. Wasserstoffacceptor ist NAD^{+}.

Dabei entsteht die 1,3-Bisphosphoglycerinsäure. Sie enthält in ihrem Molekül eine Acylphosphat- und eine Esterphosphatbindung. Die erstgenannte Bindung besitzt eine hohe freie Enthalpie der Hydrolyse ($\Delta G^0 = -12000$ cal.).

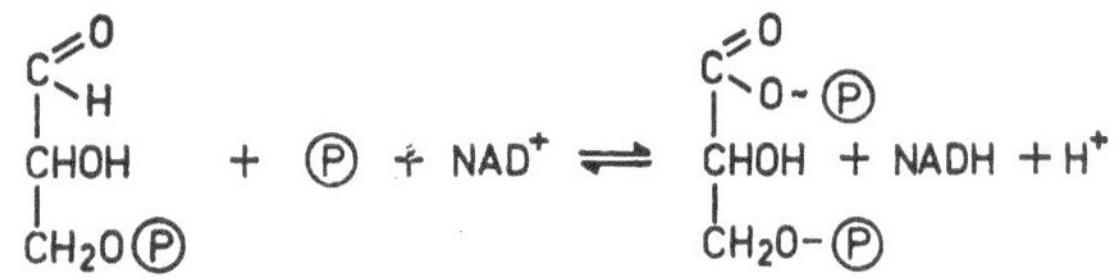

D-Glycerinaldehyd-3-phosphat   1,3-bisphosphoglycerinsäure

Bedeutsam für das Enzym ist, daß SH-Gruppen für seine Wirksamkeit notwendig sind; sie müssen vollständig reduziert vorliegen. Das oxidierte Enzym kann durch Glutathion oder Cystein wieder reaktiviert werden. Die SH-Gruppen können durch Monojodessigsäure, einem wichtigen Inhibitor der Glykolyse, blockiert werden. Dadurch tritt eine irreversible Hemmung des Enzyms ein, die die Ursache der Glykolysehemmung ist.

$$\text{Enzym}-\text{SH} + \text{JCH}_2\text{COO}^- \rightarrow \text{Enzym}-\text{S}-\text{CH}_2\text{COO}^- + \text{HJ}$$

Der Reaktionsmechanismus der Triosephosphatdehydrogenase konnte aufgeklärt werden:

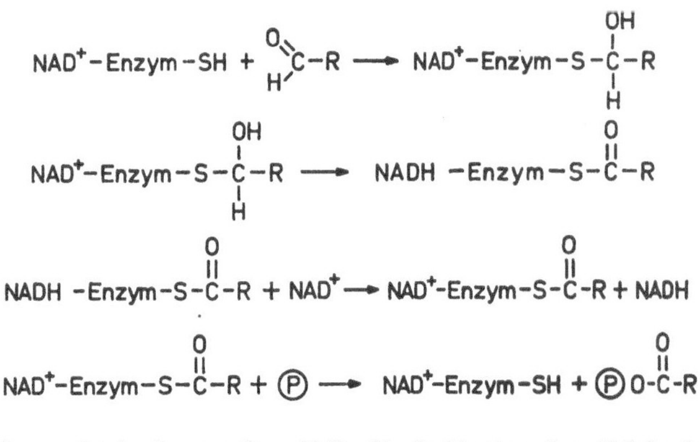

In dem Schema ist in der zweiten Zeile die Oxidation des Aldehyds (Thiohemiacetal) zur Acylgruppe bei gleichzeitiger Reduktion des enzymgebundenen NAD⁺, in der vierten Zeile die phosphorolytische Spaltung der Acylschwefelverbindung, die zur Freisetzung des Produktes 1,3-Bisphosphoglycerinsäure führt, dargestellt.

Phosphoglyceratkinase

Die durch dieses Enzym katalysierte Reaktion lautet:

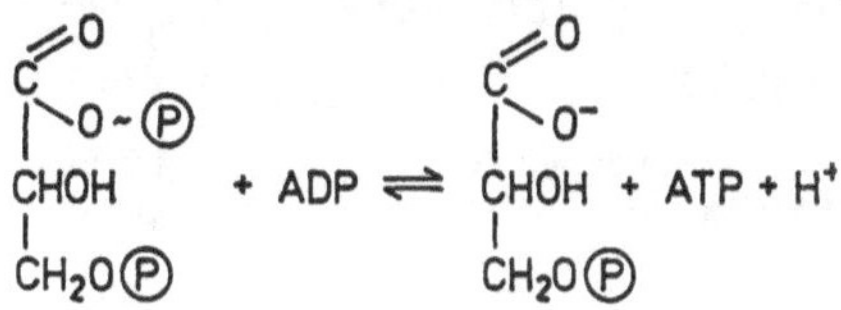

1.3-Bisphosphoglycerinsäure 3-Phosphoglycerinsäure

Bei dieser Reaktion erfolgt demnach eine Transphosphorylierung auf hohem energetischen Niveau, die von einer ATP-Synthese begleitet ist (*1. Substratphosphorylierung der Glykolyse*).

Phosphoglyceratmutase

Dieses Enzym wandelt das 3-Phosphoglycerat in 2-Phosphoglycerat um. Dazu ist als „Cosubstrat" 2,3 Bisphosphoglycerat notwendig.

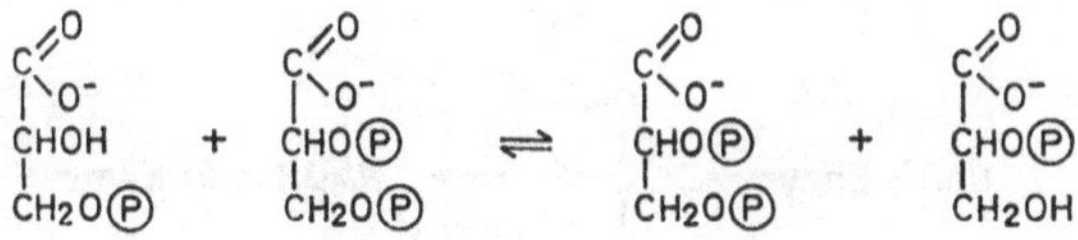

3-Phosphoglycerinsäure 2,3-Bisphosphoglycerinsäure 2,3-Bisphosphoglycerinsäure 2-Phosphoglycerinsäure

Es kommt dabei zu einer Phosphatübertragung von der 2,3-Bisphosphoglycerinsäure (3-Stellung) auf die 3-Phosphoglycerinsäure (2-Stellung) unter Bildung von 2-Phosphoglycerinsäure (aus 2,3-Bisphosphoglycerinsäure) und 2,3-Bisphosphoglycerinsäure (aus 3-Phosphoglycerinsäure). Letztere steht dann wieder für eine Transphosphorylierung zur Verfügung. Die Salze der Phosphoglycerinsäuren heißen Phosphoglycerate.

Enolase

Durch dieses Enzym entsteht aus der 2-Phosphoglycerinsäure die Phosphoenolbrenztraubensäure. Ihr Salz heißt Phosphoenolpyruvat.

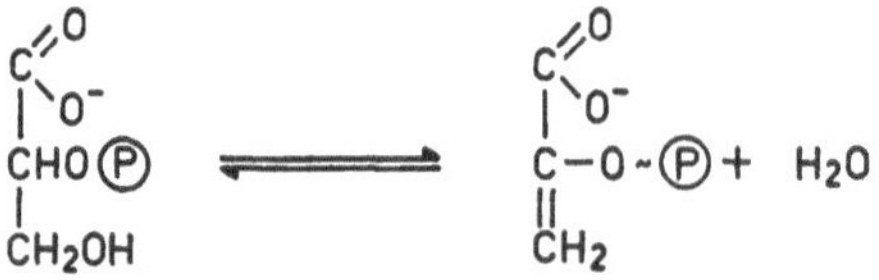

2-Phosphoglycerinsäure — Phosphoenolbrenztraubensäure

Es braucht Mg^{++}, Mg^{++} oder Zn^{++}; Fluorid hemmt bei Anwesenheit von Mg^{++} und Phosphat das Enzym stark. Bei der Enolasereaktion, die glatt reversibel ist, geht eine Änderung der Energieverteilung im Substrat vor sich. Das entsprechende Produkt, die Phosphoenolbrenztraubensäure, enthält eine energiereiche Phosphorsäurebindung (Enolphosphatbindung).

Pyruvatkinase

Dieses Enzym katalysiert eine Transphosphorylierung, bei der ADP ebenfalls der Phosphatacceptor ist und in ATP überführt wird (2. Substratphosphorylierung der Glykolyse). Es wird dabei Brenztraubensäure gebildet (ihre Salze heißen Pyruvate).

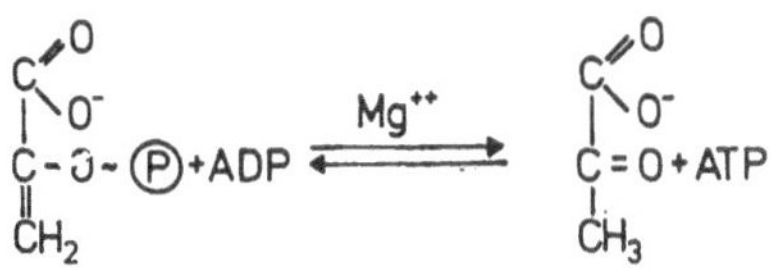

Phosphoenolbrenztraubensäure — Brenztraubensäure

Das Gleichgewicht liegt weit auf der rechten Seite, so daß die Reaktion unter zellphysiologischen Bedingungen praktisch irreversibel ist.

Bis zur Stufe der Brenztraubensäure (Pyruvat) verlaufen die Reaktionsketten der Glykolyse in tierischem Gewebe und der Gärung in der Hefe völlig übereinstimmend. Auf der Stufe der Brenztraubensäure tritt eine Teilung des Weges ein. Im Muskel wird Brenztraubensäure zu Milchsäure reduziert, in der Hefe entsteht aus ihr über die Stufe des Acetaldehydes Ethylalkohol.

Milchsäuredehydrogenase

Dieses Enzym katalysiert die Reduktion der Brenztraubensäure zur L-Milchsäure unter Verbrauch des bei der Oxidation des D-Glycerinaldehyd-3-phosphates gebildeten NADH. Die Salze der Milchsäure heißen Lactate.

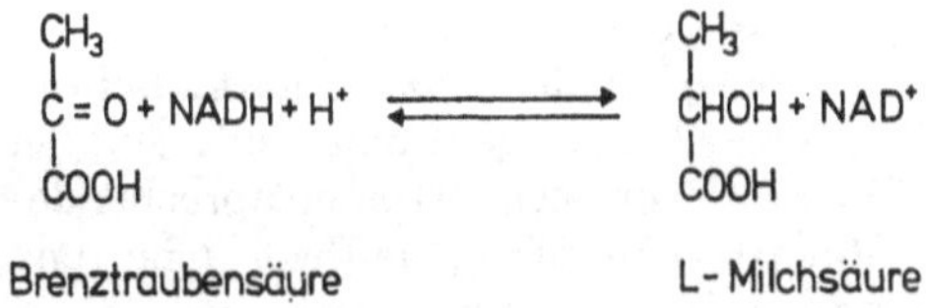

Die Gleichgewichtskonstante der Reaktion beträgt bei 25 °C

$$K = \frac{[CH_3COCOOH]\,[NADH]\,[H^+]}{[CH_3CHOHCOOH]\,[NAD^+]} = 3 \cdot 10^{-12}\ \text{mol/l}$$

Daraus läßt sich ableiten, daß das Gleichgewicht weit auf der Seite der Milchsäure liegt.

Bildung von Ethanol aus Brenztraubensäure

Dieser Prozeß läuft in der Hefe ab, er spielt eine bedeutende praktische Rolle. An ihm sind die *Brenztraubensäuredecarboxylase* und die *Alkoholdehydrogenase* (ADH) beteiligt:

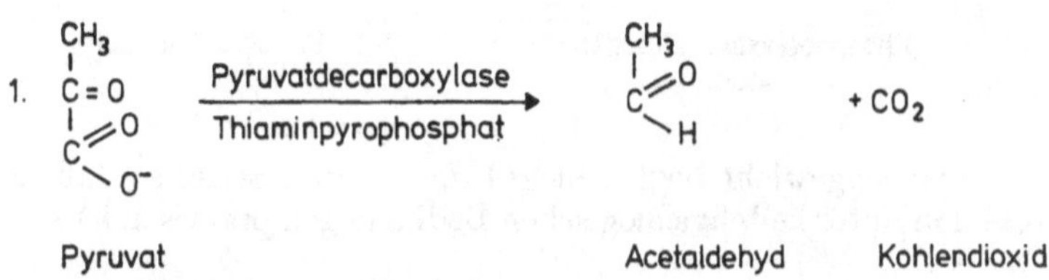

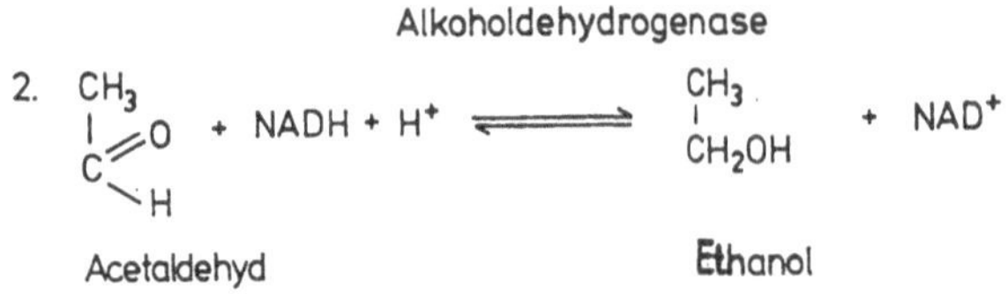

Coenzym der Reaktion 1 ist das vom Vitamin B_1 (FB 2) abgeleitete *Thiaminpyrophosphat.*

Außerdem sind an der Acetaldehydbildung Mg^{++}-Ionen beteiligt. In der 2. Reaktion wird das durch die Triosephosphat-Dehydrogenase gebildete NADH wieder verbraucht und NAD^+ zurückgebildet. Die Gleichgewichtskonstante der Reaktion 2. liegt bei $1 \cdot 10^{-11}$ mol/l (25 °C), also sehr weit auf der Seite der Ethanolbildung.

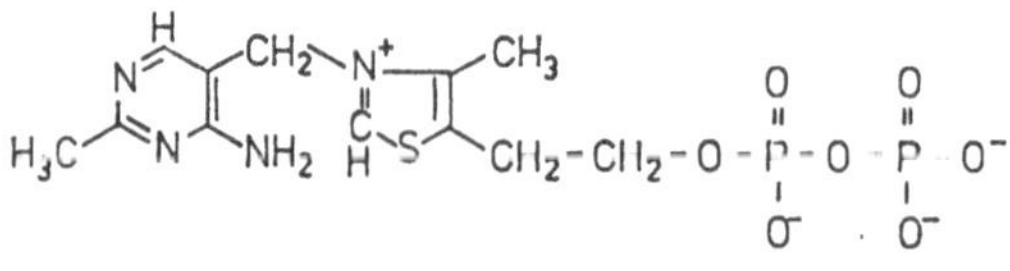

Thiaminpyrophosphat

Die *Alkoholdehydrogenase* kommt auch in der *Leber* vor. Die Enzyme aus Leber und Hefe unterscheiden sich in ihrer Spezifität und ihren molekularen Eigenschaften voneinander. Die Hefe-Alkoholdehydrogenase oxidiert Ethanol viel schneller als höhere Alkohole, die Leber-Alkoholdehydrogenase hat dagegen eine breitere Spezifität gegenüber aliphatischen und aromatischen Alkoholen. Auch langkettige primäre Alkohole, z. B. das *Vitamin A*, werden durch dieses Enzym oxidiert.

Die Leber-Alkoholdehydrogenase besteht aus *zwei Untereinheiten.* Es gibt zwei Isoenzyme und eine hybride Form (EE, SS, ES). Die Untereinheit E bevorzugt die Oxidation von Ethanol, die Untereinheit S die Oxidation von Steroiden.

*Glycerin-1-phosphat-Dehydrogenase (*Baranowski*-Enzym)*

Dieses Enzym katalysiert eine wichtige Nebenreaktion der Glykolyse. Die Gleichgewichtskonstante dieser Reaktion liegt bei

$7 \cdot 10^{-12}$ mol/l, das Gleichgewicht liegt demnach weit auf der Seite des Glycerin-1-phosphates.

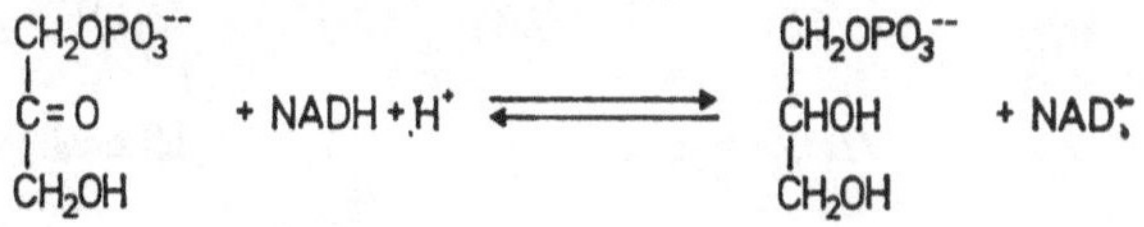

Dihydroxyacetonphosphat   Glycerin-1-phosphat

Physiologisch spielt diese Reaktion im Stoffwechsel des Glycerins eine bedeutsame Rolle (S. 112). Auffallend ist, daß dieses Enzym in verschiedenen Geweben und Organismen, wenn auch mit unterschiedlichen Aktivitäten, vorkommt. Die auf diesem und anderen Wegen (S. 34) erfolgende Glycerin-1-phosphat-Bildung ist für die Fett- und Phosphatidsynthese in der Leber wichtig.

1.2. Bilanz der Glykolyse

Ein Mol Glucose wird beim Durchgang durch die Glykolysekette zu zwei Mol Milchsäure bzw. zwei Mol Ethylalkohol und zwei Mol Kohlendioxid gespalten. Die Änderung der freien Enthalpie beträgt dabei —197 kJ/mol Glucose (Abb. 1).

Zwei Mol ATP werden auf der Stufe der Hexokinase und Phosphofructokinase verbraucht. Diesen stehen vier Mol gebildetes ATP gegenüber (zwei ATP auf der Stufe der 3-Phosphoglycerinsäurekinase und zwei ATP auf der Stufe der Pyruvatkinase). Die Nettogleichung der Glykolyse sieht demnach so aus:

$$\text{Glucose} + 2\ \text{ADP} + 2\ \text{anorg. Phosphat} \rightarrow 2\ \text{Lactat} + 2\ \text{ATP}$$

Von den 197 kJ/mol Glucose entwickelter freier Enthalpie werden also 65,3 kJ/mol im ATP gespeichert, die übrigen werden als Wärme frei. Der energetische Nutzeffekt der Glykolyse beträgt folglich etwa 33%.

Unter aeroben Bedingungen wird die Glucose in den meisten Zellen vollständig zu CO_2 und H_2O oxidiert. Die Brenztraubensäure wird dann nicht zu Milchsäure reduziert, sondern mittels des Pyruvatdehydrogenasekomplexes über Acetyl-Coenzym A in den Citronensäurecyclus eingeschleust (DB II). Während die Bildung des Pyruvats in der löslichen cytoplasmatischen Phase (Cytosol) vor sich geht, erfolgt der weitere Abbau der Brenztraubensäure und deren vollständige Oxidation in den Mitochondrien.

Aus einem Mol Brenztraubensäure werden bei vollständiger Oxidation 15 Mol ATP durch die Atmungskettenphosphorylierung gebildet. Da zwei Mol Brenztraubensäure aus einem Mol Glucose entstehen, werden auf diesem Wege folglich 30 Mol ATP erhalten (DB II). Ein Mol Glucose liefert weiterhin 2 Mol ATP mittels Substratphosphorylierung in der Glykolysekette. Außerdem werden bei der vollständigen mitochondrialen Oxidation der zwei Mol NADH, die glykolytisch durch die Wirkung der D-Glycerinaldehyd-3-phosphat-Dehydrogenase gebildet werden, insgesamt 6 Mol ATP erhalten. Daraus ergibt sich, daß bei vollständiger Oxidation 38 Mol ATP aus einem Mol Glucose gebildet werden.

Insgesamt beträgt die Differenz der freien Enthalpie bei vollständiger Oxidation pro Mol Glucose 2900 kJ. Diesen stehen 38 Mol ATP mit insgesamt 1239 kJ gegenüber. Der berechnete Nutzeffekt der ATP Synthese beträgt demnach 43%.

Die Gleichung für die vollständige Oxidation der Glucose lautet also:

$$C_6H_{12}O_6 + 6\,O_2 + 38\,ADP + 38\text{Ⓟ} \rightarrow 6\,CO_2 + 6\,H_2O + 38\,ATP$$

Man beachte, daß hier jeweils die Beträge für die *Grundreaktionsarbeit* zur Berechnung dienen. Unter Berücksichtigung der Konzentrationsverhältnisse in der lebenden Zelle muß für die Synthese von ATP ein höherer Betrag an freier Enthalpie aufgebracht werden (DB II).

1.3. Anaerobe Glykolyse, aerobe Glykolyse und PASTEUR-*Effekt*

Die meisten Gewebe und Organe des tierischen und menschlichen Organismus bilden bei ausreichender Sauerstoffversorgung, d. h. unter aeroben Bedingungen, aus Glucose keine Milchsäure. Vielmehr wird dabei die aus Glucose unter Benutzung des Glykolyseweges gebildete Brenztraubensäure via Citronensäurecyclus und Atmungskette vollständig zu CO_2 und Wasser oxidiert. Man sagt, normale tierische Zellen weisen keine oder nur eine kleine *aerobe Glykolyse* auf. Als *Glykolyse* wird, wie eingangs dargestellt wurde, die Lactatbildung aus Glucose verstanden. Man muß dabei aber beachten, daß der Abbau der Glucose auch unter aeroben Bedingungen unter Benutzung der Glykolysekette bis zur Stufe der Brenztraubensäure erfolgt. Diese Verständnisschwierigkeit ist sofort überwunden, wenn man weiß, daß der Terminus „Glykolyse“ historisch älter als die Erforschung der Glykolysekette und die Entdeckung ihrer Bedeutung für die Vorbereitung des C-Skeletts der Glucose für den Endabbau ist.

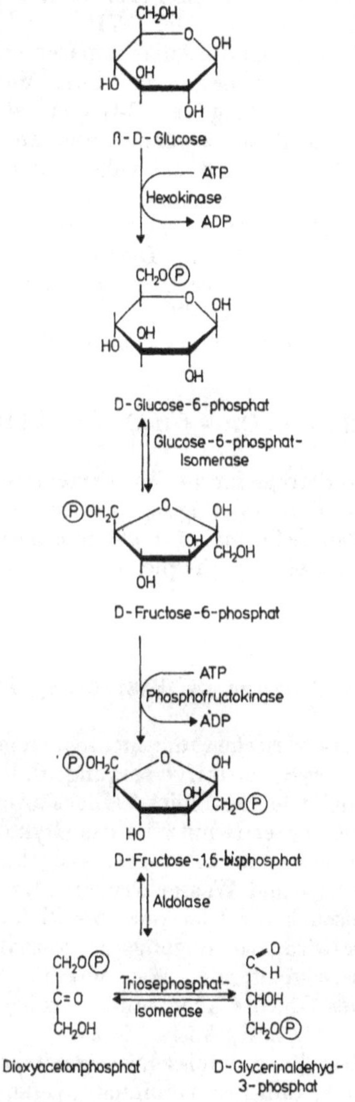

Abb. 1. Schema der Glykolyse (Fortsetzung auf S. 21)

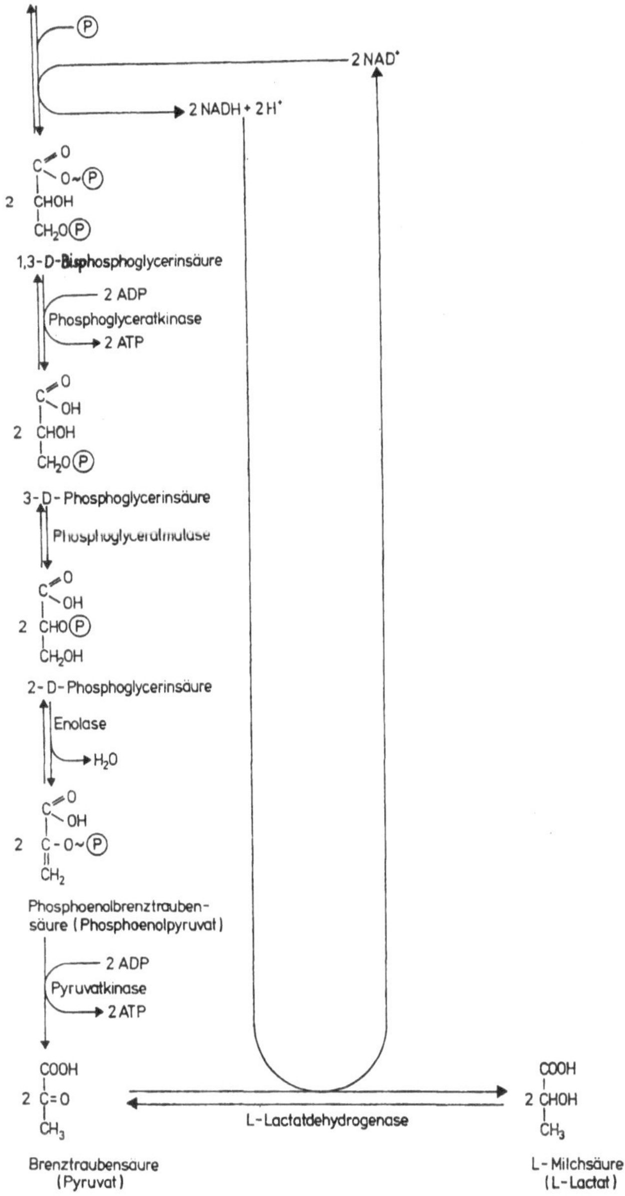

2 NAD⁺
2 NADH + 2 H⁺
1,3-D-Bisphosphoglycerinsäure
2 ADP
Phosphoglyceratkinase
2 ATP
3-D-Phosphoglycerinsäure
Phosphoglyceratmutase
2-D-Phosphoglycerinsäure
Enolase
H₂O
Phosphoenolbrenztrauben-
säure (Phosphoenolpyruvat)
2 ADP
Pyruvatkinase
2 ATP
L-Lactatdehydrogenase
Brenztraubensäure
(Pyruvat)
L-Milchsäure
(L-Lactat)

Kommen normale Zellen in einen Sauerstoffmangel, so beginnen sie Lactat zu bilden. Dies läßt sich beispielsweise in der Muskulatur bei längerdauernder Muskelarbeit beobachten. Auf der Stufe der Brenztraubensäure tritt dabei eine Umleitung auf, so daß jetzt nicht Acetyl-Coenzym A, sondern Lactat unter Verbrauch des glykolytisch gebildeten NADH gebildet wird. Als *anaerobe Glykolyse* versteht man die Lactatbildung in den Geweben bei Abwesenheit von Sauerstoff. Da glykolytisch weniger ATP pro Mol Glucose gebildet wird als oxidativ, steigt zur Deckung des ATP-Bedarfs der Zelle anaerob nicht nur die Lactatbildung, sondern auch der Glucoseverbrauch stark an. Der *Stoffdurchsatz* durch die Glykolysekette ist demzufolge *anaerob größer* als *aerob*.

Nicht nur tierische Gewebe, sondern auch Hefezellen zeigen dieses Phänomen.

Pasteur fand, daß Hefezellen unter aeroben Bedingungen weniger Glucose verbrauchen als anaerob und die Alkoholbildung bei Abwesenheit von Sauerstoff wesentlich größer als bei seiner Gegenwart ist.

Zwischen Atmung und Glykolyse bzw. Gärung bestehen also Wechselbeziehungen, die dazu führen, daß die Glykolyse (Lactatbildung) und die Gärung (Alkohol- und CO_2-Bildung) durch die Atmung unterdrückt werden.

Die „aerobe Gärung" (bei lactatbildenden Zellen „aerobe Glykolyse") ist also kleiner als die „anaerobe Gärung" („anaerobe Glykolyse"). Diese Erscheinung ist typisch für alle Zellen, die über ein Gärungs- bzw. Glykolyse-System und über ein Atmungssystem verfügen und die ihren Energiebedarf aus diesen beiden Stoffwechselwegen decken können. Von Warburg wurde diese Gesetzmäßigkeit Pasteur-Effekt genannt. Die Tabelle 1 enthält hierzu einige Zahlenbeispiele und gibt wichtige Begriffsdefinitionen zur quantitativen Beschreibung dieses Effektes.

Wildwachsende Hefezellen weisen eine sehr niedrige aerobe Gärung mit großem Pasteur-Effekt auf, während bei Kulturhefen häufig nur ein kleiner Unterschied zwischen aerober und anaerober Alkoholbildung besteht. Sogenannte untergärige Hefen (anaerobe Bierhefen) zeigen einen extrem niedrigen Pasteur-Effekt. Die aerobe Glykolyse normaler tierischer Zellen ist, wie bereits erwähnt, im allgemeinen sehr niedrig, häufig praktisch Null. Die Höhe der anaeroben Glykolyse ist von Zellart zu Zellart verschieden (Tab. 1).

Ein wichtiges Charakteristikum der *Tumorzellen* ist ihre *hohe aerobe Glykolyse*, die sich unter Anaerobiose noch weiter steigern

Tabelle 1
Glykolyse und Atmung verschiedener Zellen und Gewebe

	Q_{O_2}	$N^{N_2}_{CO_2(L)}$	$Q^{O_2}_{CO_2(L)}$	P. E.	M. Q.
Wildhefe*	−180	260	18	242	1,35
Bäckerhefe	−87	274	95	179	2,05
Bierhefe*	−8	233	213	20	2,50
Gehirn**	−11	19	2	17	1,55
Chorion**	−18	33	0	33	1,83
Ascitestumorzellen**	−7	70	30	40	5,70

*nach MEYERHOF — ** nach WARBURG

$$Q_{O_2}: \frac{\text{mg Trockengewicht} \times \text{h}}{\text{mm}^3\ O_2\text{-Verbrauch}}$$

$Q^{N_2}_{CO_2(L)}$ und $Q^{O_2}_{CO_2(L)}$ geben die mm³ CO_2- bzw. Lactat-Bildung (Lactatwerte aus manometrischer Bestimmung durch CO_2-Freisetzung in HCO_3^--Lösung!) unter anaeroben und aeroben Bedingungen an.

PASTEUR-Effekt (P. E.): $Q^{N_2}_{CO_2(L)} - Q^{O_2}_{CO_2(L)}$

MEYERHOF-Quotient (M. Q.): $\dfrac{Q^{N_2}_{CO_2(L)} - Q^{O_2}_{CO_2(L)}}{Q_{O_2}}$

läßt. Der PASTEUR-Effekt von Tumorzellen ist im allgemeinen groß, häufig größer als der von normalen Zellen (DB IV).

WARBURG konnte zeigen, daß nicht Sauerstoff als solcher, sondern eine funktionstüchtige Atmung den PASTEUR-Effekt hervorruft. Bei Anwesenheit von Sauerstoff läßt sich nämlich die Gärungs- bzw. Glykolysegröße durch Cyanid, Kohlenmonoxid und andere Atmungsgifte auf anaerobe Werte heben. Von großer Bedeutung war die Entdeckung, daß Entkoppler der Atmungskettenphosphorylierung (2,4-Dinitrophenol u. a.) den PASTEUR-Effekt aufheben können, d. h. die Glykolyse (Gärung) unter aeroben Bedingungen auf anaerobe Werte steigern. Unter diesen Bedingungen ist die Zellatmung nicht nur nicht gehemmt, sondern sogar gesteigert (DB II). Diese Befunde weisen darauf hin, daß nicht die Atmung schlechthin die Glykolyse (Gärung) hemmt, sondern die mit der oxidativen Phosphorylierung gekoppelte Atmung für die Entstehung des PASTEUR-Effektes verantwortlich ist.

Der PASTEUR-Effekt wird durch intrazelluläre Regulationsmechanismen ausgelöst, die mit dem Energiehaushalt der Zellen zusammenhängen (S. 85 ff.).

1.4. *Die direkte Oxidation der Glucose; Pentosephosphat-Cyclus*

Glucose-6-phosphat ist eine Schlüsselsubstanz des Kohlenhydratstoffwechsels.

Glucose-1-phosphat ⇌ Glykogen
⇅
Glucose + ATP → **Glucose-6-phosphat** → direkte Oxidation
↓ ⇅
Glucose F—6—P
↓
Glykolyse

Um dieses Substrat konkurrieren mehrere Stoffwechselreaktionen.

Eine bedeutende Rolle spielt dabei die direkte Oxidation des Glucose-6-phosphates. Die erste Reaktion dieses Weges ist die Oxidation des Glucose-6-phosphates zum 6-Phosphogluconsäure-δ-lacton. Das diese Reaktion katalysierende Enzym heißt *Glucose-6-phosphat-Dehydrogenase*; Coenzym ist $NADP^+$. Es besitzt eine weite Verbreitung. Eine *Gluconolactonase* spaltet das Lacton hydrolytisch. Das entstandene 6-Phosphogluconat reagiert mit der ebenfalls $NADP^+$-*spezifischen Phosphogluconat-Dehydrogenase* weiter und bildet, vermutlich unter Zwischenschaltung eines bisher hypothetischen Zwischenproduktes (3-Keto-6-phospho-D-gluconat), D-Ribulose-5-phosphat.

Dieses Ketopentosephosphat steht im Gleichgewicht mit dem D-Ribose-5-phosphat, welches durch die *Phosphoriboisomerase* eingestellt wird. Durch eine *Phosphoribomutase* wird Ribose-5-phosphat in Ribose-1-phosphat umgewandelt.

Ribose-5-phosphat ⇌ Ribose-1-phosphat
94% 6%

Vom Ribose-1-phosphat aus ist die Synthese von *Nucleosiden* und *Nucleotiden* möglich.

Vom Ribulose-5-phosphat führt ein anaerober und glatt reversibler Weg zurück zu Hexosephosphat (Pentosephosphat-Cyclus). Der erste Schritt auf diesem Weg ist die Bildung von D-Xylulose-5-phosphat über ein 2,3-Endiol aus dem D-Ribulose-5-phosphat.

Am Ribulose-5-phosphat greifen also zwei Enzyme an (*Isomerase* und *Epimerase*). Ribose-5-phosphat und Xylulose-5-phosphat sind die beiden Substrate der nachfolgenden Übertragungs- und Rekombinationsreaktionen.

Zuerst reagieren an der *Transketolase* D-Ribose-5-phosphat und D-Xylulose-5-phosphat miteinander. Dabei entstehen D-Sedoheptulose-7-phosphat und D-Glycerinaldehyd-3-phosphat.

Die Spezifität der Transketolase ist nicht sehr hoch. Verschiedene phosphorylierte und freie Aldehyde dienen als Acceptoren für den „aktiven“ Glykolaldehyd, der von verschiedenen Ketoverbindungen als C_2-Bruchstücke kommen kann.

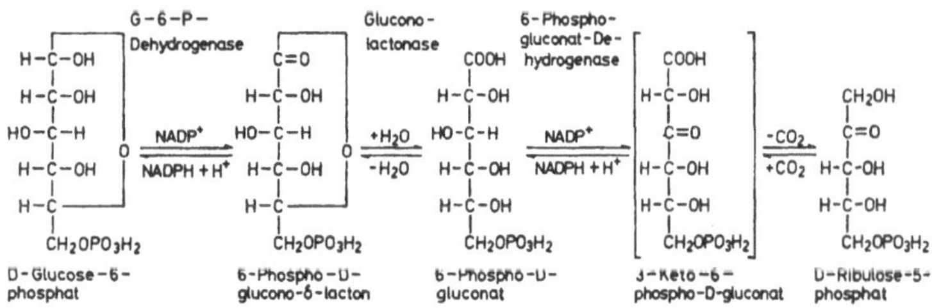

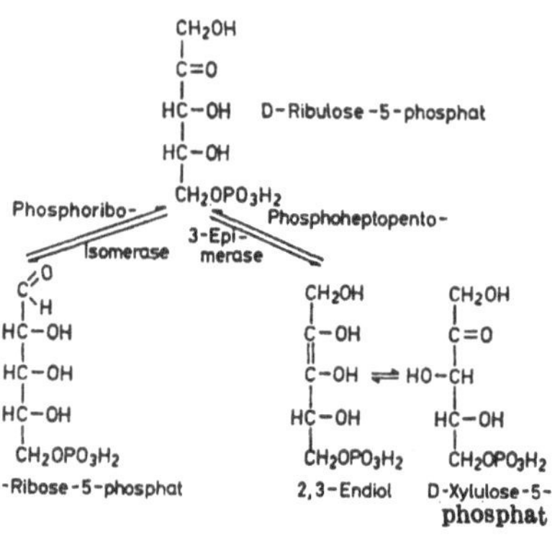

Die allgemeine Reaktion der Transketolase ist

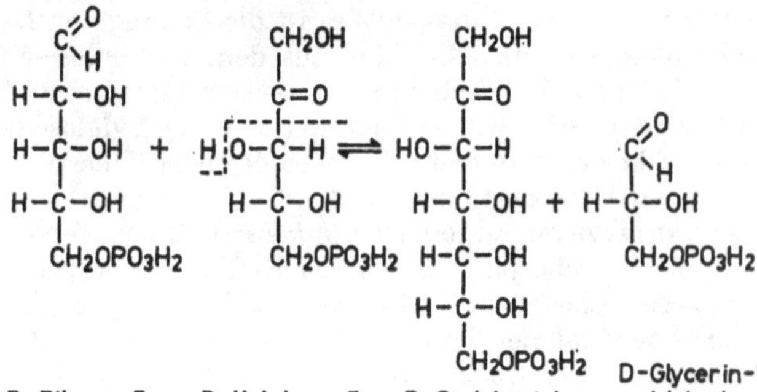

D-Ribose-5-phosphat D-Xylulose-5-phosphat D-Sedoheptulose-7-phosphat D-Glycerinaldehyd-phosphat

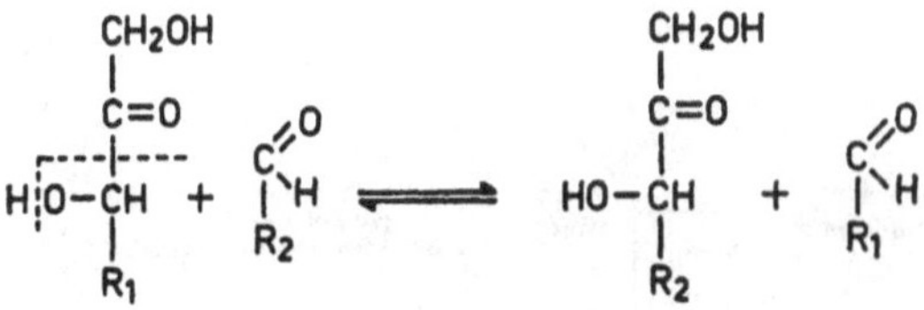

Donator Acceptor Donator Acceptor

Als Coenzym dieser Reaktion fungiert Thiaminpyrophosphat.

Die C_7- und C_3-Zucker reagieren als nächstes in der *Transaldolasereaktion* miteinander und bilden D-Erythrose-4-phosphat und D-Fructose-6-phosphat. In einer sich an die Transaldolasereaktion anschließenden zweiten Transketolasereaktion reagiert das D-Erythrose-4-phosphat mit einem weiteren D-Xylulose-5-phosphat-Molekül unter Bildung eines weiteren Moleküls D-Fructose-6-phosphat und D-Glycerinaldehyd-3-phosphat. Damit ist der Pentosephosphat-Cyclus geschlossen. Das auf anaerobe Weise aus Pentosephosphat gebildete Hexosephosphat und Triosephosphat münden in die Glykolysekette ein.

Bilanz:

a) ausgehend vom Glucose-6-phosphat

$$3C_6\text{-Zucker} + 6\,NADP^+ = 2C_6\text{-Zucker} + 1C_3\text{-Zucker} + 3CO_2 + 6\,NADPH + 6H^+$$

b) ausgehend vom Pentosephosphat

$$3C_5\text{-Zucker} = 2C_6\text{-Zucker} + 1C_3\text{-Zucker}$$

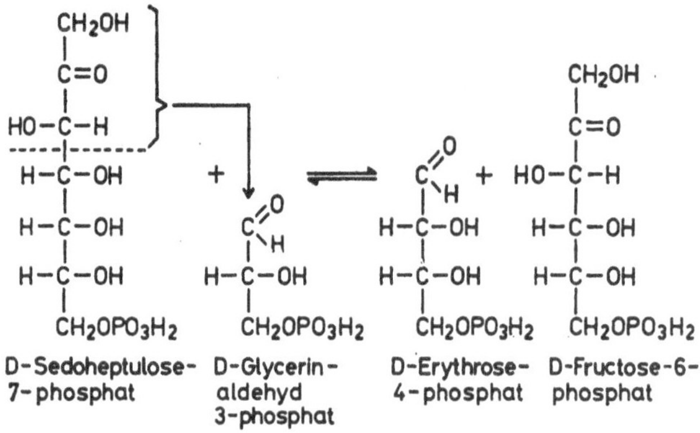

1.5. *Funktionelle Bedeutung des Pentosephosphat-Cyclus*

Mit Hilfe von spezifisch entweder am C-Atom 1 oder am C-Atom 6 markierter Glucose (Messung des markierten CO_2 und Untersuchung der Verteilung der Markierung in den Glykolysezwischenprodukten) war es möglich, den relativen Anteil dieser drei Wege beim Abbau des Glucose-6-phosphates festzustellen. Während in der Leber und der Hefe 70—90% des Glucose-6-phosphates durch die Glykolyse, der Rest über den direkten Oxidationsweg laufen, sind die Verhältnisse in der Augenlinse, Cornea, laktierenden Milchdrüse u. a. Geweben gerade umgekehrt.

Die Höhe des Glucoseumsatzes über den Pentosephosphat-Cyclus hängt weitgehend vom $NADP^+$-Spiegel bzw. vom $NADP^+$/NADPH-Quotienten ab. Eine Oxidation des NADPH steigert die Oxidation des Glucose-6-phosphates.

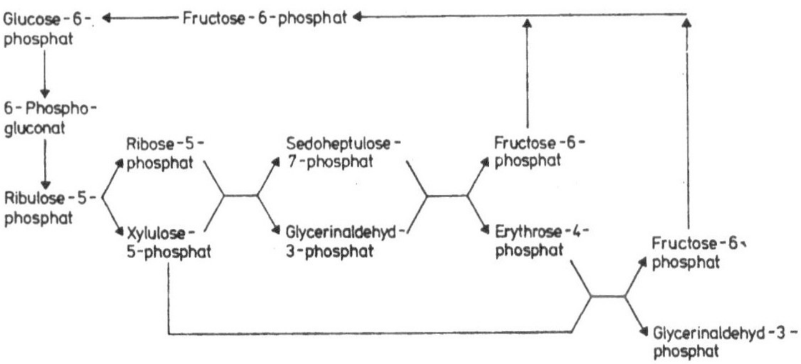

Die *Bedeutung* des *Pentosephosphat-Cyclus* liegt einmal in der *Bereitstellung* des nur in wenigen Reaktionen des Stoffwechsels gebildeten NADPH. Dieses reduzierte Pyridinnucleotid wird für verschiedene Synthesevorgänge, z. B. für die Fettsäuresynthese gebraucht. Der hohe Anteil dieses Weges in der laktierenden Milchdrüse stellt demnach eine bedeutende Anpassung an besondere Anforderungen dar.

Eine andere, sehr wichtige Aufgabe dieses Stoffwechselweges liegt in der Bereitstellung von Pentosephosphaten für die Synthese von Nucleotiden, Nucleotidcoenzymen und von Nucleinsäuren sowie für die Histidinbiosynthese (S. 180).

1.6. Der Stoffwechsel der Fructose

Die Verwertung der Fructose in der Leber wird durch ihre Phosphorylierung eingeleitet. Das hierfür verantwortliche Enzym ist die *Fructokinase*. Diese besitzt eine hohe Affinität für dieses Monosaccharid und phosphoryliert es unter ATP-Verbrauch zu *Fructose-1-phosphat*. Man findet das Enzym nicht nur in der Leber, sondern auch in den Nieren und der Dünndarmschleimhaut. Im Gegensatz zur Glucokinase wird die Fructokinase weder durch Insulin noch durch Nahrungsaufnahme beeinflußt. So kommt es, daß die diabetische Leber Fructose mit normaler Geschwindigkeit verwertet.

Das Fructose-1-phosphat wird durch die *Aldolase B* in *Dioxyacetonphosphat* und *D-Glycerinaldehyd* gespalten. Die Aldolase B ist leber- und nierenspezifisch; sie spaltet Fructose-1-phosphat und Fructose-1,6-bisphosphat mit gleicher Geschwindigkeit. Im Unterschied dazu spaltet das Aldolaseisoenzym der Muskulatur (Aldolase A) das Fructose-1,6-bisphosphat 50—100 mal rascher als Fructose-1-phosphat. Während das Dioxyacetonphosphat ein normales Zwischenprodukt der Glykolyse ist, muß der D-Glycerinaldehyd noch in diesen Hauptweg des Kohlenhydratstoffwechsels eingeschleust werden (Abb. 2).

Dies geschieht durch drei verschiedene Reaktionen:

1. Reduktion zu Glycerin unter NADH-Verbrauch durch die Alkoholdehydrogenase mit anschließender Phosphorylierung zu Glycerin-1-phosphat durch die Glycerinkinase;
2. Oxidation zu Glycerinsäure durch die NAD^+-abhängige Aldehyddehydrogenase und anschließende Phosphorylierung zu 2-Phosphoglycerinsäure;

3. Phosphorylierung des D-Glycerinaldehydes zu Glycerinaldehyd-3-phosphat durch die Triosekinase.

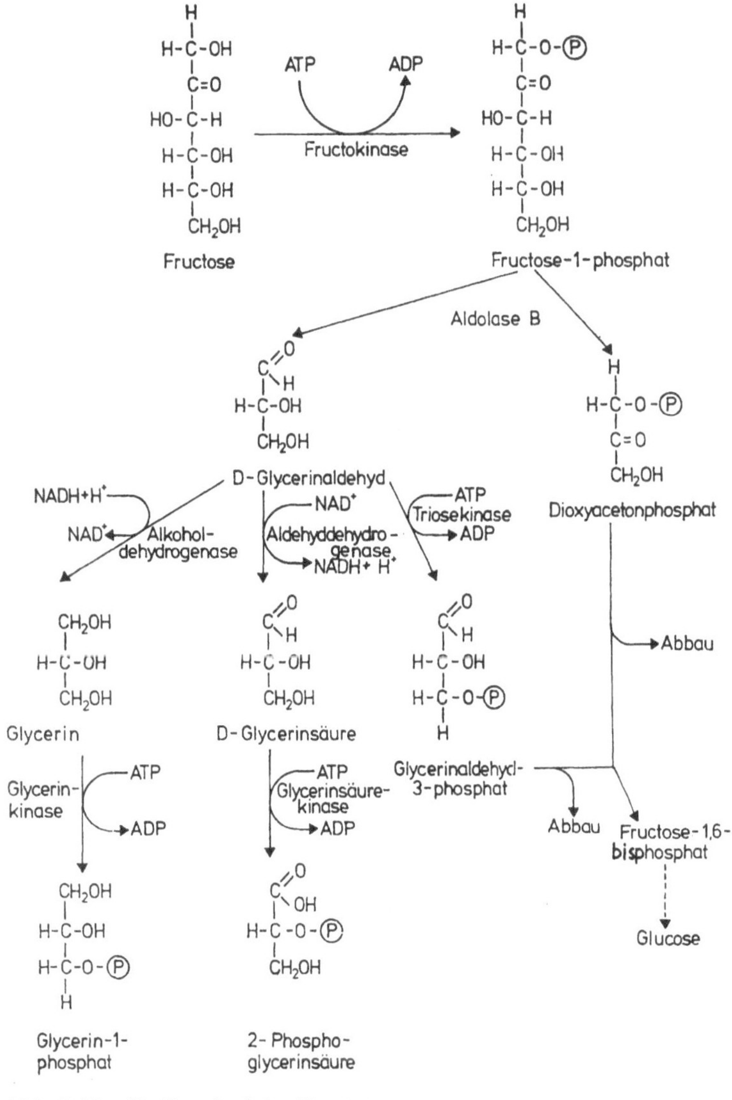

Abb. 2. Der Stoffwechsel der Fructose

Reaktionsmöglichkeit 3 ist der Hauptweg der Glycerinaldehydverwertung.

Die gebildeten Triosephosphate Glycerinaldehyd-3-phosphat und Dioxyacetonphosphat werden entweder auf dem Glykolyseweg abgebaut oder durch die Rückwärtsreaktion der Aldolase zu Fructose-1,6-bisphosphat und dann weiter zu Glucose umgewandelt.

Die Bildung von Glucose und Glykogen aus Fructose ist von großer physiologischer Bedeutung, da sie in der Leber in einem beträchtlichen Ausmaß vor sich geht. Sie wird durch das Hormon Glucagon stark stimuliert. Es gibt Hinweise darauf, daß nach Aufnahme von Saccharose deren Fructoseanteil schon in der Dünndarmmucosa in Glucose umgewandelt wird.

Der Fructoseabbau in der Leber erfolgt rascher als der der Glucose; dies ist offenbar die Folge des Umgehens der Glucokinase und der Phosphofructokinase, die die Schrittmacherenzyme für den Glucoseabbau sind.

Eine starke *Fructosebelastung* kann eine ernsthafte *Beeinträchtigung* des *Leberstoffwechsels* verursachen, indem es in diesem Organ zu einem beträchtlichen ATP-Abbau und zu einem Auftreten von Inosinmonophosphat (IMP) kommt. Das Verschwinden von ATP ist die Folge der raschen Fructosephosphorylierung. Aus dem entstehenden ADP wird durch die Adenylatkinase (S. 90) AMP gebildet, das zu IMP desaminiert wird. Das IMP ist ein wirksamer Hemmstoff der Aldolase B, so daß als Folge des IMP-Anstiegs das Fructose-1-phosphat akkumuliert. Letzteres hemmt seinerseits die Fructose-1,6-bisphosphatase (FBPase) und andere Enzyme des Kohlenhydratstoffwechsels und beeinträchtigt so auch den Glucosestoffwechsel und die Gluconeogenese.

Es gibt beim Menschen eine seltene vererbbare Fructoseunverträglichkeit (*Fructoseintoleranz*), die auf einem Mangel an Aldolase B beruht. In der Leber und den Nieren der davon Betroffenen kommt an deren Stelle die Aldolase A vor. Die Zufuhr von Fructose führt zu einem Anstau von Fructose-1-phosphat in der Leber, wodurch es zu einer FBPase-Hemmung kommt und so die Gluconeogenese gestört wird. Nach Aufnahme fructosehaltiger Nahrungsmittel (Obst, Rohrzucker) entsteht bei diesen Patienten folglich eine Hypoglykämie.

Auch *extrahepatische Gewebe* nehmen am Fructosestoffwechsel teil. So kann die verbreitet vorkommende unspezifische Hexokinase die Fructose unter Bildung von Fructose-6-phosphat phosphorylieren und dieses Monosaccharid dadurch unmittelbar

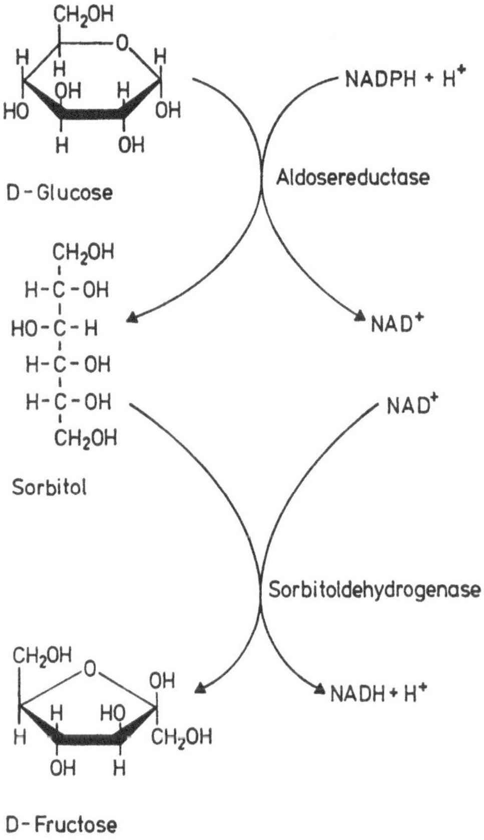

Der Polyolweg

in den Glykolyseweg „einfädeln“. Infolge des im allgemeinen niedrigen Fructosespiegels im Blut und der niedrigen Affinität der Hexokinase zu Fructose ($K_M = 10^{-2}$ mol/l) ist der Anteil dieses Weges an der Fructoseverwertung jedoch nicht groß.

Von Interesse ist aber, daß die Fructosekonzentration in der *Samenflüssigkeit* ziemlich hoch ist (10^{-2} mol/l), ähnliches gilt auch für *fetales Blut*.

Die Fructose der Spermaflüssigkeit wird in den Samenblasen aus Glucose gebildet. Verantwortlich hierfür ist der sog. *Polyolweg*. In diesem wird die Glucose zunächst durch die *Aldosereductase* in einer *NADPH-abhängigen Reaktion* zu *Sorbitol* reduziert und dieser danach durch die *NAD⁺-abhängige Sorbitoldehydrogenase* zu *Fructose oxidiert.*

In den Samenblasen wird die Biosynthese dieser beiden Enzyme durch das androgene Hormon *Testosteron* kontrolliert. Die Bestimmung der Fructosekonzentration in der Samenflüssigkeit erlaubt aus diesem Grunde Rückschlüsse auf den Umfang der Testosteronproduktion im Hoden.

Die Enzyme des Polyolweges findet man auch in anderen, vor allem in den *insulinunabhängigen* Geweben, u. a. auch in der *Augenlinse*. Bei Erhöhung des Blutzuckerspiegels, z. B. im Diabetes mellitus, kann es im Linsengewebe zu einer beträchtlichen Erhöhung der Fructosekonzentration und infolgedessen zu einer Erhöhung des osmotischen Druckes kommen. Der so verursachte Wassereinstrom führt zu einer Schwellung der Linse, die zu einer Linsentrübung Anlaß geben kann (*Entstehung des diabetischen Kataraktes*).

1.7. Der Stoffwechsel der Galactose

Galactose gelangt durch die Aufnahme von *Milchzucker* (*Lactose*) in den Organismus. Dieser wird durch die β-Galactosidase des Dünndarms in Galactose gespalten, worauf die beiden Mono-

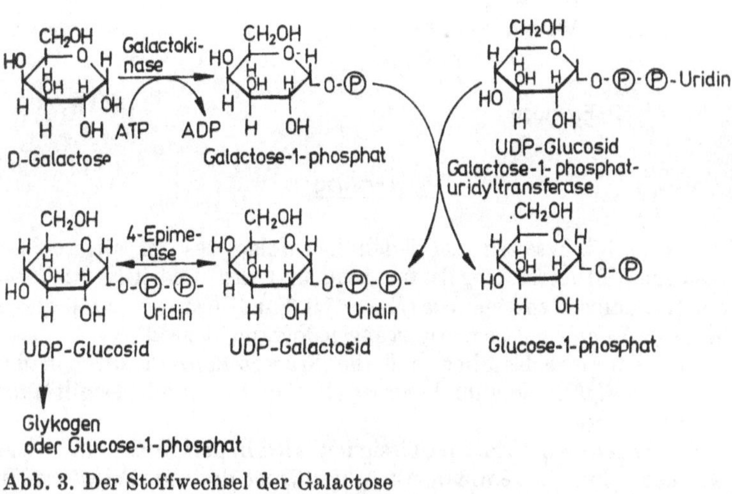

Abb. 3. Der Stoffwechsel der Galactose

saccharide resorbiert werden. Die Galactose wird in der normalen Leber rasch in Glucose umgewandelt. Dies ist die Grundlage des Galactosetoleranztestes zur Prüfung der Leberfunktion.

In der ersten Reaktion wird Galactose durch die Galactokinase unter ATP-Verbrauch in *Galactose-1-phosphat* umgewandelt. Dieses reagiert mit *Uridindiphosphatglucosid* (UDPG) unter Bildung von *Uridindiphosphatgalactosid* und *Glucose-1-phosphat*. Der hierbei am Uridindiphosphatrest eintretende Monosaccharidaustausch wird durch das Enzym *Galactose-1-phosphat-uridyltransferase* katalysiert. An dieser so aktivierten Galactose kommt es zu einer Epimerisierung und damit zur Bildung von Uridindiphosphatglucosid (WALDENsche Umkehrung). Die 4-Epimerase enthält fest gebundenes NAD^+, so daß man annimmt, daß der Mechanismus der Enzymwirkung in einem Oxidoreduktionsvorgang mit einer Ketoverbindung des UDP-Glucosides als Zwischenverbindung besteht. Das UDP-Glucosid wird entweder zu Glykogen aufgebaut oder zu Glucose-1-phosphat gespalten (Abb. 3).

Die 4-Epimerase ist glatt reversibel, so daß durch ihre Umkehrung auch Galactose aus Glucose gebildet werden kann. Dies ist für die Bildung von Lactose in der Milchdrüse oder von Galactose als Bestandteil von Glykolipiden, Glykoproteinen und Proteoglykanen von großer Bedeutung.

Bei einer erblichen Erkrankung, der *Galactosämie*, kommt es zu einem *spezifischen Ausfall* der *Transferasereaktion* und somit zu einer *Hemmung* der *Galactoseverwertung*. Die Folge ist eine Anhäufung von Galactose im Blut und von Galactose-1-phosphat in der Leber und in anderen Zellen, z. B. auch in den roten Blutkörperchen. Man beobachtet bei diesen Kranken eine Ausscheidung von Galactose im Harn.

Das akkumulierte Galactose-1-phosphat hemmt die Glucose-6-phosphatase, Phosphoglucomutase und einige andere Enzyme des Glucosestoffwechsels und bewirkt so eine schwere Störung des Kohlenhydratstoffwechsels.

1.8. Die Neubildung von Glucose (Gluconeogenese)

1.8.1. Die Stoffwechselwege der Gluconeogenese

Der Organismus ist in der Lage, Glucose aus anderen Verbindungen zu bilden. Über die Umwandlung von bestimmten Monosacchariden, z. B. von *Fructose* und *Galactose*, in Glucose wurde schon gesprochen.

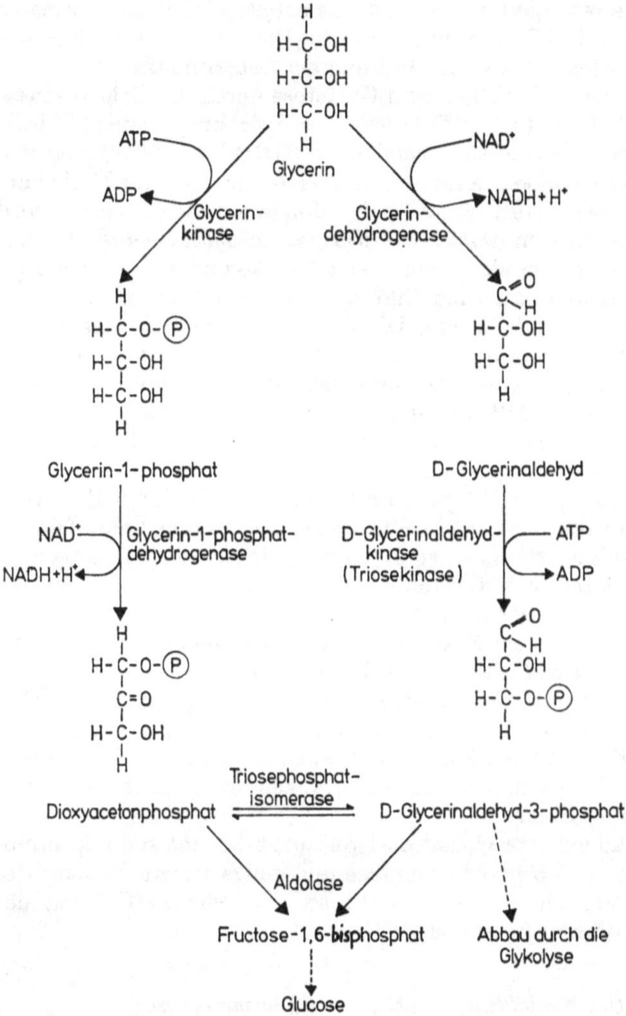

Abb. 4. Der Stoffwechsel des Glycerins

Aber auch andere Substrate können zur Synthese von Glucose dienen. Von besonderer Bedeutung sind *Milchsäure*, *Glycerin* und die glucoplastischen Aminosäuren, z. B. *Alanin*, *Glutamin* u. a. Man bezeichnet die Bildung von Glucose aus diesen Substanzen als

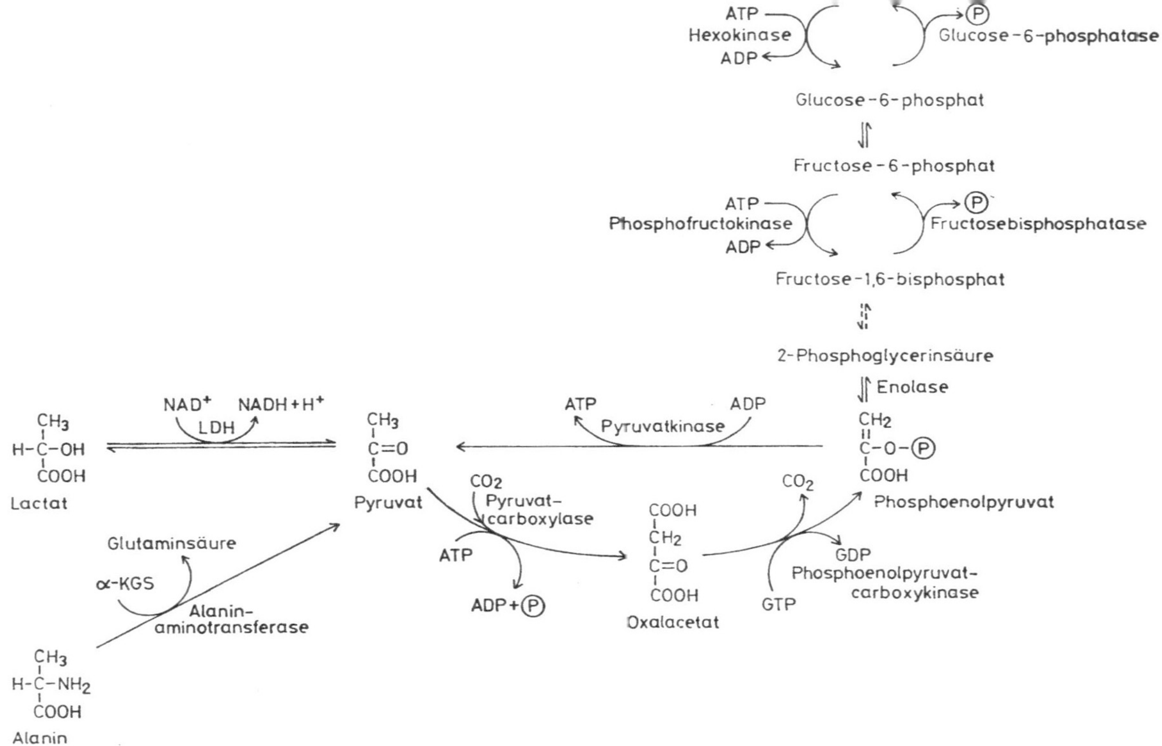

Abb. 5. Die Gluconeogenese aus Lactat, Pyruvat und Alanin

Gluconeogenese. Dieser Vorgang ist von großer biologischer Bedeutung, da er für die *Homöostase* des Blutzuckerspiegels entscheidend ist. Hauptort der Gluconeogenese ist die Leber, jedoch sind auch die Nieren in der Lage, eine Gluconeogenese durchzuführen.

Wir wenden uns im folgenden den Stoffwechselwegen zu, die zur Bildung von Glucose aus den oben genannten Substraten eingeschlagen werden (Abb. 4, 5).

Das durch die Triglyceridhydrolyse im Fettgewebe, in der Leber oder der Muskulatur freiwerdende *Glycerin* kann in der Leber, sofern es nicht einem Abbau unterliegt, in Glucose übergehen, indem es mittels ATP in *Glycerin-1-phosphat* (Glycerinkinasereaktion) und danach in *Dioxyacetonphosphat* umgewandelt wird (S. 34). Ein anderer Weg besteht darin, daß das Glycerin durch eine NAD-abhängige Dehydrogenase in D-Glycerinaldehyd und dann durch Phosphorylierung in D-Glycerinaldehyd-3-phosphat umgewandelt wird. Im Anschluß daran ist die Bildung von *Fructose-1,6-bisphosphat* unter Umkehrung der Aldolasereaktion möglich (über das weitere Schicksal des Fructose-1,6-bisphosphates s. u.).

Die in der Muskulatur oder in anderen Geweben gebildete *Milchsäure* (Lactat) gelangt auf dem Blutweg in die Leber und wird dort als Substrat für die Gluconeogenese verwendet (Abb. 5).

Die Gluconeogenese aus Milchsäure kann nicht einfach durch Umkehrung des Glykolyseweges erfolgen, da die durch die Hexokinase, Phosphofruktokinase und Pyruvatkinase katalysierten Reaktionen *irreversibel* sind. Das bedeutet, daß diese Reaktionen bei der Gluconeogenese aus Lactat oder Pyruvat umgangen werden müssen. Die Glucosebildung aus diesen Substraten benutzt demzufolge die reversiblen Reaktionen der Glykolyse und benötigt Umgehungsreaktionen für die drei oben genannten irreversiblen Schritte. Dadurch werden die Reaktionswege der Glykolyse und der Gluconeogenese zu zwei entgegengesetzt gerichteten „Einbahnstraßen".

Das Lactat wird zunächst zu Pyruvat durch die reversibel arbeitende Lactatdehydrogenase dehydriert, wodurch NAD^+ in NADH übergeht. Pyruvat wird dann durch die *Pyruvatcarboxylase* zu Oxalacetat und dieses durch die *Phosphoenolpyruvatcarboxykinase* (PEP-Carboxykinase) zu Phosphoenolpyruvat umgewandelt.

Die energiebedürftige Oxalacetatbildung aus dem Pyruvat erfolgt unter Aufnahme von CO_2 und unter Verbrauch von ATP. Die Pyruvatcarboxylase ist biotinabhängig und wird durch Acetyl-CoA allosterisch aktiviert.

$$CH_3\text{-CO-COOH} + ATP \xrightarrow{\text{Pyruvatcarboxylase}} HOOC\text{-}CH_2\text{-CO-COOH} + ADP + \text{Ⓟ}$$

Brenztraubensäure — Oxalessigsäure

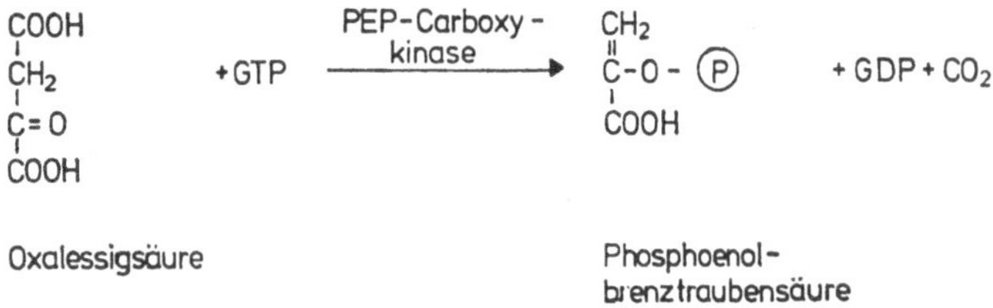

Durch die PEP-Carboxykinase wird das CO_2 wieder abgespalten und in das Substratmolekül zusätzlich Phosphat eingebaut. Letzteres stammt aus dem GTP, welches dabei in GDP übergeht. Das Reaktionsprodukt Phosphoenolpyruvat wird unter Benutzung des reversibel arbeitenden Glykolyseabschnittes in Fructose-1,6-bisphosphat überführt.

$$\text{Fructose-1,6-bisphosphat} + H_2O \xrightarrow[\text{Mg}^{++}]{\text{FBPase}} \text{Fructose-6-phosphat} + \text{Ⓟ}$$

$$\text{Glucose-6-phosphat} + H_2O \xrightarrow[\text{Mg}^{++}]{\text{G-6-Pase}} \text{Glucose} + \text{Ⓟ}$$

Die Phosphofructokinase wird umgangen, indem Phosphat vom Fructose-1,6-bisphosphat hydrolytisch abgespalten und dabei Fructose-6-phosphat gebildet wird. Das hierfür verantwortliche Enzym ist die *Fructose-1,6-bisphosphatase* (*FBPase*). Die reversibel wirkende Glucose-6-phosphat-isomerase bildet aus dem Fructose-6-phosphat das Glucose-6-phosphat, welches entweder über das Glucose-1-phosphat zum Glycogen umgewandelt wird oder unter hydrolytischer Abspaltung von Phosphat in Glucose übergeht. Die letztgenannte Reaktion wird durch die *Glucose-6-phosphatase* (*G-6-Pase*) katalysiert. Durch dieses Enzym wird demzufolge Glucose aus der Leber freigesetzt und an die Blutbahn abgegeben.

Die als Substrat für die Gluconeogenese dienende und unter bestimmten Bedingungen aus dem Muskel durch Proteinabbau freigesetzte Aminosäure *Alanin* wird in der Leber verwertet, indem sie durch Transaminierung in Pyruvat umgewandelt wird und

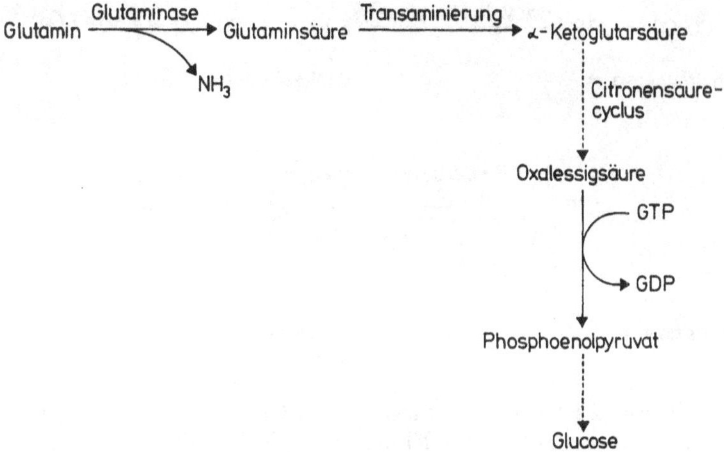

dieses dann die Reaktionen eingeht, die eben dargelegt wurden (Abb. 5).

Der Reaktionsweg des für die Gluconeogenese ebenfalls bedeutsamen *Glutamins* führt über die Glutaminsäure zur α-Ketoglutarsäure und von dort auf dem Wege einer Teilstrecke des Citronensäurecyclus zur Oxalessigsäure, die dann durch die PEP-Carboxykinase in Phosphoenolpyruvat überführt wird. Hauptort der Glutaminverwertung ist die Niere, vor allem unter acidotischen Bedingungen.

1.8.2. Zellphysiologische Aspekte und Regulation der Gluconeogenese

Die Gluconeogenese unterliegt einer großen Zahl verschiedenartiger Regulations- und Kontrollmechanismen. Von großer Bedeutung sind *Kontrollmechanismen* a) auf der *enzymatischen Ebene*, b) auf der Ebene des *Zusammenwirkens verschiedener subzellulärer Bestandteile* sowie c) auf der *Organebene* und d) der Regulation durch *Hormone*.

Eine Veränderung der Gluconeogenesegeschwindigkeit kann 1. bei konstantem Enzymbestand der Zelle durch unterschiedliche Substratbereitstellung sowie durch Veränderung der Aktivität der gluconeogenetischen Enzyme (*metabolische Regulationsebene*; „Feinkontrolle") und 2. durch Veränderung des Bestandes an Enzymen der Gluconeogenese (*epigenetische Regulationsebene*;

„Grobkontrolle“) erfolgen. Die Bereitstellung von Substraten für die Gluconeogenese, z. B. von Lactat, Alanin und Glycerin, hängt von den Stoffwechselbedingungen ab, in denen sich der Organismus befindet und wird von dem in ihm herrschenden hormonalen Milieu bestimmt (FB 2).

Die Regulation der Enzymaktivität erfolgt vor allem auf allosterischem Wege. Einer allosterischen Kontrolle unterliegt die Pyruvatcarboxylase und die FBPase.

Die *Pyruvatcarboxylase* ist das *geschwindigkeitsbestimmende Enzym* der *Gluconeogenese* („Schrittmacherreaktion“, S. 80 ff.). Bei gleichem Bestand einer Zelle an Pyruvatcarboxylase und genügendem Substratangebot führt eine Aktivitätserhöhung des Enzyms zu einer Steigerung der Gluconeogenesegeschwindigkeit und eine Aktivitätsverminderung zu einer Erniedrigung der Gluconeogenesegeschwindigkeit. Die Pyruvatcarboxylase steht unter der allosterischen Kontrolle des Acetyl-CoA. Bei Abwesenheit dieses positiven Effektors ist das Enzym inaktiv. Die Aktivität der Pyruvatcarboxylase hängt unter zellphysiologischen Bedingungen von der intrazellulären Acetyl-CoA-Konzentration ab.

Alle Stoffwechselbedingungen, die zu einer Erhöhung der Acetyl-CoA-Konzentration in der Leber führen, verursachen demzufolge über dieses allosterische Signal eine Aktivierung der Pyruvatcarboxylase und führen dadurch zu einer Erhöhung der Glucoseneubildung.

So vermag ein gesteigerter Fettsäureabbau in der Leber die Gluconeogenese zu steigern, indem die dadurch eintretende Erhöhung des Acetyl-CoA-Spiegels zu einer Aktivierung der Pyruvatcarboxylase führt. Es ist zu beachten, daß Acetyl-CoA dabei als allosterischer Effektor, nicht aber als Substrat der Gluconeogenese wirkt.

Von physiologischer Bedeutung ist auch die allosterische Kontrolle der FBPase, die durch AMP und FBP gehemmt wird. Das ihr entgegengesetzt arbeitende Enzym, die Phosphofructokinase, wird durch diese allosterischen Effektoren in ihrer Aktivität stimuliert. Beide Enzyme werden also gegenläufig reguliert: bei niedrigen AMP- und FBP-Konzentrationen wird die Gluconeogenese gefördert und die Glykolyse erniedrigt, während bei hohen Konzentrationen der beiden Effektoren die entgegengesetzten Wirkungen eintreten (FB 2).

Wie bereits erwähnt, kann auch der Enzymbestand einer Zelle den jeweiligen Erfordernissen angepaßt werden. Veränderungen im Enzymbestand werden durch *Veränderungen* in der *Enzymsynthese* oder des *Enzymabbaues* hervorgerufen. In der Leber hängt die Synthesegeschwindigkeit von Enzymen der Gluconeogenese und der Glykolyse vom *Ernährungszustand* und dem herrschenden *hormonalen Milieu* ab. Im hungernden Organismus beobachtet man eine Erhöhung des Bestandes der Leber (und Niere) an Enzymen der Gluconeogenese, z. B. der PEP-Carboxykinase, Pyruvatcarboxylase, FBPase und G-6-Pase sowie eine beträchtliche Verminderung des Bestandes an Enzymen der Glykolyse, z. B. der Glucokinase, Phosphofructokinase und Pyruvatkinase. Nach Nahrungszufuhr kommt es zu einer Erhöhung des Bestandes an den genannten Glykolyseenzymen und zu einer Erniedrigung von Enzymen der Gluconeogenese. Dies ist von großer Bedeutung für die Anpassung des Organismus an besondere Stoffwechselsituationen.

Auch *Hormone* üben einen deutlichen Einfluß auf den Bestand der Leber an Enzymen der Gluconeogenese und der Glykolyse aus. Die *glucocorticoiden Hormone* (*Cortisol, Cortison*) stimulieren die Gluconeogenese, indem sie die Synthesegeschwindigkeit der vier genannten Schlüsselenzyme der Gluconeogenese in der Leber erhöhen. *Insulin* zeigt den gegenteiligen Effekt.

Von besonderer Bedeutung ist die Stimulierung der Gluconeogenese durch *Glucagon*. Dieses Hormon hat keinen Effekt auf den Enzymbestand, sondern fördert die Neubildung von Glucose aus Lactat und Alanin sowie aus Fructose durch Veränderung der Aktivität bestimmter Enzyme auf metabolischer Ebene.

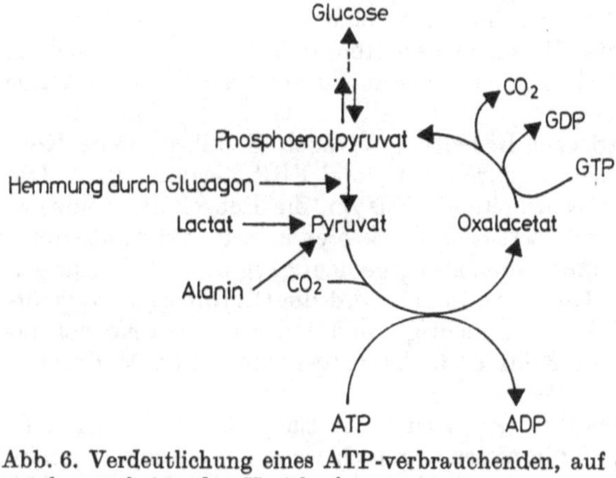

Abb. 6. Verdeutlichung eines ATP-verbrauchenden, auf den ersten Blick nutzlos erscheinenden Kreislaufes

Die Angriffspunkte des Glucagons liegen im Bereich der Umwandlung von Pyruvat in Phosphoenolpyruvat und von Fructose-1,6-bisphosphat in Fructose-6-phosphat.

Abb. 6 soll die Situation auf der Pyruvatebene verdeutlichen. Durch das Zusammenwirken des Glykolyseenzyms Pyruvatkinase und der Gluconeogeneseenzyme Pyruvatcarboxylase und PEP-Carboxykinase entsteht ein *scheinbar nutzloser Substratkreislauf* zwischen Pyruvat und Phosphoenolpyruvat, der anscheinend nichts anderes tut, als energiereiches Phosphat in Form von ATP und GTP zu vergeuden. Solche Typen von Substratcyclen gibt es auch zwischen F-6-P und FBP sowie zwischen Glucose und G-6-P. Bei dem hier betrachteten Kreislauf entscheidet das gegenseitige Verhältnis der Enzymaktivitäten, die Phosphoenolpyruvat anliefern und verbrauchen, ob die Bildung von Glucose oder die Bildung von Pyruvat aus dem Phosphoenolpyruvat begünstigt ist.

Solche *Substratcyclen* bieten hervorragende Möglichkeiten zur Stoffwechselregulation. In unserem Falle erfolgt die Regulation des Cyclus durch das Glucagon, indem dieses Hormon eine Hemmung der Pyruvatkinase herbeiführt. Dadurch erfolgt die Verteilung des durch die PEP-Carboxykinase angelieferten Phosphoenolpyruvates bevorzugt auf dem zur Glucose führenden Reaktionsweg. Glucagon fördert demzufolge die Neubildung von Glucose aus Lactat und Alanin, indem es diesen Substratkreislauf unterbricht und auf diese Weise das Phosphoenolpyruvat in die Richtung der Glucosebildung dirigiert.

Der Mechanismus der Glucagonwirkung erfolgt über das cyclische *3′,5′-AMP* (cAMP). Die unter Glucagon gesteigerte cAMP-abhängige Proteinkinase phosphoryliert die *Pyruvatkinase*, die dadurch in ihre inaktive, phosphorylierte Form übergeht. Die Pyruvatkinase gehört also zu den Enzymen, die, wie die Phosphorylase, Glykogensynthetase u. a. in ineinander umwandelbaren Formen vorliegen, deren Aktivität durch ein Phosphorylierungs-Dephosphorylierungs-Gleichgewicht reguliert wird. Bei Abwesenheit von Glucagon ist der intrazelluläre 3′,5′-AMP-Spiegel niedrig und infolgedessen die Proteinkinaseaktivität klein, wodurch die Dephosphorylierung der Pyruvatkinase begünstigt ist, die zu ihrer Aktivierung und damit zu einer Steigerung des Stoffdurchsatzes durch den Kreislauf führt, die eine Verminderung der Gluconeogenesegeschwindigkeit verursacht.

Insulin wirkt in allen diesen Reaktionen antagonistisch zum Glucagon; es übt demzufolge eine Hemmwirkung auf die Gluconeogenese aus (über die Rolle von Fructose-2,6-bisphat s. FB 2).

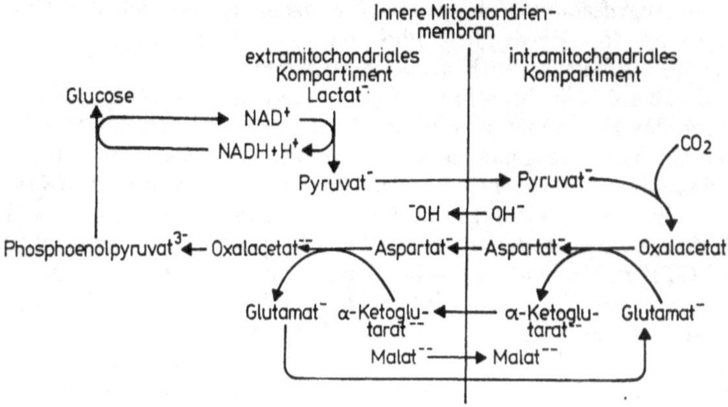

Abb. 7. Die Translokation von Anionen durch die innere Mitochondrienmembran bei der Gluconeogenese aus Lactat

1.8.3. Intrazelluläre Lokalisation der Gluconeogenese

Die *Pyruvatcarboxylase* kommt beim Menschen und allen untersuchten Säugetieren ausschließlich *intramitochondrial* vor, während die *PEP-Carboxykinase* sowohl *intramitochondrial* als auch *extramitochondrial* lokalisiert ist. In der Leber des Menschen ist das Verhältnis der Aktivitäten der PEP-Carboxykinase zwischen Cytosol und Mitochondrien etwa 1 : 1, in der Rattenleber hingegen 20 : 1 und in der Meerschweinchenleber 1 : 3.

Die übrigen Reaktionen der Gluconeogenese verlaufen in *Cytosol.* Man muß daraus die Schlußfolgerung ziehen, daß ein Teilstück des Gluconeogeneseweges innerhalb der Mitochondrien und ein anderes Teilstück im Cytosol verläuft.

Dies ist in Abb. 7 veranschaulicht.

Im extramitochondrialen Raum (Cytosol) wird Lactat als Substrat der Gluconeogenese in Pyruvat umgewandelt, das durch ein Transportsystem, den Pyruvattranslocator im Austausch zu OH^--Ionen in das Mitochondrieninnere transportiert wird (s. DB II). Dort wird es durch die Pyruvatcarboxylase zu Oxalacetat umgewandelt. Da das Oxalacetat jedoch die innere Mitochondrienmembran nicht passieren kann, wird es intramitochondrial durch Transaminierung unter Glutamatverbrauch als Hilfsmechanismus zu Aspartat umgewandelt, das durch den Glutamat-Aspartat-

Translocator in das Cytosol befördert wird. Das aus dem Glutamat gebildete α-Ketoglutarat wird mittels des Malat-α-Ketoglutarat-Translocators ebenfalls in das Cytosol gebracht. Dafür tritt Malat in die Mitochondrien ein. Im Cytosol verlaufen die Reaktionen rückwärts, wobei es zur Bildung von Oxalacetat aus dem Aspartat unter gleichzeitiger Umwandlung von α-Ketoglutarat zu Glutamat kommt. Im Gegenprozeß wird Glutamat wieder in die Mitochondrien befördert, wodurch der Transaminierungscyclus erneut beginnen kann (Näheres über Ionentranslocation und Translocatorsysteme findet man in DB II).

Aus Abb. 7 kann man auch den NAD/NADH-Cyclus ersehen, der bei Lactat als Gluconeogenesesubstrat im Cytosol abläuft. Er besteht darin, daß das durch die Lactatdehydrogenase aus dem NAD gebildete NADH durch die im Prozeß der Gluconeogenese rückwärts verlaufende Glycerinaldehyd-3-phosphat-Dehydrogenasereaktion wieder oxidiert wird.

1.9. Die Synthese und Spaltung des Glykogens

1.9.1. Die Bildung von Glucose-1-phosphat

Glucose-1-phosphat wird durch die *Phosphoglucomutase* aus dem *Glucose-6-phosphat* gebildet. Letzteres entsteht entweder aus der Glucose durch die Hexokinasereaktion oder durch den Prozeß der Gluconeogenese aus Lactat, Pyruvat, Aminosäuren, Glycerin u. a. Substraten.

Die Phosphoglucomutase benötigt für ihre Aktivität die Anwesenheit von *Glucose-1,6-bisphosphat*, das als „Cosubstrat" bei der Phosphatübertragung wirkt und dabei eine ähnliche Funktion wie die 2,3-Bisphosphoglycerinsäure in der Phosphoglyceratmutase hat (S. 14). Im Gleichgewicht der Reaktion liegen 94% Glucose-6-phosphat und 6% Glucose-1-phosphat vor.

Im Verlauf der Reaktion wird anorganisches Phosphat aus der 6-Stellung von Glucose-1,6-bisphosphat unter Entstehung von Glucose-1-phosphat auf die β-Hydroxygruppe eines Serylrestes im aktiven Zentrum der Phosphoglucomutase übertragen (phosphorylierte Form des Enzyms), die danach den Phosphatrest auf das Glucose-6-phosphat weitergibt, wodurch das Glucose-1,6-bisphosphat regeneriert wird. Danach beginnt der Cyclus von neuem.

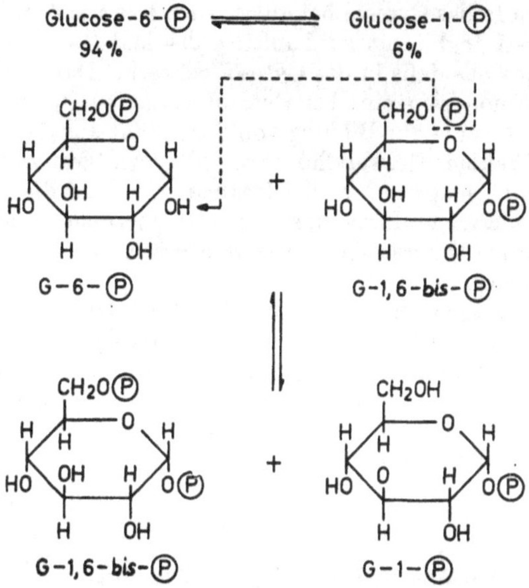

1.9.2. *Die Synthese von Glykogen*

Glykogen ist ein stark verzweigtes *Polysaccharid*, dessen Bausteine, die einzelnen *Glucosemoleküle*, untereinander durch α-1,4-*glykosidische* bzw. an den Verzweigungsstellen durch *α-1,6-glykosidische* Bindungen verknüpft sind (DB I). Glykogen ist ein Reservekohlenhydrat des menschlichen und tierischen Organismus, das vorwiegend in der Leber (bis zu 10% des Organfeuchtgewichtes) und in der Muskulatur (etwa 1% des Gewebefeuchtgewichtes) vorkommt. Die *Hauptorte* des *Glykogenstoffwechsels* sind demzufolge die *Leber* und der *Muskel*.

Ausgangspunkt der *Glykogensynthese* ist das *Glucose-1-phosphat*. Dieses wird zunächst in eine für die Glykogensynthese geeignete Form gebracht, indem es mit UTP reagiert und dabei unter Freisetzung von Pyrophosphat in *Uridindiphosphatglucosid* (UDPG) (Formel in DB I) umgewandelt wird. Diese Reaktion wird durch die UDPG-*Pyrophosphorylase* katalysiert.

UDPG ist das Substrat des Enzyms *Glykogensynthase* (UDPG-Glykogentransglucosylase), das die Knüpfung von α-1,4-glykosidischen Bindungen katalysiert. Das Enzym benötigt die Anwesenheit

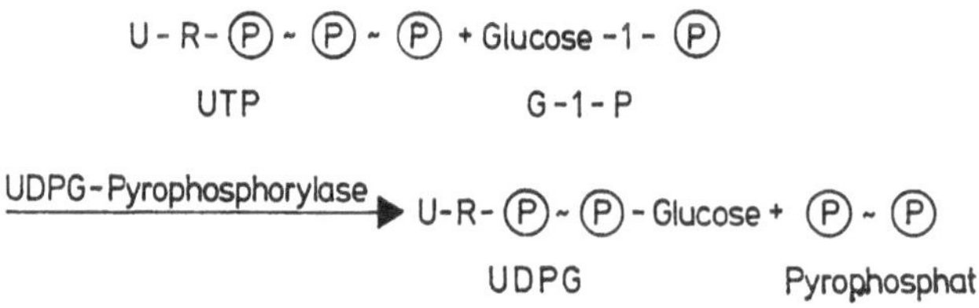

eine *Keimpolysaccharides* („Starterglykogen"), das aus n Glucoseeinheiten besteht und unter Verbrauch von je einem Molekül UDPG um einen Glucoserest verlängert wird (Abb. 8):

$$\text{UDPG} + (\text{Starterglykogen})_n \rightarrow \text{UDP} + (\text{Starterglykogen})_{n+1}$$

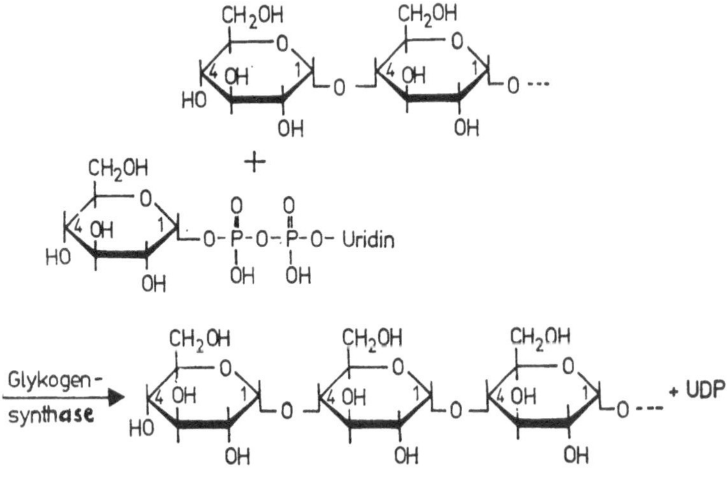

Abb. 8. Die Wirkungsweise der Glykogensynthase

Nachdem UDP durch ATP wieder zu UTP aufphosphoryliert wurde, steht es zur Bildung eines neuen UDPG-Moleküls aus Glucose-1-phosphat wieder zur Verfügung.

Die Anheftung des Glucoserestes an das Keimpolysaccharid erfolgt derart, daß zwischen dem Kohlenstoffatom 4 eines am Keimpolysaccharid *endständigen Glucoserestes* (*nichtreduzierendes Ende*) und dem Kohlenstoffatom 1 der Glucose der UDPG eine α-1,4-glykosidische Bindung geknüpft wird, wobei das UDP frei wird.

Das Gleichgewicht der Reaktion liegt auf der Seite der Glykogensynthese.

Nachdem durch die Glykogensynthase etwa 6—10 Glucosereste an das Starterglykogen angeheftet wurden, d. h. eine Kettenverlängerung eingetreten ist, greift das „verzweigend wirkende Enzym" („Branching enzyme" oder Amylo-1,4→1,6-Transglykosidase) an (Abb. 9).

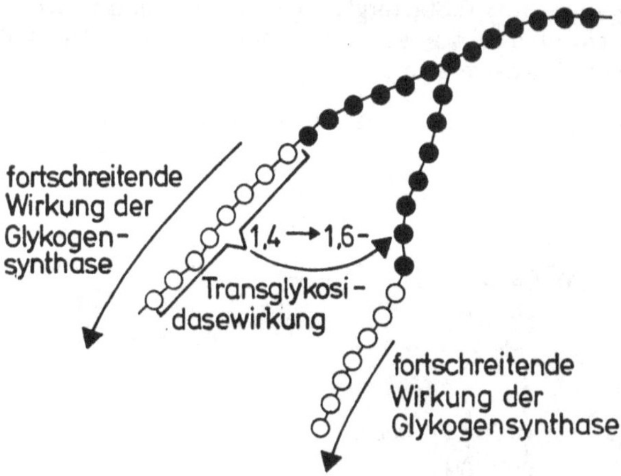

Abb. 9. Die Wirkungsweise des verzweigend wirkenden Enzyms („Branching enzyme")

Dieses Enzym spaltet solche 1,4-glykosidische Bindungen, die wenigstens 6—8 Glucosereste vom Kettenende entfernt sind, überträgt den auf diese Weise abgetrennten Oligosaccharidrest auf eine zurückliegende Stelle desselben oder eines anderen Zweiges des Glykogenmoleküls und knüpft dort, unter Entstehung einer Verzweigung, eine α-1,6-glykosidische Bindung.

Wenden wir uns jetzt der *Entstehung* des *Starterglykogenmoleküls* zu, das, wie oben angeführt, für die Wirkung der Glykogensynthase erforderlich ist.

Das Keimpolysaccharid kann prinzipiell auf zwei verschiedene Weisen entstehen.

In der Leber existiert eine *α-Amylase,* die als Endoamylase Glykogen in kleinere Bruchstücke (Oligosaccharide) hydrolytisch spalten und so Startmoleküle für die Glykogensynthese liefern kann.

Die zweite Bildungsmöglichkeit eines Keimpolysaccharides oder Keimoligosaccharides besteht darin, daß nacheinander Glucosereste an ein bestimmtes Proteinmolekül, nämlich den sog. *Proteinprimer* angeheftet werden, eine Reaktion, die durch die sog. *Glykogeninitiatorsynthase* unter Verbrauch von UDPG katalysiert wird (Abb. 10). Der Proteinprimer ist ein Glykoprotein. Diese Glykogeninitiatorsynthase knüpft Glucosereste an jeweils mehrere Stellen dieses Eiweißes und verlängert diese anschließend zu Oligosacchariden. Erst nach deren Bildung greifen die Glykogen-

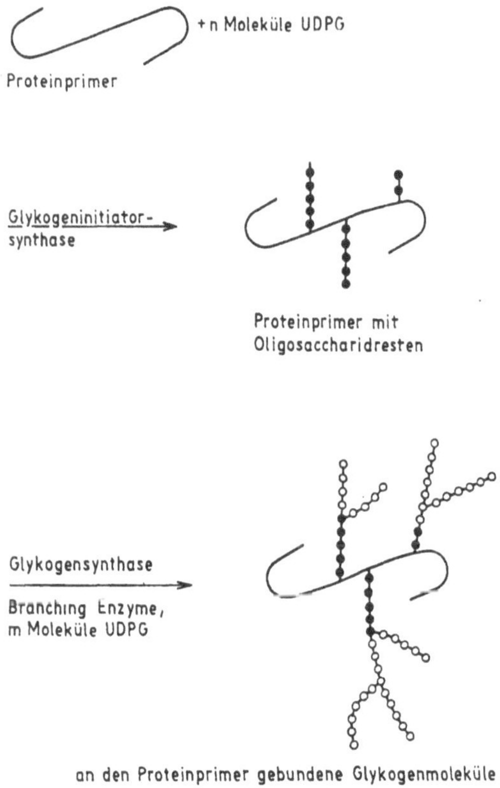

Abb. 10. Biosynthese des Glykogenstarters an einem Eiweißmolekül (Proteinprimer)

synthase und das „Branching Enzyme" an und vervollständigen das makromolekulare Glykogenmolekül.

1.9.3. Der Abbau des Glykogens

Das wichtigste Enzym für den *Glykogenabbau* in der Leber und im Muskel ist die *Phosphorylase*. Das Enzym katalysiert die phosphorolytische Spaltung des Glykogens. Diese besteht in der Spaltung endständiger *α-1,4-glykosidischer Bindungen* unter *Aufnahme* von *anorganischem Phosphat*. Das Enzym unterscheidet sich demzufolge von den hydrolytisch wirkenden Glykosidasen dadurch, daß es die glykosidische Bindung nicht unter Aufnahme von Wasser, sondern unter Aufnahme von anorganischem Phosphat spaltet. Bei der Reaktion wird das Glykogenmolekül um einen Glucoserest verkürzt, gleichzeitig entsteht *Glucose-1-phosphat* (Abb. 11).

Die Phosphorylase spaltet demzufolge die α-1,4-glykosidischen Bindungen im Glykogenmolekül. Von Bedeutung ist nun, daß sie 4 Glucosereste vor den Verzweigungsstellen des Glykogens, also vor den 1,6-glykosidischen Bindungen, haltmacht. Letztere kann sie weder spalten noch überspringen. Von dem „Verzweigungsstumpf" wird von der Glucantransferase ein Trisaccharidrest auf eine

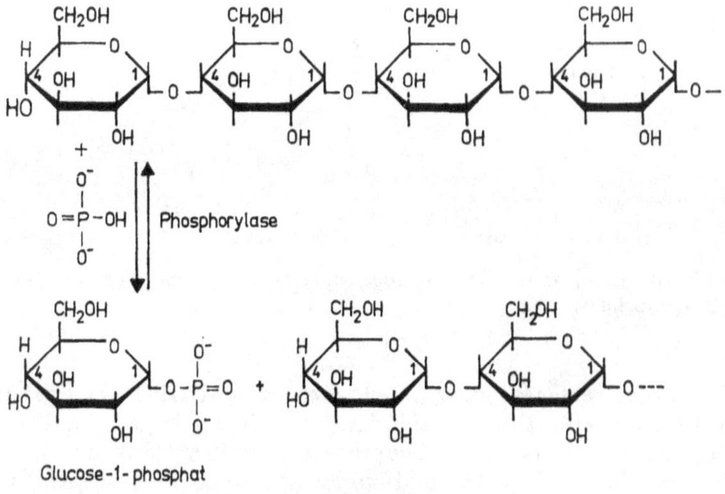

Abb. 11. Die Wirkungsweise der Phosphorylase

andere Kette übertragen und so die Verzweigungsstelle „freigelegt“. An den verbleibenden 1,6-glykosidischen Bindungen greift die hydrolytisch wirkende *Amylo-1,6-glucosidase* („Debranching-Enzyme“) an, die dadurch die weitere Spaltung des Glykogenmoleküls durch die Phosphorylase ermöglicht.

Die Amylo-1,6-glucosidase liefert Glucose, die Phosphorylase Glucose-1-phosphat. Letzteres wird durch die Phosphoglucomutase in Glucose-6-phosphat umgewandelt, welches durch die Glucose-6-phosphatase (Leber) in Glucose und anorganisches Phosphat gespalten oder durch die Glykolyse bzw. direkte Oxidation weiter abgebaut wird.

Die Leber gibt die freigesetzte Glucose an das Blut ab, denn die Leberzellmembran stellt für dieses Monosaccharid kein Permeabilitätshindernis dar; sie läßt jedoch phosphorylierte Verbindungen nicht hindurchtreten.

Wie im vorigen Abschnitt erwähnt, gibt es in der Leber auch einen phosphorylaseunabhängigen Weg der Glykogenspaltung, dessen Ausmaß allerdings nicht groß ist. Neben der α-Amylase findet man in diesem Organ eine γ-Amylase (*Glucoamylase*), die als *Exoamylase* wirkt und unter Zurücklassung eines Grenzdextrins freie Glucose von den Seitenketten des Glykogens hydrolytisch abspaltet.

1.9.4. *Die Regulation des Glykogenstoffwechsels*

1.9.4.1. *Die Regulation der Glykogensynthaseaktivität*

Die *Glykogensynthase* ist das *geschwindigkeitsbestimmende Enzym* der Glykogensynthese, d. h. von ihrer Aktivität hängt die Geschwindigkeit der Glykogensynthese in der Leber und der Muskulatur ab. Die katalytische Kapazität der ihr vorgelagerten Enzyme (Phosphoglucomutase u. a.) ist demzufolge größer als die Maximalaktivität der Glykogensynthase.

Es ist leicht einzusehen, daß die Glykogensynthase (letztes Enzym der Glykogensynthesekette!) als regulatorisches Enzym der Glykogensynthese besonders geeignet ist. Von ihrer Aktivität hängt ab, ob und wieviel Glykogen synthetisiert wird. Die an ihr angreifenden Regelmechanismen beeinflussen demzufolge die Geschwindigkeit der Glykogensynthese. Die Glykogensynthase gehört zu der Gruppe von Enzymen, die in *reversibel ineinander umwandelbaren Formen* vorliegen (*interkonvertierbare Enzyme*). Die Aktivität derartiger Enzyme kann durch biochemische (d. h. enzymatische) Modifizierung gesteuert werden.

Die *Glykogensynthase* kommt in einer *aktiven* (a) und einer *inaktiven* (b) Form vor. Die Regulation der Glykogensynthese besteht in der reversiblen Umwandlung der Formen a und b des Enzyms. Die Umwandlung der Form a in die Form b der Glykogensynthase, d. h. deren Inaktivierung, erfolgt durch Phosphorylierung von Serylresten des Enzyms. Der Phosphatdonator ist ATP, das die Phosphorylierung der Glykogensynthase katalysierende Enzym ist eine *Proteinkinase*. Der umgekehrte Prozeß, die Dephosphorylierung der Glykogensynthase b, bewirkt eine Enzymreaktivierung. Das hierfür verantwortliche Enzym heißt *Glykogensynthasephosphatase*.

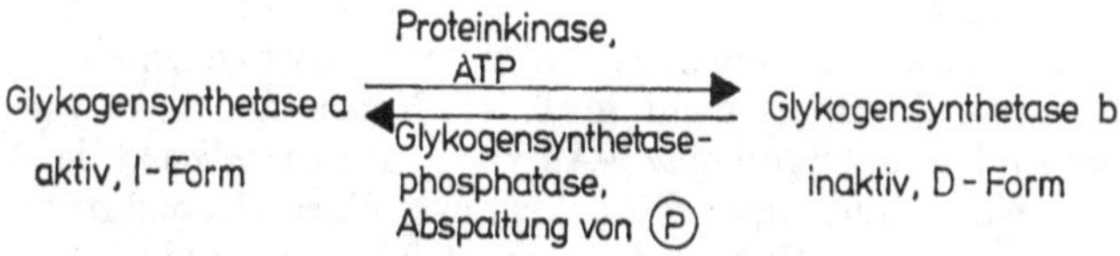

Die phosphorylierte, inaktive Form der Glykogensynthase ist durch relativ große, in der Zelle jedoch in der erforderlichen Höhe nicht vorliegende, Konzentrationen von Glucose-6-phosphat aktivierbar. Man hat sie deshalb auch als glucose-6-phosphatabhängige (G-6-P-dependent, deshalb D-Form) im Gegensatz zur glucose-6-phosphat-unabhängigen Form (G-6-P-independent, deshalb I-Form) der Glykogensynthase bezeichnet.

Die Inaktivierung des Enzyms erfolgt durch eine cAMP-abhängige Proteinkinase. Alle Faktoren, die zu einer Erhöhung des cAMP-Spiegels in der Zelle führen, begünstigen die Inaktivierung der Glykogensynthase und erniedrigen dadurch die Synthese des Glykogens (z. B. die Hormone Adrenalin und Glucagon). Umgekehrt führen Substanzen, die direkt oder indirekt die Glykogensynthasephosphatase aktivieren, zu einer Steigerung der Aktivität der Glykogensynthase und begünstigen dadurch die Glykogensynthese (Insulin, Glucose, glucocorticoide Hormone).

Weitere Faktoren, die die Aktivität der Glykogensynthase erniedrigen, sind das Glykogen selbst (negative Rückkopplung) sowie ein intrazellulärer Anstieg von Ca^{++}-Ionen und Muskelarbeit.

1.9.4.2. Die Regulation der Phosphorylaseaktivität

Auch die *Phosphorylase* gehört zu der Gruppe derjenigen Enzyme, die in *reversibel ineinander* umwandelbaren Formen vorliegen. Die *aktive Form* heißt *Phosphorylase a*, die *inaktive Form Phosphorylase b*.

Die durch die *Phosphorylase* katalysierte Spaltung von Glykogen in Glucose-1-phosphat ist die *geschwindigkeitsbestimmende Reaktion* des *Glykogenabbaues* (*Glykogenolyse*), d. h. alle Faktoren, die das Auftreten der Phosphorylase a begünstigen, steigern die Geschwindigkeit der Glykogenolyse und alle solche, die die Phosphorylase b begünstigen, vermindern die Glykogenolyse.

Unter Berücksichtigung der geschwindigkeitsbestimmenden Rolle der Glykogensynthase für die Bildung des Glykogens läßt sich die Aussage treffen, daß die Glykogenkonzentration in der Leber und der Muskulatur von den jeweiligen relativen Aktivitäten der Glykogensynthetase und der Phosphorylase bestimmt wird.

Daraus wird deutlich, daß es biologisch sinnvoll ist, wenn beide Enzyme einer entgegengesetzten Regulation unterworfen sind. Wie dies vor sich geht, wird in den folgenden Ausführungen erörtert werden.

Muskelphosphorylase ist ein tetrameres Enzym und besitzt ein Molekulargewicht von 370000. Das Muskelenzym ist immunologisch von der Leberphosphorylase unterscheidbar.

Im Gegensatz zur Glykogensynthetase ist im Falle der *Phosphorylase* die *phosphorylierte Form* (*Phosphorylase a*) *aktiv* und die *dephosphorylierte Form* (*Phosphorylase b*) *inaktiv*. Die Umwandlung der Form a in die Form b erfolgt durch die *Phosphorylasephosphatase* und die entgegengesetzte Reaktion, also die Aktivierung der Phosphorylase, wird durch die *Phosphorylasekinase* unter Verbrauch von vier Molekülen ATP pro Phosphorylasetetramer katalysiert (Abb. 12).

Dabei wird pro Untereinheit ein Molekül Phosphat gebunden, so daß die aktive, phosphorylierte Form des Enzyms pro Tetramer vier Moleküle Phosphat enthält, die jeweils mit einem Serylrest pro Untereinheit verknüpft sind. Bei der durch die Phosphorylasephosphatase erfolgenden Dephosphorylierung wird das Tetramer in zwei inaktive Dimere gespalten.

Die *Phosphorylase* enthält außerdem kovalent gebundenes *Pyridoxalphosphat*; pro Mol Phosphorylase a-Tetramer findet man vier Mole und pro Mol Phosphorylase b-Dimer zwei Mole Pyridoxalphosphat. Pyridoxalphosphat ist zwar kein Coenzym für die

Phosphorylase, es ist aber für die Entstehung und die Aufrechterhaltung einer bestimmten räumlichen Struktur des Enzyms erforderlich und deshalb als *Strukturstabilisator* für die Aktivität des Enzyms unentbehrlich.

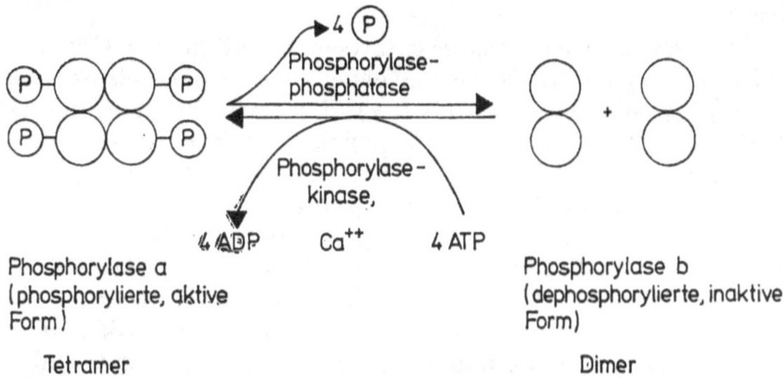

Abb. 12. Reversibel ineinander umwandelbare (interkonvertierbare) Formen der Muskelphosphorylase

In neuerer Zeit wurden Hinweise darauf erhalten, daß die Phosphatgruppe des Pyridoxalphosphates eine Funktion im Katalyseprozeß der Phosphorylase ausübt.

Die Phosphorylase b des Muskels wird durch 5'-AMP allosterisch aktiviert, d. h. das Enzym erlangt dadurch Aktivität auch ohne Rephosphorylierung. Dabei tritt eine Tetramerisierung der dimeren Enzymform ein. Glucose-6-phosphat hingegen ist allosterischer Inhibitor dieses Enzyms.

Die Leberphosphorylase verhält sich ähnlich wie die Muskelphosphorylase; Unterschiede bestehen lediglich darin, daß ihre a-Form kein Tetramer, sondern ein Dimer ist und ihre b-Form durch 5'-AMP nicht aktiviert werden kann.

Ruhender Muskel enthält mehr als 95% Phosphorylase b; bei Muskelarbeit hingegen steigt der Anteil an Phosphorylase a auf Kosten der Phosphorylase b an. Im ermüdeten Zustand verschwindet die Phosphorylase a wieder, indem sie in die Phosphorylase b umgewandelt wird.

Bei Reizung des Sartoriusmuskels des Frosches durch Einzelstromstöße aller zwei Sekunden beobachtet man eine verstärkte Glykogenolyse, jedoch keine Erhöhung des Phosphorylase a-Gehaltes; bei tetanischer Reizung hingegen baut sich im Muskel ein bestimmtes Plateau an Phosphorylase a auf. Dadurch wird die Glykogenolyse und die Lactatbildung gesteigert.

Der Spiegel an Phosphorylase a wird durch das Verhältnis der Aktivitäten der Phosphorylasekinase und Phosphorylasephosphatase bestimmt.

Bei Reizung des Muskels durch nicht zu rasch aufeinanderfolgende Einzelstromstöße (z. B. aller zwei Sekunden, s. o.) wird die Phosphorylase a offenbar bei jeder Einzelkontraktion gebildet, während sie in den Pausen zwischen den Kontraktionen wieder verschwindet, d. h. in die b-Form umgewandelt wird.

Eine wichtige Schlußfolgerung daraus ist die, daß die *Muskelkontraktion* zeitlich mit einer *Steigerung* des *Glykogenabbaues* durch Umwandlung der Phosphorylase b in die a-Form zusammenfällt.

Beide Prozesse werden also offenbar gleichzeitig ausgelöst und durch gleiche Mechanismen reguliert. Die Auslösung beider Prozesse erfolgt durch eine Erhöhung der Ca^{++}-Ionen von 10^{-8} auf 10^{-6}—10^{-5} mol/l im Cytosol der Muskelfaser. Sowohl der Kontraktionsvorgang als auch der Glykogenabbau sind Ca^{++}-abhängige Prozesse (über die Bedeutung des Ca^{++} für die Muskelkontraktion s. FB 2).

Die Ca^{++}-*Bedürftigkeit* der *Glykogenolyse* beruht darauf, daß die Phosphorylasekinase bei Abwesenheit von Ca^{++}-Ionen völlig inaktiv ist; demzufolge kann es dann nicht zu einer Umwandlung der Phosphorylase b in die Phosphorylase a durch dieses Enzym kommen.

Die bei der Erregung der Muskelfaser eintretende Erhöhung der Ca^{++}-Konzentration löst demzufolge gleichzeitig die Muskelkontraktion und den Glykogenabbau aus, wodurch die Voraussetzungen für die Bildung von ATP geschaffen werden, das als Energiequelle für den Kontraktionsprozeß dient. Quellen der Ca^{++}-Ionen sind a) das sarcoplasmatische Reticulum als intrazellulärer Ca^{++}-Speicher, b) der Extrazellulärraum und die transversalen Tubuli des Muskels und c) wahrscheinlich die Muskelmitochondrien (Sarcosomen).

Betrachten wir uns jetzt die *Phosphorylasekinase* des Muskels etwas genauer. Das Enzym hat ein Molekulargewicht von $1{,}3 \cdot 10^6$ und besteht aus *vier Typen* von *Untereinheiten*; die α-Untereinheit hat ein Molekulargewicht von 145000, die β-Untereinheit von 128000, die γ-Untereinheit von 45000 und die δ-Untereinheit von 17000. Jede dieser Untereinheiten ist vierfach im Enzym vertreten, so daß dessen Formel $(\alpha\beta\gamma\delta)_4$ lautet. Die β-Untereinheit beherbergt das aktive Zentrum des Enzyms, ist also für dessen katalytische Funktion verantwortlich. Die α-Untereinheit hat regulatorische Funktion, während der γ-Untereinheit Erkennungsfunktionen zugeschrieben werden; wahrscheinlich ist die γ-Subeinheit für die Anlagerung der Phosphorylasekinase an die dünnen Filamente der *Myofibrillen* nahe der *Troponinmoleküle* verantwortlich (FB 2).

Die *δ-Untereinheit* der *Phosphorylasekinase* bindet Ca^{++}-Ionen und ist identisch mit dem sog. *Calmodulin,* das auch bei anderen Ca^{++}-abhängigen Prozessen als calciumbindendes Protein mitwirkt (FB 1). Calmodulin ist integraler Bestandteil des Enzyms. Die Aktivierung der Phosphorylasekinase wird durch die Ca^{++}-Bindung an diese Untereinheit verursacht.

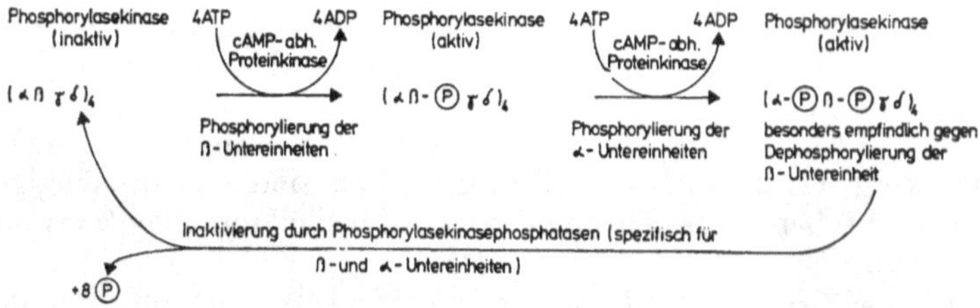

Abb. 13. Die reversible Aktivierung und Inaktivierung der Phosphorylasekinase

Die *Phosphorylasekinase* ist Angriffspunkt solcher *nervaler* und *hormonaler Regulationsmechanismen*, die zur *Steigerung* der *Glykogenolyse* führen. Die *nervalen Mechanismen* bewirken eine Erhöhung der *Ca^{++}-Konzentration* in der *Muskelfaser* (s. o.) und verursachen so eine *Aktivierung* der Phosphorylasekinase, die *hormonalen Mechanismen* führen zu einer *Erhöhung* des *cAMP*, wodurch das Enzym ebenfalls *aktiviert* wird. Näheres dazu geht aus den folgenden Ausführungen hervor.

Von großer Bedeutung ist die Tatsache, daß die *Phosphorylasekinase* in der Zelle in mehreren, ineinander umwandelbaren *Formen*, zwei *aktiven* und einer *inaktiven Form*, vorliegt (Abb. 13).

Die eine aktive Form des Enzyms hat pro α, β, γ, δ-Einheit zwei Moleküle Phosphat gebunden, ein Molekül davon ist an die β-Untereinheit und ein Molekül an die α-Untereinheit gebunden. Die Anlagerung des Phosphates erfolgt an zwei Serylgruppen des Enzyms, d. h. dessen Aktivierung wird durch eine *cAMP-abhängige Proteinkinase* („Phosphorylasekinasekinase") mit ATP als Phosphatdonor katalysiert. Die beiden Untereinheiten werden mit unterschiedlicher Geschwindigkeit phosphoryliert; die katalytisch aktive β-Untereinheit wird sehr schnell, die regulatorische α-Untereinheit etwas langsamer phosphoryliert.

Wir halten fest, daß die *Phosphorylasekinase* durch ein und dasselbe Enzym, die *cAMP-abhängige Proteinkinase*, an *zwei funktionell* und *strukturell* unterschiedlichen *Untereinheiten phosphoryliert* wird. Die Phosphorylierung der β-Untereinheit führt zur Aktivierung des Enzyms; die Phosphorylierung der α-Untereinheit hat jedoch eine andere Wirkung. Diese ist die folgende: bei der Anheftung von Phosphat an die α-Untereinheit der Phosphorylasekinase, d. h. durch die zweite Phosphorylierung des Enzyms, kommt es zu einer Konformationsänderung des Enzyms, so daß dadurch die Dephosphorylierungsgeschwindigkeit der β-Untereinheit durch eine spezifische Phosphatase (Phosphorylasekinasephosphatase) um das 50fache stimuliert wird. Die α-Untereinheit kontrolliert demzufolge mittels ihres Phosphorylierungszustandes die Inaktivierung der Phosphorylasekinase durch die genannte Phosphatase. Die Dephosphorylierung der α-Untereinheit erfolgt durch eine andere, an dieser Untereinheit spezifisch angreifenden Phosphatase.

Die Schilderung dieser Zusammenhänge und die Rolle der Ca^{++}-Ionen machen die Komplexität der Vorgänge deutlich, die die Aktivität der Phosphorylasekinase regulieren.

Wir haben gesehen, daß die *cAMP-abhängige Proteinkinase* jeweils die *Glykogensynthase* und die *Phosphorylasekinase* unter ATP-Verbrauch phosphoryliert; die Glykogensynthase wird dabei inaktiviert und die Phosphorylasekinase aktiviert. Eine Aktivierung dieser Proteinkinase durch Erhöhung der cAMP-Konzentration im Cytosol der Leberzellen oder der Muskelfasern führt demzufolge zu einer Abschaltung der Glykogensynthese und zu einer Ankurbelung der Glykogenspaltung. Ein und dasselbe Signal, nämlich das cAMP, hat demzufolge entgegengesetzte Wirkungen auf den Abbau und die Synthese des Glykogens.

Der cAMP-Spiegel einer Zelle wird durch das Verhältnis der Geschwindigkeiten der Bildung und des Abbaues dieser Nucleotides eingestellt. cAMP wird aus ATP durch die membranständige Adenylatcyclase gebildet und durch die cAMP-Phosphodiesterase abgebaut.

Der cAMP-Spiegel der Leber und des Muskels sowie der anderer Zellen und Gewebe wird durch Hormone kontrolliert (FB 2). In der Leber führen Adrenalin und Glucagon und in der Muskulatur Adrenalin, nicht aber Glucagon, zu einer Aktivierung

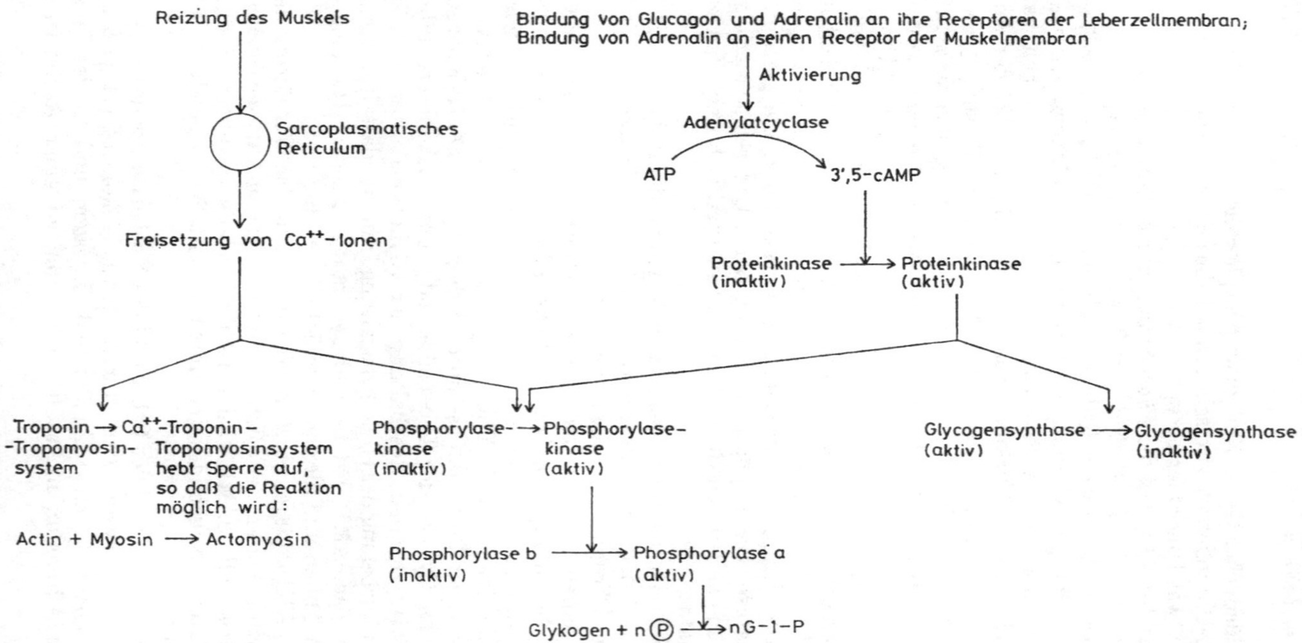

Abb. 14. Die Kaskade der Phosphorylaseaktivierung und der Inaktivierung der Glykogensynthase (die Kontrolle des Glykogenstoffwechsels in Muskel und Leber sowie dessen Beeinflussung durch Hormone und Ca^{++}-Ionen)

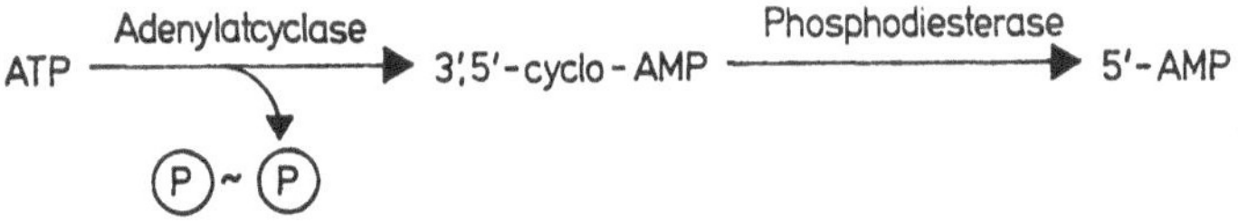

der Adenylatcyclase und damit zu einer Erhöhung des cAMP-Spiegels. Die genannten Hormone bewirken also über das Signal cAMP eine Steigerung der Glykogenolyse und eine Hemmung der Glykogensynthese (Abb. 14).

Wenn man die genannten Hormone als erste Botschafter (first messenger) bezeichnet, so erhält demzufolge das cAMP die Funktion eines zweiten Botschafters (second messenger), der den Auftrag hat, die vom ersten Botschafter, dem Hormon, an die Zelle herangetragene Information innerhalb der Zelle zu realisieren.

1.9.4.3. Der Kaskadenmechanismus im Glykogenstoffwechsel und seine Bedeutung

Bei der Bindung von Adrenalin oder Glucagon an ihre jeweils spezifischen Receptoren auf der Oberfläche einer Leberzelle oder einer Muskelfaser (Adrenalin) kommt es zu einer Aktivierung der Adenylatcyclase, die ATP in cAMP umwandelt. Das cAMP aktiviert die Proteinkinase, die im Glykogenstoffwechsel eine doppelte Wirkung ausübt: sie inaktiviert die Glykogensynthase und aktiviert die Phosphorylasekinase. Dadurch wird die Glykogensynthese „abgeschaltet" und die Glykogenolyse „angeschaltet", bei der Glykogen unter Aufnahme von anorganischem Phosphat in Glucose-1-phosphat übergeführt wird (Abb. 14).

Die Kontrolle des Abbaues und der Synthese des Glykogens erfolgt demzufolge nach einem *Kaskadenmechanismus*, der in optimaler Weise an die Bedürfnisse des Organismus angepaßt ist und einer feinen Ausbalancierung unterliegt (FB 2).

Ein solcher Kaskadenmechanismus ermöglicht sowohl eine *Verstärkung* der die Reaktionskaskade auslösenden *Signale* als auch eine *Integration* verschiedenartiger *regulatorisch wirkender Faktoren.*

Eine *Enzymkaskade*, wie die des Glykogenstoffwechsels, besteht aus Enzymen, die durch die Bildung oder Spaltung kovalenter Bindungen, also durch Phosphorylierung und Dephosphorylierung, modifiziert und dadurch in ihrer Aktivität beeinflußt werden können. Diese Modifizierung wird auf enzymatische Weise bewerkstelligt. Für die Anpassung des Systems an bestimmte zellphysiologische Situationen ist die Reversibilität der Modifizierungsreaktionen von grundsätzlicher Bedeutung.

Die *Verstärkung* der Wirkung eines Signals durch eine solche Kaskade, z. B. die des Adrenalins oder von Ca^{++} kommt im Hinblick auf die Glykogenolyse dadurch zustande, daß beide Faktoren auf jeder Stufe der Kaskade die *Aktivität* eines *Enzyms* steigern und so eine Vervielfachung ihrer Wirksamkeit erfolgt. Es kommt zu einer massiven Aktivierung der Glykogenphosphorylase, so daß ein Molekül Adrenalin zur raschen Freisetzung von vielen Millionen Glucose-1-phosphatmolekülen führt.

Die zweite Eigentümlichkeit eines solchen Kaskadenmechanismus ist seine *integrative Wirkung*. Das Kaskadensystem der Phosphorylaseaktivierung erlaubt die Integration von hormonalen (z. B. von Adrenalin und Glucagon) sowie von nervalen (z. B. durch Veränderung der Ca^{++}-Konzentration) und metabolischen Signalen (z. B. durch allosterische Wirkungen von Glucose, Glucose-6-phosphat und 5'-AMP).

1.9.5. Anomalien des Glykogenstoffwechsels

Es gibt verschiedene Typen vererbbarer *Glykogenspeicherkrankheiten*, die in Ablagerungen von Glykogen in einzelnen Organen bestehen. Der *hepatische Typ* (von Gierke) äußert sich in einer Vergrößerung der Leber, niedrigem Blutzuckerspiegel sowie in einer Wachstumshemmung des Organismus. Es kommt zu Ablagerungen großer Mengen Glykogen in der Leber. Ein spezifischer

Tabelle 2
Verschiedene Typen der Glykogenspeicherkrankheiten

Typ	fehlendes Enzym	vorwiegend betroffene Organe
I (von Gierke)	Glucose-6-phosphatase	Leber, Niere
II (Pompe)	α-Glucosidase	Herz, Muskel, ZNS, Leukozyten
III (Cori)	Amylo-1,6-glucosidase	Leber, Leukozyten
IV (Andersen)	„Branching Enzyme" (1,4 → 1,6-Transglykosidase)	Leber, Muskel
V (Mc Ardle)	Muskelphosphorylase	Muskel
VI (Hers)	Leberphosphorylase	Leber, Leukozyten

Enzymdefekt besteht bei diesem Typ im Fehlen der *Glucose-6-phosphatase*. Beim sog. muskulären Typ, der im Fehlen der in den Lysosomen lokalisierten α-Glucosidase besteht, kommt es zu Glykogenablagerungen in der Muskulatur, vorwiegend im Herzen (Tab. 2). Beim Gesunden hat das Enzym offenbar eine Ventilfunktion, d. h. es begrenzt die Menge des im Muskel abgelagerten Glykogens.

Die verschiedenen Typen sind durch das Fehlen bestimmter Enzyme gekennzeichnet. Außer den schon genannten Glucose-6-phosphatase- und α-Glucosidasedefekten kommen u. a. auch Defekte der *Amylo-1,6-glucosidase*, *Transglykosidase* und *Phosphorylase* in Betracht.

Es gibt auch eine vererbbare *Glykogenmangelkrankheit*, die auf einem Mangel an *Glykogensynthase* beruht.

1.10. Hydrolytische Spaltung der Di- und Polysaccharide; Synthese von Disacchariden

1.10.1. Disaccharidspaltende Hydrolasen

Die Spezifität der *Disaccharidasen* erstreckt sich auf das an der Bindung beteiligte, das acetalische Hydroxyl liefernde Monosaccharid und darauf, ob das betreffende Monosaccharid α- oder β-glykosidisch gebunden ist (DB I). Daneben spielt die Natur des heterocyclischen Ringes (Pyranose oder Furanose) eine Rolle. Man unterscheidet u. a.: *α-Glucosidase*, *β-Glucosidase*, *β-Galactosidase* und *β-Fructosidase*. Diese Enzyme sind in der Natur weit verbreitet. Beim höheren Tier kommen einige davon im Verdauungstrakt vor: α-1,4-Glucosidase (Maltase), β-Galactosidase (Lactase) und α-1,6-Glucosidase (FB 2). Interessant ist z. B., daß der Rohrzucker, der ein α-Glucosyl-β-fructosid ist, in der Natur durch zwei Enzyme unterschiedlicher Spezifität gespalten werden kann: α-Glucosidase (Darm) und β-Fructosidase (Invertase, Saccharase; in der Hefe).

Das allgemeine Schema der Glykosidase-Wirkung ist:

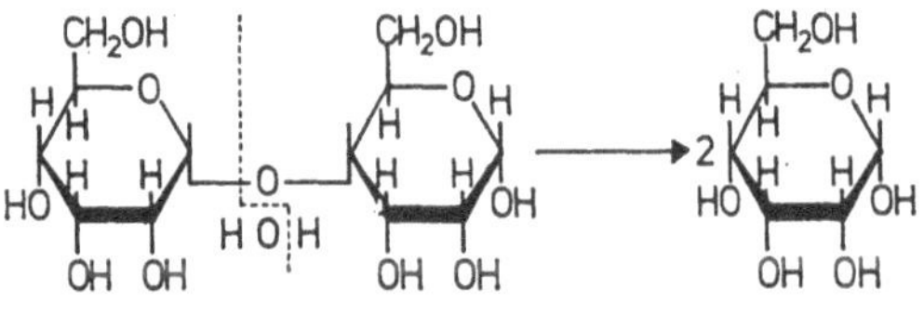

Disaccharid 2 Monosaccharide

1.10.2. *Synthese von Disacchariden*

Die *Synthese* von *Disacchariden* beim Menschen und den Säugetieren, z. B. die von Lactose in der Milchdrüse, erfolgt über Uridindiphosphatderivate von Monosacchariden (S. 45f.), indem diese mit anderen Monosacchariden auf folgende Weise reagieren (Beispiel Synthese von Lactose):

U—R—Ⓟ—Ⓟ-Galactosid + Glucose →

U—R—Ⓟ—Ⓟ + Galactosidoglucose (Lactose)

Diese Reaktion wird in der Milchdrüse durch das Enzym *Lactosesynthetase* katalysiert. Dieses Enzym besteht aus zwei verschiedenen Proteinanteilen, einer Galactosyltransferase (Protein A) und dem α-Lactalbumin (Protein B). Es wurde erkannt, daß das α-Lactalbumin verantwortlich für die Reaktionsspezifität des Enzyms und für seine Affinität gegenüber Glucose als Acceptor der Galactose ist. Man kann das Eiweiß α-Lactalbumin folglich als einen allosterischen Effektor des Enzyms Galactosyltransferase betrachten, der dessen Spezifität zur Lactosesynthese bestimmt.

1.10.3. *Polysaccharidspaltende Hydrolasen*

Diese Enzyme werden unter dem Namen *Amylasen* zusammengefaßt. Sie spalten *Stärke* (*Amylase*, *Amylopektin*) und *Glykogen*. Nach ihrem Angriffsort im Polysaccharidmolekül unterscheidet man hauptsächlich zwei verschiedene Amylasen: α- und β-*Amylase*. α-Amylase kommt im Speichel und im Pankreassekret vor. Sie ist ein Verdauungsenzym (FB 2). Sie spaltet Glykosidbindungen hydrolytisch im Innern des Polysaccharidmoleküls (Endoamylase). Dadurch ist sie in der Lage, rasch eine „Verflüssigung" des Polysaccharids zu erreichen (dextrinogene Amylase). Bei Einwirkung

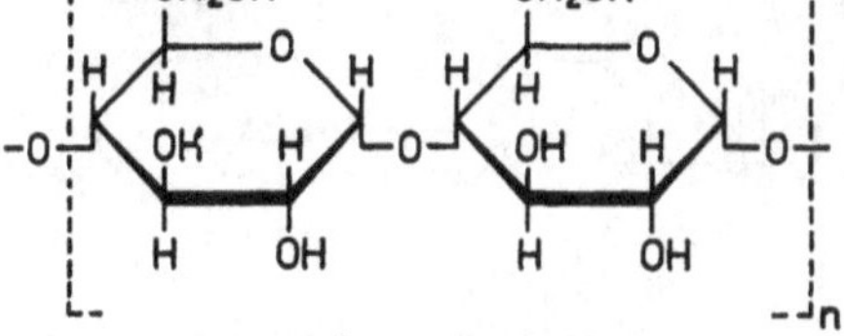

Maltoseeinheit der Stärke

auf Amylose wird diese vollständig zu Maltose gespalten. Amylopektin und Glykogen liefern neben der Maltose noch die von den Verzweigungsstellen stammende 1,6-Isomaltose. Letztere wird danach durch die 1,6-Glucosidase in zwei Glucoseeinheiten zerlegt.

Die α-Amylasen enthalten Ca^{++}, welches für ihre Aktivität notwendig ist. Die α-Amylasen des Speichels und des Pankreas werden durch Cl^--Ionen allosterisch aktiviert.

Die *β-Amylase* kommt vorwiegend im Pflanzenreich vor. Sie spaltet vom Polysaccharid Schritt für Schritt Maltoseeinheiten von den Kettenenden her ab (saccharogene Amylase, Exoamylase). Amylose wird vollständig zur Maltose, Amylopektin und Glykogen jedoch nur bis zu den Verzweigungsstellen unter Rücklassung eines sogenannten Grenzdextrins hydrolysiert. Die Spaltung der verzweigten Polysaccharide kann erst dann durch die β-Amylase fortgesetzt werden, wenn die Verzweigungsstellen durch eine Amylo-1,6-glucosidase vorher aufgespalten wurden.

Neben den α- und β-Amylasen gibt es auch γ-Amylasen. Diese Enzyme sind Exoamylasen, die nicht Maltose, sondern Glucoseeinheiten von den Kettenenden der Polysaccharide her abspalten. Sie werden auch als Glucoamylasen bezeichnet. Sie kommen in Mikroorganismen, aber auch in der Leber vor (S. 49).

Säugetiere enthalten keine Enzyme, die das Polysaccharid *Cellulose* zu spalten vermögen. Solche Enzyme kommen als hydrolytisch wirkende Cellulasen in Bakterien vor. Als Bewohner des Gastrointestinaltraktes tragen einige Bakterien dazu bei, daß die Cellulose auch für höhere Tiere als Nahrungskohlenhydrat dienen kann (Wiederkäuer). Produkte des Celluloseabbaues sind Kohlendioxid, Alkohol und organische Säuren.

Für den Menschen spielt die Cellulose als Nahrungskohlenhydrat keine Rolle, sie ist aber als Ballaststoff der Natur bedeutsam. In den Verdauungssäften von Insekten und Mollusken wird die Cellulose gespalten.

1.11. Der Stoffwechsel der Glucuron- und Galacturonsäure

Glucuronsäure und *Galacturonsäure* werden aus Glucose gebildet. Ausgangspunkt ist dabei *Glucose-1-phosphat*. Dieses reagiert mit UTP und bildet UDP-Glucosid (UDPG). Die UDPG-Synthese wird durch die UDPG-Pyrophosphorylase katalysiert (s. auch Glykogensynthese, S. 44 f.).

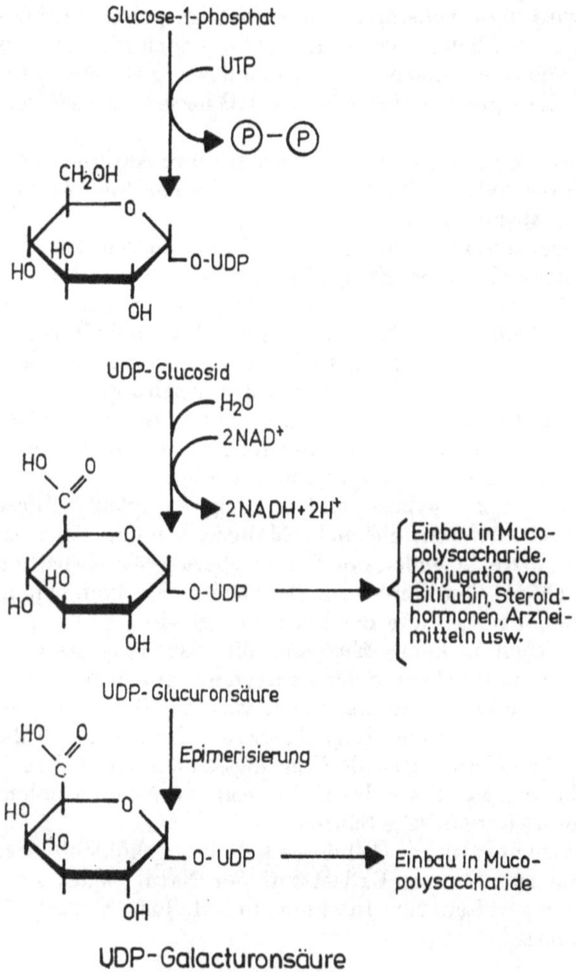

Abb. 15. Die Biosynthese der Glucuronsäure und Galacturonsäure

UDP-Glucosid wird schrittweise durch zwei Moleküle NAD^+ zur UDP-Glucuronsäure oxidiert. Das Enzym heißt UDPG-Dehydrogenase (Abb. 15).

Aus der UDP-Glucuronsäure kann durch Inversion (Epimerisierung) am C-Atom 4 die UDP-Galacturonsäure gebildet werden.

Die Reaktion ist der Umwandlung von UDP-Glucosid in UDP-Galactosid ähnlich (S. 32 f.).

Die *UDP-Glucuronsäure* und *UDP-Galacturonsäure* sind die *stoffwechselaktiven Formen* der Glucuronsäure und Galacturonsäure. Sie werden unmittelbar für die Synthese der Glykosaminoglykane (Mucopolysaccharide) bzw. der Proteoglykane benutzt (DB I).

UDP-Glucuronsäure dient darüber hinaus der Konjugation von Bilirubin (Bildung von Bilirubindiglucuronid) sowie der Konjugation ausscheidungspflichtiger Stoffwechselprodukte von Steroidhormonen, Arzneimitteln usw. (FB 2).

1.12. Der Stoffwechsel der Aminozucker

In den Glykoproteinen und Proteoglykanen findet man die Aminoderivate und N-Acetylaminoderivate von Glucose und Galactose (Glucosamin, Galactosamin, N-Acetylglucosamin, N-Acetylgalactosamin; DB I). Ihre Synthese geht vom *Fructose-6-phosphat* aus, welches zunächst durch *Transamidierung* von Glutamin in *Glucosamin-6-phosphat* übergeführt wird. Das Enzym heißt L-Glutamin-D-fructose-6-phosphat-Transamidase.

Das Glucosamin-6-phosphat wird zunächst in Glucosamin-1-phosphat übergeführt und dann mittels UTP in UDP-Glucosamin umgewandelt. Dieses stellt die reaktionsfähige Form zum Aufbau der Mucopolysaccharide dar. UDP-Glucosamin kann durch Inversion in UDP-Galactosamin übergehen (Abb. 16).

Zur Einführung der Acetylgruppe reagiert Glucosamin-6-phosphat mit Acetyl-CoA. Dabei entsteht N-Acetylglucosamin-6-phosphat. Dieses wird nach Umwandlung in das entsprechende 1-Phosphat weiter durch UTP in UDP-N-Acetylglucosamin sowie durch Epimerisierung in UDP-N-Acetylgalactosamin umgewandelt. Beide UDP-Derivate werden unmittelbar zum Einbau des jeweiligen N-acetylierten Aminozuckers in die Mucopolysaccharide verwendet.

Von Bedeutung ist ferner die Biosynthese von *N-Acetylneuraminsäure* (*Sialinsäure*), die Bestandteil von *Glykoproteinen* und *Gangliosiden* ist (DB I). Hierzu wird N-Acetylglucosamin-6-phosphat in N-Acetylmannosamin-6-phosphat umgewandelt, welches dann mit Phosphoenolpyruvat reagiert und dabei N-Acetylneuraminsäure-9-phosphat bildet. Dieses dient dann zur Synthese der oben genannten Verbindungen.

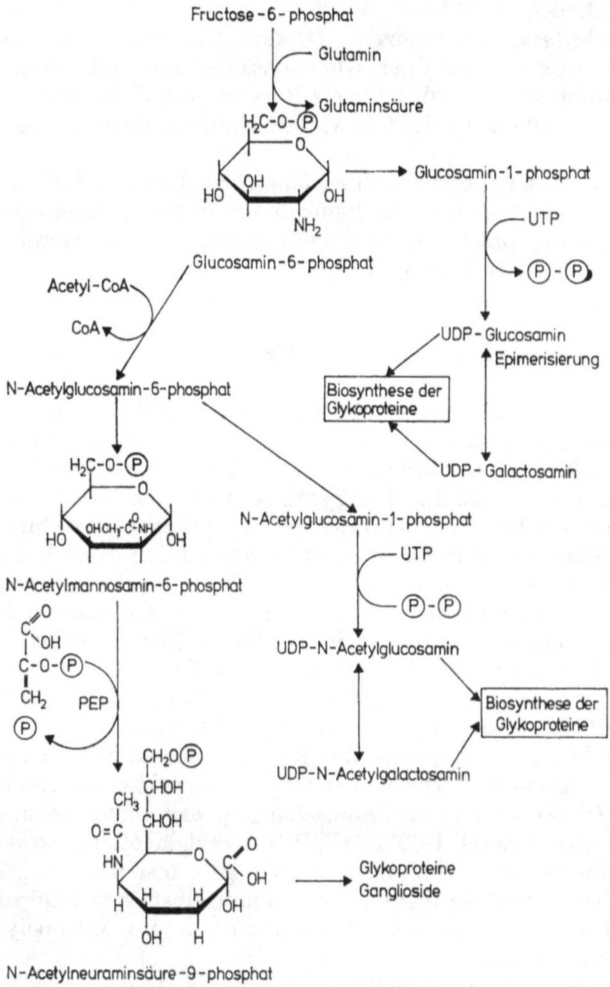

Abb. 16. Die Biosynthese der Aminozucker und die Biosynthese von N-Acetylneuraminsäure (Sialinsäure)

1.13. Der Stoffwechsel der Heteroglykane

Dieses Kapitel ist der Biosynthese und dem Abbau der Heteroglykane gewidmet. Ihre Struktur ist in DB I erklärt.

1.13.1. Die Biosynthese der Glykosaminoglykane

Wichtigste Orte der Biosynthese der Glykosaminoglykane sind die *Bindegewebszellen* (*Fibroblasten*). In diesen Zellen erfolgt deren Biosynthese in einer mehrstufigen Reaktionskette.

Ausgangssubstrate sind *Aminosäuren*, *Glucose* und *aktives Sulfat* (S. 194). Die Aminosäuren dienen zur Synthese der Polypeptidkette am ribosomalen Proteinsyntheseapparat der Fibroblasten (DB IV), Glucose ist die Vorstufe aller in ihnen vorkommenden Zuckerderivate (Glucuron- und Galacturonsäure, N-Acetylgalactosamin usw.) und das aktive Sulfat (3'-Phosphoadenylylsulfat, Abkürzung PAPS, Formel S. 194) dient zur Übertragung des Sulfatrestes auf die Bausteine des Polysaccharidanteils.

Der erste Schritt (Abb. 17) besteht in der Synthese des Proteins als Zentralteil des Proteoglycans. Im Schritt 2 kommt es zur Anlagerung eines Xylosemoleküls unter Verbrauch von UDP-Xylose an die Hydroxylgruppe eines Serin- oder Threoninrestes (Xylosyltransferase). Danach werden nacheinander zwei Moleküle Galactose, die von UDP-Galactose als Donor stammen, angekoppelt (Schritt 3, Galactosyltransferase). Daran schließt sich die Bindung von Glucuronsäure (Schritt 4) sowie von N-Acetylgalactosamin (Schritt 5) und noch einmal von Glucuronsäure an (Schritt 6). Die beiden letztgenannten Monosaccharidderivate werden jeweils alternierend angekoppelt, so daß dadurch schrittweise das typische, aus disaccharidähnlichen Einheiten bestehende Polymer des Glykosaminoglykans entsteht (Schritt 7). Die entsprechenden Enzyme werden als Glucuronyl- und N-Acetylgalactosaminyltransferasen bezeichnet. Als Donoren wirken auch hier die UDP-Derivate der jeweiligen Monosaccharide. Zuletzt werden dann die N-Acetylgalactosaminreste sulfatiert, indem Sulfatreste aus dem aktiven Sulfat auf diese übertragen werden (Schritt 8; Sulfonyltransferase).

Das *Syntheseprodukt* ist das aus einem *Eiweiß*- und dem *Glykosaminoglykananteil* bestehende *Proteoglykan*, das ein wichtiger Bestandteil des Bindegewebes ist (DB I, FB 1).

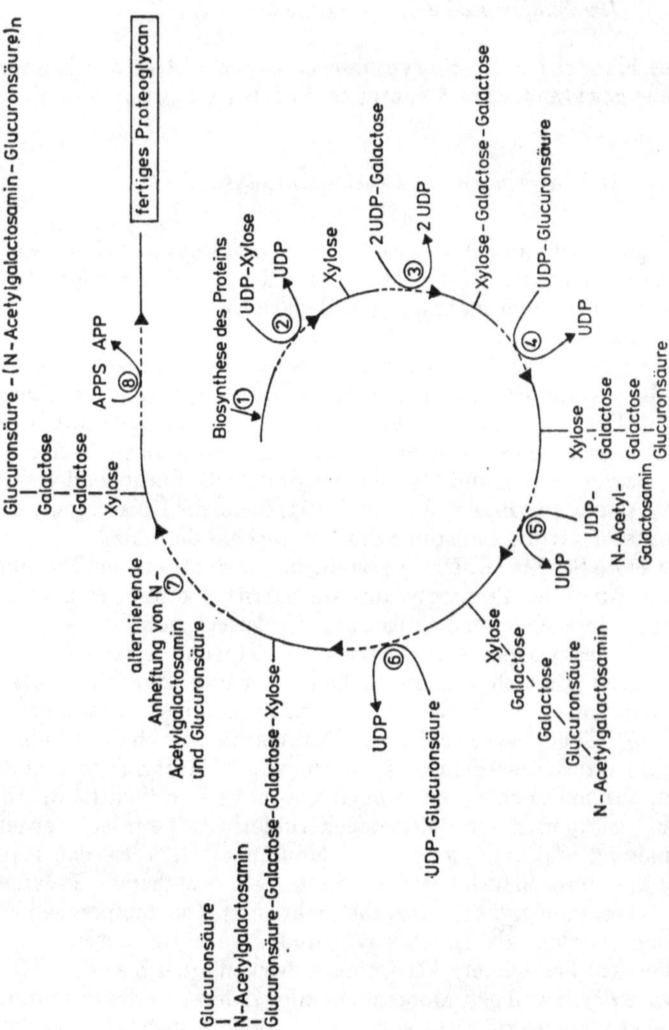

Abb. 17. Die Biosynthese der Proteoglykane

1.13.2. Der Abbau der Proteoglykane

Die Umsatzgeschwindigkeit der Glykosaminoglykane ist sehr unterschiedlich. Die *biologische Halbwertszeit* der Hyaluronsäure in der Haut beträgt 5 Tage und die des Chondroitinsulfates im Knorpel 30 Tage.

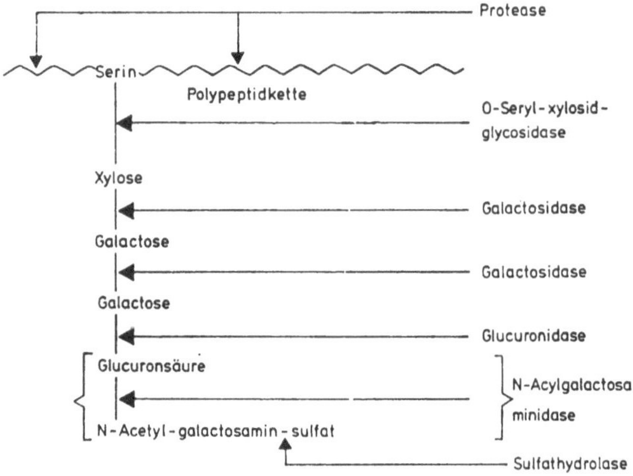

Abb. 18. Schematische Darstellung des Proteoglykanabbaues (nach Greiling)

Der Abbau der Proteoglykane erfolgt durch eine größere Zahl von *hydrolytisch* wirkenden Enzymen *lysosomalen Ursprungs*. Ihr Angriff auf das Molekül ist in Abb. 18 dargestellt. Die Polypeptidkette wird durch Proteasen abgebaut, während die Kohlenhydratkomponente durch eine Reihe spezifischer Enzyme gespalten wird, die die unterschiedlichsten Bindungen jeweils spezifisch hydrolysieren.

Ein wichtiges Enzym des Abbaues der *Hyaluronsäure* ist die *Hyaluronidase* (FB 1). Sie spaltet die 1,4-Bindungen zwischen den N-Acetylglucosamin- und den Glucuronsäure-Resten in der Hyaluronsäure auf und trägt so zum Abbau dieses Glykosaminglykans bei. Es geht so die Netzstruktur des Bindegewebes und damit dessen *Siebfunktion* verloren. Die Folge davon ist, daß sich dann Bakterien u. a. Partikel rascher ausbreiten können als in der

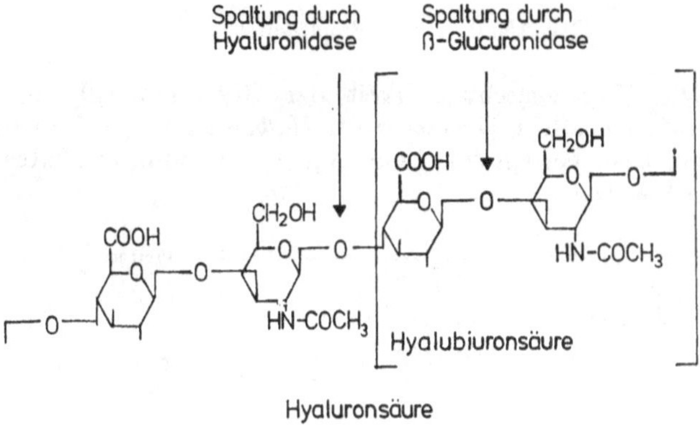

intakten Grundsubstanz. Tatsächlich enthalten zahlreiche Krankheitserreger sowie Schlangengift u. a. Gifte Hyaluronidase, die man auf Grund dieses Effektes früher als „Ausbreitungsfaktor" bezeichnet hat. Die durch die Hyaluronidase entstehenden Disaccharide werden durch die *β-Glucuronidase* weiter gespalten.

1.13.3. Die Biosynthese der Glykoproteine

Wie bei der Synthese der Proteoglykane spielen auch bei der Synthese der Glykoproteine die *Glykosyltransferasen* eine wichtige Rolle. Sie sind für den regelmäßigen Aufbau der Kohlenhydratseitenketten dieser zusammengesetzten Proteine verantwortlich.

Glykoproteine werden von den sie synthetisierenden Zellen entweder sezerniert (*Sekretglykoproteine*) oder in deren Membranen eingebaut (*Membranglykoproteine*). Zu den Sekretglykoproteinen gehören bestimmte Hormone, zahlreiche Plasmaproteine und Bestandteile von Schleimstoffen. In biologischen Membranen spielen Glykoproteine eine bedeutende Rolle als spezifische Receptoren (DB IV, FB 1 und 2).

Nach Fertigstellung ihres Proteinanteils am ribosomalen Proteinsyntheseapparat und Abspaltung des zur Sekretion erforderlichen Signalpeptides (DB IV) wird bei den *Sekretglykoproteinen* deren Kohlenhydratkomponente durch die *Glykosyltransferasen* des *Golgiapparates* der Zellen synthetisiert und an das Protein angekoppelt.

Von Bedeutung ist der Befund, daß die sog. *innere Region der Kohlenhydratkomponente* der *Glykoproteine* unter Mitwirkung von

Dolicholphosphat (DB I) als *Trägerlipid* synthetisiert wird. Die innere Region vieler Glykoproteine hat folgende Struktur (DB I):

(α-Mannose)$_n$-β-Mannose-1 → 4β-N-Acetylglucosamin-1 → 4-β-N-Acetylglucosamin-Asparaginyl ..... peptid.

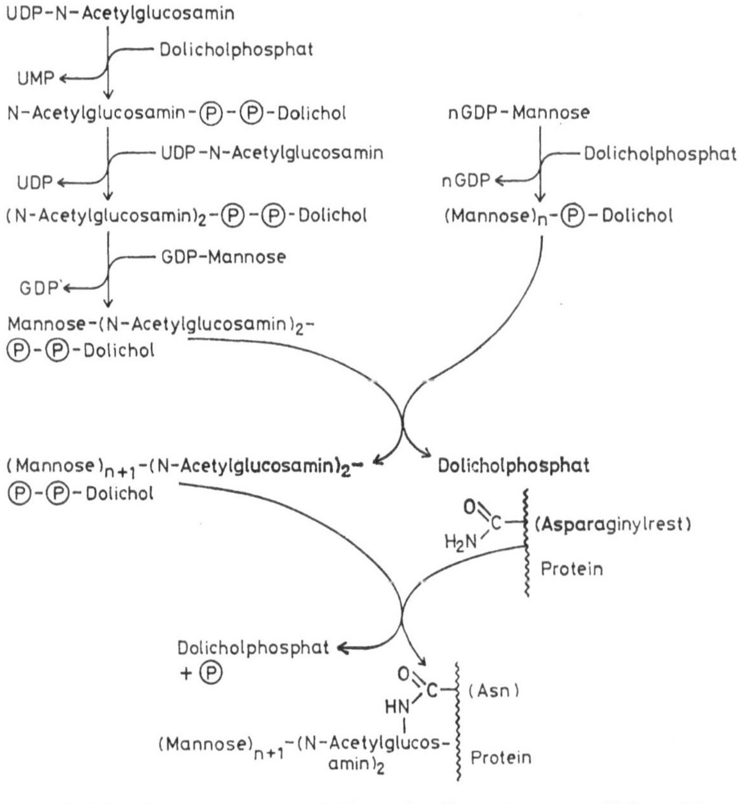

Abb. 19. Die Biosynthese des Kohlenhydratanteils der Glykoproteine

Die Biosynthese dieser Region erfolgt am *Dolicholphosphat*, einem *Polyprenol*, das aus mehreren Isoprenresten besteht (Abb. 19).

In der ersten Reaktion reagiert unter Abspaltung von UMP das UDP-N-Acetylglucosamin mit dem Dolicholphosphat. Dabei entsteht N-Acetylglucosaminpyrophosphoryldolichol, an das β-glykosidisch N-Acetylglucosamin und Mannose angehängt wird. Parallel dazu werden auf ein zweites Dolicholphosphatmolekül nacheinander mehrere Mannosemoleküle übertragen, die aus der GDP-Mannose stammen und untereinander α-glykosidisch verknüpft werden. Diese Mannosekette wird unter Abspaltung ihres Dolicholphosphatträgers auf das Trisaccharid übertragen, dessen Bildung zuerst besprochen wurde (Abb. 19). Danach wird das so gebildete Oligo- oder Polysaccharid auf den Asparaginylrest der Polypeptidkette übertragen.

Weiterhin benötigte Monosaccharidbausteine werden an diese innere Region schrittweise unter der Katalyse von *Glykosyltransferasen* angehängt. Wie aus den Ausführungen über die Struktur der Glykoproteine in DB I hervorgeht, ist häufig *Neuraminsäure* oder *Sialinsäure* die *terminale Gruppe* der Kohlenhydratkomponente von Glykoproteinen. Dann ist der vorletzte Baustein immer ein Galactosylrest.

Die Anheftung der Neuramin-(Sialin-)säure erfolgt, ausgehend von dem N-Acetylneuraminsäure-9-phosphat (s. S. 64), durch die nachfolgenden Reaktionen:

N-Acetylneuraminsäure-9-phosphat $\xrightarrow{H_2O}$ N-Acetylneuraminsäure + Phosphat

CTP + N-Acetylneuraminsäure → CMP-N-Acetylneuraminsäure + Pyrophosphat

CMP-N-Acetylneuraminsäure + Galactosylglykoprotein → N-Acetylneuraminylgalactosylglykoprotein + CMP

Als *Aktivator* der *freien N-Acetylneuraminsäure* wird demzufolge *CTP* benutzt. Die aktivierte N-Acetylneuraminsäure wird durch eine spezifische Transferase auf solche Glykoproteine übertragen, die einen freien Galactosylrest besitzen.

2. Prinzipien der Stoffwechselregulation

2.1. Allgemeine Betrachtungen

In den vorangegangenen Kapiteln wurden an mehreren Stellen Aspekte der Regulation des Stoffwechsels behandelt, so z. B. der PASTEUR-Effekt (Abschnitt 1.3.), die Regulation der Gluconeogenese (Abschnitt 1.8.2.) und die Regulation der Synthese und Spaltung des Glykogens (Abschnitt 1.9.2.).

In diesem Kapitel wollen wir uns vom Grundsätzlichen her mit der Problematik der Regulation des Stoffwechsels beschäftigen und dabei die wichtigsten Gesetzmäßigkeiten kennenlernen, die der Stoffwechselregulation zugrunde liegen. Unter Berücksichtigung der bisher besprochenen Stoffwechselreaktionen werden wir uns dabei auf Beispiele aus dem System der energiebereitstellenden Stoffwechselreaktionen und dem Kohlenhydratstoffwechsel stützen.

Charakteristisch für den Stoffwechsel lebender Organismen ist sein hoher Ordnungszustand, d. h. die feine gegenseitige Abstimmung aller ablaufenden Prozesse. Dieser ist unter verschiedenen Bedingungen realisiert, z. B. bei Ruhe und Aktivität, bei den Prozessen der Differenzierung und Entdifferenzierung, der Induktion und Repression, in Aerobiose und Anaerobiose. In jedem Falle sind Kontrollmechanismen wirksam, die einen hohen Grad der Anpassung des lebendigen Organismus an die jeweilige Situation sichern und einen „sinnvollen" Ablauf der Lebensvorgänge gewährleisten.

2.2. *Ebenen der Regulation*

Man unterscheidet drei verschiedene Ebenen der Stoffwechselregulation, die durch jeweils eigene und spezifische Gesetzmäßigkeiten vor allem im Hinblick auf den Zeitbedarf der in ihnen ablaufenden Reaktionen ausgezeichnet sind:

1. Metabolisches Regulationssystem,
2. Epigenetisches Regulationssystem,
3. Genetisches Regulationssystem.

Nachstehend sollen die charakteristischen Eigentümlichkeiten der verschiedenen Systeme besprochen werden.

2.2.1. *Metabolisches Regulationssystem*

Man versteht darunter die Regulationsphänomene, die innerhalb einer Zelle bei konstantem Enzymbestand wirksam sind. In diesem System sind die Wechselwirkungen zwischen Enzymen und Substraten sowie mit Inhibitoren und Aktivatoren enthalten. Hierher gehören auch die konformationsbedingten Änderungen der Enzymaktivität bei Bindung von positiven oder negativen Effektoren im Falle der allosterischen Enzyme (DB II) und die Veränderungen der Enzymaktivität durch kovalente Modifizierung des Enzymproteins bei reversibel ineinander umwandelbaren Formen (S. 49 ff.). Im metabolischen System sind die Prozesse der Diffusion, die Wechselwirkungen zwischen Substraten und Effektoren mit ihren Enzymen, die enzymatischen Umwandlungen der Metabolite sowie die Konformationsänderungen der Enzyme, die zu Änderungen ihrer katalytischen Wirksamkeit führen, geschwindigkeitsbestimmend. Der Zeitbedarf solcher Prozesse liegt zwischen 10^{-8} und 10^{1} s.

2.2.2. *Epigenetisches Regulationssystem*

Das epigenetische System ist im wesentlichen durch den Stoffwechsel der biologischen Makromoleküle, der Nucleinsäuren und Proteine, also durch deren Synthese und Abbau charakterisiert. Die Prozesse der Induktion und Repression gehören zum epigenetischen Regulationssystem (DB IV). Der Zeitbedarf für die Synthese eines Eiweißmoleküls beträgt bei Bakterien etwa fünf Sekunden, einige Minuten dagegen bei höheren Organismen. In Bakterien wird ein RNS-Molekül etwa in einer Sekunde, in höheren Organismen etwa in einer Minute synthetisiert. Das epigenetische System übt bei Enzymen eine Art „Grobkontrolle" aus, während das metabolische System eine „Feinkontrolle" der Enzymaktivität bewirkt (s. auch Abschnitt „Gluconeogenese").

Zur epigenetischen Regulationsebene gehören auch die Prozesse der Ontogenese, des Wachstums, der Differenzierung und des Alterns. Diese Prozesse sind durch spezifische Änderungen in der Protein- und Nucleinsäuresynthese auf Organ- und Gewebsebene charakterisiert. Sie sind gesetzmäßige Vorgänge und hängen von einem fein regulierten Wechselspiel endogener und exogener Faktoren ab.

Der Zeitbedarf der Kontrollprozesse im epigenetischen System liegt in einem Bereich von etwa 10^{1} Minuten bis 10^{2} Stunden.

2.2.3. *Genetisches Regulationssystem*

Das genetische System ist innerhalb bestimmter Zeiträume als konstant zu betrachten. Der Zeitbedarf für Änderungen in diesem System ist bei Mikroorganismen kürzer als bei höheren Lebewesen.

Man kann für ihn grob die Grenzen von 10^2 Stunden bis 10^4 Jahren angeben. Wenn man die großen Evolutionslinien berücksichtigt, die auf molekularen Änderungen der DNS als genetischem Material beruhen, ist der Zeitbedarf noch größer.

In den folgenden Darlegungen werden wir uns vorwiegend mit dem System der metabolischen Regulation beschäftigen und gelegentlich auch Aspekte des epigenetischen Systems in die Darlegungen einbeziehen. Eine ausführliche Diskussion des epigenetischen und des genetischen Systems wird in Teil IV geführt.

2.3. *Kybernetische Aspekte*

Beträchtliche Impulse erhielt die Erforschung der Kontrollsysteme und ihrer Gesetzmäßigkeiten in lebenden Zellen und Organismen durch die Kybernetik. Man versteht darunter einen vor allem in den letzten 40 Jahren stark hervorgetretenen Wissenschaftszweig, der sich mit der Kontrolle, Steuerung, Informationsübertragung und -speicherung in biologischen Systemen beschäftigt (WIENER: Kybernesis-Steuerung). Zahlreiche Impulse erhielt diese Disziplin aus der Technik. Hier sind es die Regelkreise in den automatischen, d. h. selbstgesteuerten Systemen, die als Modelle zum Verständnis biologischer Regelmechanismen dienen können. Eine besondere Bedeutung hat die Kybernetik bei der Erforschung der Nervenerregung und Erregungsübertragung sowie in der Analyse der Beziehungen der endokrinen Drüsen untereinander erlangt.

Wesentlich für unsere Fragestellung ist, daß die Gesetzmäßigkeiten sich selbst regulierender Systeme auch an den Reaktionsketten des Zellstoffwechsels, ja selbst an einer Reaktion, die von einem einzigen Enzym katalysiert wird, nachzuweisen sind. Der Stoffwechsel besteht aus einer Vielzahl mannigfach miteinander in Wechselwirkung stehender (vermaschter) Regelkreise.

Ein *Regelkreis* stellt ein geschlossenes, gegenüber äußeren und inneren Einwirkungen relativ stabiles Rückkopplungssystem dar, das aus mehreren Gliedern besteht (Abb. 20). Er hat die Aufgabe, eine Größe (*Regelgröße*) auf einem bestimmten Wert *konstant* zu halten, z. B. einen bestimmten ATP-Spiegel oder, allgemeiner ausgedrückt, einen bestimmten Zustand des Adenylsäuresystems (AMP-, ADP-, ATP-System) in der Zelle aufrecht zu erhalten. Wenn diese Regelgröße von *Sollwert* oder Führungsgröße (z. B.

5 µMol ATP/ml Zellflüssigkeit) abweicht, trachtet das System danach, diesen Sollwert wieder einzustellen. Natürlich muß das System die Veränderung zunächst registrieren. Dies erfolgt im *Regler*, der danach die Regelgröße solange beeinflußt, bis sie den vorgeschriebenen Wert wieder erreicht hat. Der Regler arbeitet demnach dynamisch. In unserem Modell entspricht er der Gesamtheit der ATP-anliefernden Stoffwechselreaktionen der Zelle (Atmung, Glykolyse). Sinkt der ATP-Gehalt, so erhöhen sich

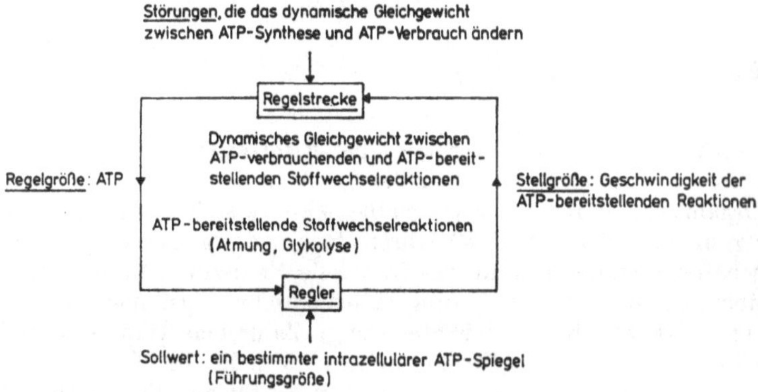

Abb. 20. Schema des Regelkreises zur Aufrechterhaltung eines bestimmten ATP-Gehaltes in der Zelle

gleichzeitig die Konzentrationen von ADP und anorganischem Phosphat. Diese Veränderungen bewirken eine Geschwindigkeitssteigerung der ATP-resynthetisierenden Reaktionen. Die Geschwindigkeit dieser ATP-liefernden Prozesse ist die *Stellgröße* des *Regelkreises*.

Als *Regelstrecke* wird das zu regulierende Objekt, also das *dynamische Gleichgewicht* zwischen den *energieverbrauchenden* und *energieliefernden* Reaktionen des Zellstoffwechsels bezeichnet. Die Regelstrecke ist der *ständigen Einwirkung* von *Störungen* ausgesetzt, die den Zustand des Adenylsäuresystems bzw. den ATP-Gehalt der Zellen zu verändern trachten (z. B. äußere Einwirkungen, die zu Veränderungen der ATP-Spaltung oder ATP-Synthese führen). Solche Einwirkungen werden *Störgrößen* genannt.

Letztere werden vom Regler registriert, da sie eine Veränderung des Sollwertes der Regelgröße hervorrufen. Der Regler sorgt dann dafür, daß diese Veränderungen ausgeglichen werden, indem er die Stellgröße, also die Geschwindigkeit der ATP-bereitstellenden Reaktionen der neuen Situation anpaßt.

Im Zellstoffwechsel lassen sich sehr viele derartige Regelkreise finden, die miteinander verflochten und fein aufeinander abgestimmt sind. Dadurch wird ein *komplexes Netzwerk* von *Kontrollmechanismen* geschaffen, das die Ordnung des Zellstoffwechsels gewährleistet.

Ein im Zusammenhang mit Regelungsvorgängen wichtiger Begriff ist der der Rückkopplung („feedback").

Rückkopplung stellt ein *Funktionsprinzip* von *Regelkreisen* dar. Man spricht in einem *dynamischen System* dann von einer *Rückkopplung*, wenn Änderungen einer seiner *Ausgangsgrößen* auf *Eingangsgrößen* zurückwirken.

Bei einer Stoffwechselkette liegt Rückkopplung dann vor, wenn ihr Endprodukt das an ihrem Anfang stehende Enzym in seiner Aktivität so beeinflußt, daß dadurch eine Veränderung der Durchsatzgeschwindigkeit des Substrates durch die gesamte Kette bewirkt wird. Auch hier haben wir ein sich selbst regulierendes System vor uns. Diese Rückkopplung kann entweder positiv oder negativ sein, je nachdem, ob ein bestimmtes Enzym dadurch aktiviert oder gehemmt wird. Dieses Phänomen ist für die Regulation des Zellstoffwechsels sehr bedeutungsvoll. Es kommt sowohl bei synthetisierenden als auch bei abbauenden Reaktionsketten vor. Beispiele einer negativen Rückkopplung sind: Hemmung der L-Threonindehydratase in *E. coli* und Hefe durch L-Isoleucin (S. 186) und Hemmung der Pyrimidinbiosynthese durch CTP (S. 232). Beispiele einer positiven Rückkopplung sind: Aktivierung von Pepsinogen und Trypsinogen durch Pepsin und Trypsin (Autokatalyse) und die Aktivierung der Phosphofructokinase durch ihre Reaktionsprodukte Fructose-1,6-bisphosphat und ADP.

Enzyme bzw. Reaktionsketten unterliegen einer „doppelten" Kontrolle: einer „stöchiometrischen" Kontrolle, die durch die Gesetzmäßigkeiten der Bildung und des Zerfalls der Enzym-Substratverbindungen gekennzeichnet ist und einer „kybernetischen" Kontrolle durch chemische Signale, wie sie bei den allosterischen Enzymen auftreten und bei diesen zu Hemmungen oder Aktivierungen der Enzymaktivität führen können (s. DB II). Diese *doppelte Steuerung* ist auf Grund des kybernetischen Postulates zu erwarten, das besagt, daß optimale Ordnung durch *Redundanz* zustande kommt.

2.4. *Regulation durch Beeinflussung der Aktivität von Enzymen*

Wir betrachten zunächst Enzyme, welche eine normale MICHAELIS-MENTEN-Abhängigkeit zeigen, d. h. deren Kennlinien hyperbelförmig verlaufen. Ein Enzym wird in seiner katalytischen Aktivität von verschiedenen Parametern beeinflußt: dem pH-Wert, der Temperatur, der Ionenstärke, durch Coenzyme bzw. Cofaktoren sowie durch die Substratkonzentration. Die Enzymaktivität unterliegt einer für die Regulation wichtigen Beeinflussung durch die Substratkonzentration.

$$v = k \cdot [E] \cdot \frac{[S]}{K_M + [S]}$$

Unterhalb der Substratsättigung hängt die Aktivität des Enzyms bei konstanter Enzymkonzentration von der Substratkonzentration ab. Bei Substratsättigung wird hingegen die Reaktionsgeschwindigkeit unabhängig von der Konzentration des Substrates. Wir haben dann die Beziehung

$$V = k \cdot [E],$$

d. h. die Reaktionsgeschwindigkeit hängt dann nur noch von der Enzymkonzentration und der katalytischen Fähigkeit des Enzyms ab. In die Konstante k gehen Temperatur, pH-Wert u. a. ein (Näheres DB II).

In den Reaktionsketten des Zwischenstoffwechsels sind beide Möglichkeiten realisiert. In der Glykolyse, im Citronensäurecyclus, in der Fettsäurespirale usw. gibt es sowohl Enzyme, die bei Substratsättigung arbeiten, als auch andere, deren Substratkonzentration unterhalb der Sättigungskonzentration liegt. Im letzteren Fall bewirkt eine Veränderung der Substratkonzentration eine Veränderung der Enzymaktivität (s. das Beispiel Glucokinase, FB 2). Enzyme von regulatorischer Bedeutung sind in vivo meist nicht gesättigt.

Besondere Probleme entstehen, wenn a) um ein Enzym zwei verschiedene Substrate oder b) zwei Enzyme um ein und dasselbe Substrat konkurrieren. Im ersten Fall (Abb. 21) werden die relativen Umsatzgeschwindigkeiten der beiden Substrate von ihren Konzentrationen, ihren Affinitäten zum Enzymprotein und den katalytischen Aktivitäten des Enzyms für die beiden Substrate bestimmt. Die Abb. 21 zeigt die Substratabhängigkeit eines

Enzyms für die Substrate A und B. Es sind daraus die unterschiedlichen Maximalaktivitäten und K_M-Werte für A und B ersichtlich. Obwohl die Konzentration von A_1 geringer als die von B_1 ist, wird A_1 bei gleichzeitiger Anwesenheit von B_1 infolge seiner größeren

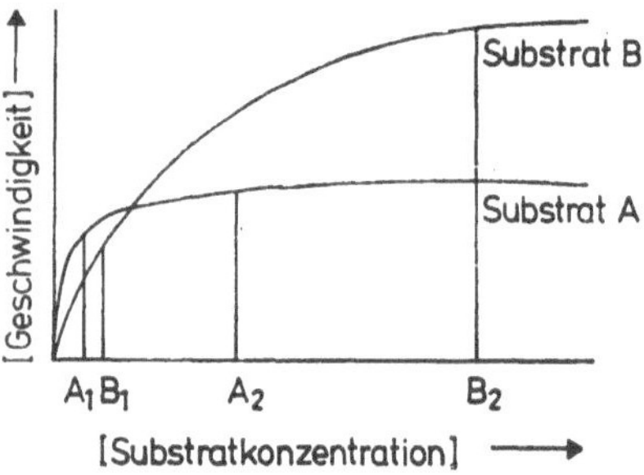

Abb. 21. Konkurrenz zweier Substrate um ein Enzym

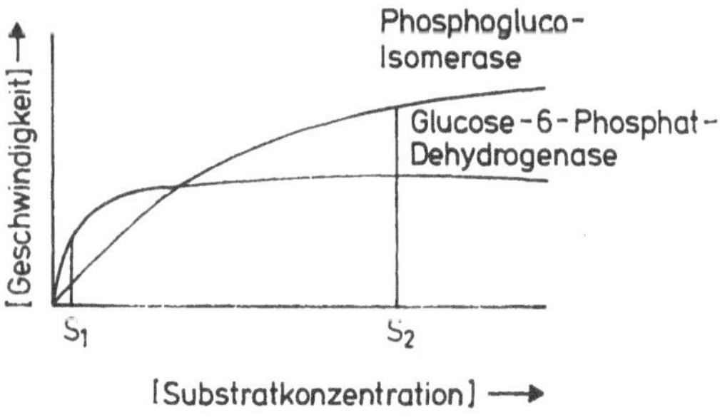

Abb. 22. Konkurrenz zweier Enzyme um ein Substrat

Affinität zum Enzym und der höheren katalytischen Aktivität des Enzyms bei der Konzentration A_1 gegenüber B_1 bevorzugt umgesetzt. Es tritt dabei gleichzeitig auch eine Hemmung in der Verwertung von B_1 auf. Bei A_2 und B_2 ist es gerade umgekehrt.

Konkurrenzen zweier oder mehrerer Enzyme um ein Substrat treten an Verzweigungsstellen des Stoffwechsels auf, z. B. am Glucose-6-phosphat (Glykolyse, direkter Oxidationsweg, Glykogensynthese, Glucose-6-phosphatase), an der Brenztraubensäure (Lactatdehydrogenase, Atmung) und am Acetyl-CoA (Fettsäuresynthese, Ketonkörperbildung, Citratcyclus). Wir haben es hier mit Regulationsproblemen zu tun, die für die „Substratverteilung“ im Stoffwechsel außerordentlich wichtig sind. Nähere Einblicke hat man in die Konkurrenz des Oxidationsweges der Glucose und der Glykolyse um das Glucose-6-phosphat gewonnen, und zwar in Zellen, die über keine Glykogensynthese und keine Glucose-6-phosphatase verfügen (z. B. rote Blutkörperchen). Der K_M-Wert der Phosphoglucoseisomerase für Glucose-6-phosphat ist $1{,}7 \times 10^{-3}$ mol/l und der der Glucose-6-phosphat-Dehydrogenase für Glucose-6-phosphat ist zwei Zehnerpotenzen niedriger, nämlich $1{,}3 \times 10^{-5}$ mol/l. Bei einer Konzentration S_1 des Glucose-6-phosphates konkurriert der direkte Oxidationsweg sehr wirksam mit der Isomerase um das Glucose-6-phosphat, obwohl die Maximalgeschwindigkeit der Isomerase wesentlich größer als die der Dehydrogenase ist (Abb. 22). Bei höherer Konzentration des Glucose-6-phosphates (S_2) ist dagegen die Fructose-6-phosphat-Bildung gegenüber der Dehydrierung begünstigt.

Sehr wichtig ist weiterhin, daß die Glucose-6-phosphat-Dehydrogenase ein zweites Substrat braucht, das $NADP^+$. Dieses ist in den meisten Zellen nur in kleiner Konzentration vorhanden und liegt vorwiegend im reduzierten Zustand vor. Wird nun experimentell NADPH oxidiert (z. B. durch Zugabe von Methylenblau zu roten Blutzellen), kommt es zu einer beträchtlichen Steigerung der direkten Oxidation des Glucose-6-phosphates.

Es ist erwiesen, daß dem Quotienten $\text{Pyridinnucleotide}_{\text{ox.}}/\text{Pyridinnucleotide}_{\text{red.}}$ eine bedeutsame regulatorische Funktion im Zellstoffwechsel zukommt. Dieser Quotient bestimmt auf Grund der chemischen Massenwirkung die Richtung von Dehydrogenasereaktionen (Hydrogenierung oder Dehydrogenierung).

2.5. Regulation von Reaktionsketten; Schrittmacherreaktion

Typisch für den Zwischenstoffwechsel ist die Existenz von Reaktionsketten, in denen eine bestimmte Substanz über eine Sequenz von Zwischenstoffen in ein bestimmtes Endprodukt umgewandelt wird. Dieses kann entweder Endprodukt des Stoffwechsels überhaupt oder aber Ausgangssubstrat einer neuen Reaktionskette sein. Beispiele hierfür liefern die Glykolyse, die Atmungskette, der Citronensäurecyclus, der Ornithincyclus, die Reaktionsfolgen bei der Synthese von Aminosäuren usw. Charakteristisch für eine derartige Kette von Reaktionen ist, daß ein beliebiges Zwischenprodukt mehrere Funktionen gleichzeitig erfüllt: es ist einmal Produkt der vorhergehenden, zum anderen Substrat der anschließenden Reaktion. Durch Rückkopplung (positiv oder negativ) vermag es außerdem eine Kontrolle über seine Bildungsgeschwindigkeit auszuüben, gleichzeitig hat es über die Substratkonzentrations-Geschwindigkeits-Beziehung Einfluß auf seine Umwandlung.

Betrachten wir eine Reaktionskette, in der ein Ausgangssubstrat S über verschiedene Zwischenstufen x_1, x_2, x_3, ..., die durch verschiedene Enzyme E_0, E_1, E_2, ... katalysiert werden, in das Endprodukt P umgewandelt wird. Die Geschwindigkeitskonstanten sind mit K_0, K_1, K_2, ... usw. bezeichnet.

$$S \xrightarrow[K_0]{E_0} x_1 \xrightarrow[K_1]{E_1} x_2 \xrightarrow[K_2]{E_2} x_3 \ldots. \rightarrow P$$

Grundsätzlich gibt es zwei Bedingungen, unter denen die Kette ablaufen kann:

Stationärbedingungen bestehen beim Vorliegen eines Fließgleichgewichtes. Dieses ist dadurch charakterisiert, daß in der Zeiteinheit die verschwundene Menge S gleich der gebildeten Menge P ist; die Konzentration der Zwischenprodukte der Kette ist unter diesen Bedingungen konstant.

$$-\frac{\mathrm{d}S}{\mathrm{d}r} = +\frac{\mathrm{d}P}{\mathrm{d}t}; \quad \frac{\mathrm{d}x_1, x_2, x_3, \ldots}{\mathrm{d}t} = 0$$

Die Bildungsgeschwindigkeit der einzelnen Zwischenstoffe ist demnach gleich ihrer Umwandlungsgeschwindigkeit.

Unter *Übergangsbedingungen* sind die Zwischenstoffkonzentrationen nicht konstant. Übergangsbedingungen stellen meist vorübergehende Zustände dar, die bei einem Wechsel der äußeren Bedingungen auftreten. Beispiele hierfür sind Wechsel von Anaerobiose zu Aerobiose, Umschaltung des Stoffwechsels von einem Substrat auf ein anderes usw.

Das Studium von Stationär- und Übergangsbedingungen erlaubt Einblicke in die Regulation von Enzymketten, die für das grundlegende Verständnis von großer Wichtigkeit sind.

Im Stationärzustand sind, wie oben ausgeführt, die Umwandlungsgeschwindigkeiten der einzelnen Zwischenprodukte der Kette untereinander gleich. Die Konzentrationen der einzelnen Zwischenprodukte sind jedoch unter diesen Bedingungen im allgemeinen sehr verschieden. Sie stehen in Beziehung zu den Geschwindigkeitskonstanten ihrer Bildungs- und Abbaureaktionen: z. B. ist

$$+\frac{\mathrm{d}x_3}{\mathrm{d}t} = -\frac{\mathrm{d}x_2}{\mathrm{d}t} = K_2 \cdot x_2.$$

Die Geschwindigkeitskonstanten K_0, K_1 usw. sind jeweils Funktionen der Zerfallskonstante des Enzym-Substrat-Komplexes k_{+2}, der Gesamtmenge des Enzyms und seiner MICHAELIS-MENTEN-Konstante. Für den allgemeinen Fall schreiben wir:

$$K = \frac{k_{+2} \cdot E}{K_M}.$$

Für den Stationärzustand gilt

$$-\frac{dS}{dt} = \frac{+dx_1}{dt} = \frac{+dx_2}{dt} = \frac{+dx_3}{dt} = \dots \frac{+dP}{dt}.$$

Daraus folgt

$$K_1 \cdot x_1 = K_2 \cdot x_2.$$

Also verhalten sich

$$x_1 : x_2 = K_2 : K_1.$$

Die Konzentration eines Zwischenproduktes wird demnach durch die Geschwindigkeitskonstanten seiner Bildung und seines Abbaues bestimmt. Eine kleine Zwischenstoffkonzentration wird z. B. bei hoher Verwertungsgeschwindigkeit gefunden und umgekehrt.

Bei Änderung äußerer Parameter tritt eine Störung des Stationärzustandes ein, die einen Übergangszustand in der Reaktionskette hervorruft, bevor sich ein neuer Stationärzustand mit veränderter Durchsatzgeschwindigkeit und anderen Zwischenstoffkonzentrationen gegenüber dem vorherigen Stationärzustand einstellt.

Der Übergang von einem stationären Zustand zu einem anderen ist für die experimentelle Ermittlung von *Kontrollreaktionen* und *begrenzenden Schritten* innerhalb von Stoffwechselketten besonders geeignet. Es ist leicht einzusehen, daß die Geschwindigkeit des Stoffdurchsatzes durch eine Stoffwechselkette von der Durchsatzgeschwindigkeit ihres langsamsten Schrittes abhängt. Diese *geschwindigkeitsbegrenzende Reaktion* bestimmt die Geschwindigkeit des Gesamtdurchsatzes, indem sie den anderen Schritten der Kette ihre Geschwindigkeit aufzwingt. Der geschwindigkeitsbestimmende Schritt einer Stoffwechselkette wird als *Schrittmacherreaktion* bezeichnet (KREBS und KORNBERG). Ihrer Funktion nach ist sie dem Wehr eines Flusses vergleichbar.

Unter Stationärbedingungen hat die Schrittmacherreaktion eine bestimmte konstante Durchsatzgeschwindigkeit. Eine Änderung in der Durchsatzgeschwindigkeit tritt ein, wenn ein äußerer Parameter die Schrittmacherreaktion in ihrer Aktivität beeinflußt, so daß sich ihr „Querschnitt“ verändert. Faktoren, die die Geschwindigkeit des Schrittmachers verändern, haben deshalb einen Einfluß auf den gesamten Kettendurchsatz.

Eine *Schrittmacherreaktion* ist also dadurch charakterisiert, eine *veränderliche Geschwindigkeit* zu besitzen und so den Substratfluß durch die gesamte Kette beeinflussen und den jeweiligen Anforderungen anpassen zu können.

Schrittmacherreaktionen werden im allgemeinen durch *allosterische Enzyme* katalysiert. Sie arbeiten in vivo weit unterhalb der Substratsättigung, unter „Ruhebedingungen“ einer Zelle meist im Anfangsteil der „Enzymkennlinie“ (DB II). Sie sind deshalb hochempfindlich gegenüber allosterischen Effektoren, die z. B. nach dem Prinzip der Rückkopplung die Aktivität des Schrittmacherenzyms regulieren können (chemische Signale für kybernetische Steuerung).

Die Wirksamkeit eines Schrittmacherenzyms als Katalysator des geschwindigkeitsbestimmenden Schrittes der Enzymkette hängt entscheidend von seiner Position innerhalb der Kette ab. Sie ist am größten, wenn der Schrittmacher am Anfang der Kette lokalisiert ist.

Wodurch gibt sich eine Schrittmacherreaktion zu erkennen? Diese Frage ist unter Berücksichtigung der Ausführungen auf S. 80 relativ leicht zu beantworten. Die Schrittmacherreaktion hat bei unterschiedlichen Stationärzuständen eine unterschiedliche Durchsatzgeschwindigkeit. Eine Steigerung ihrer Durchsatzgeschwindigkeit führt zu einer Erhöhung im Substratdurchfluß durch die gesamte Kette und umgekehrt.

Eine erhöhte Aktivität des Schrittmachers führt zu einer Senkung der Konzentration seines Substrates und zu einer Erhöhung der Konzentration seines Produktes gegenüber dem vorhergehenden Zustand. Bei Steigerung des Substratflusses durch die Reaktionskette erniedrigt sich demzufolge die Substratkonzentration des Schrittmacherenzyms und es vermehrt sich sein Produkt. Bei Senkung des Gesamtdurchsatzes tritt der entgegengesetzte Effekt ein. Es erhöht sich die Substratkonzentration des Schrittmachers („Anstau“) und der Spiegel seines Produktes sinkt.

Unter Zugrundelegung dieser Zusammenhänge läßt sich auf graphischem Wege eine Schrittmacherreaktion auf folgende Weise ermitteln. In einem Diagramm (Abb. 23) reiht man auf der Abszisse die Glieder einer Reaktionskette in ihrer Reihenfolge innerhalb der

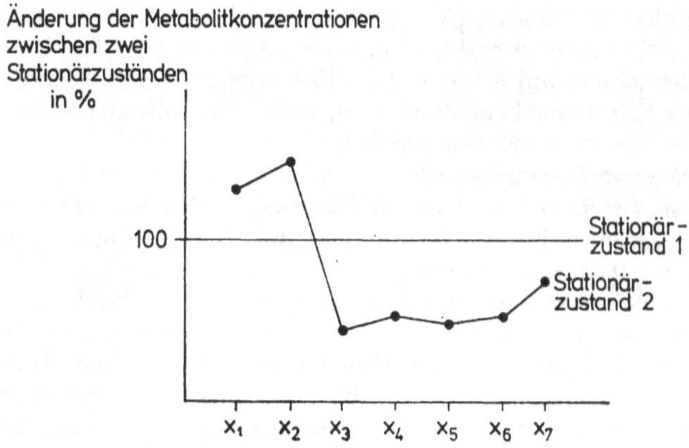

Abb. 23. Ermittlung des Schrittmachers einer Reaktionskette mit Hilfe der Cross-over-Methode

Kette aneinander. Auf der Ordinate trägt man die relativen Änderungen ihrer Konzentrationen zwischen zwei verschiedenen Stationärzuständen ab. Man normiert die Zwischenstoffkonzentrationen und setzt sie für einen bestimmten Stationärzustand des betreffenden Stoffwechselweges, z. B. für die anaerobe Glykolyse, gleich 100%. Wenn man diese Punkte miteinander verbindet, erhält man eine parallel zur Abszisse verlaufende Gerade. Nach dem Übergang von Anaerobiose zu Aerobiose und dem Einstellen eines neuen Stationärzustandes (aerobe Glykolyse), in diesem Falle mit verminderter Durchflußgeschwindigkeit (Pasteur-Effekt, S. 22 f.), lassen sich Änderungen in den Zwischenstoffkonzentrationen feststellen. Diese trägt man in Prozent (also in einem relativen Maßstab) gegenüber dem vorhergehenden Stationärzustand ein. Bei Erniedrigung der Gesamtdurchsatzgeschwindigkeit kommt es dann vor dem Schrittmacher zu einem Anstieg und nach ihm zu einem Abfall der Zwischenstoffkonzentration im Vergleich zu vorher.

Verbindet man die gefundenen Werte erneut, so kreuzt am Schrittmacher diese Verbindungslinie die 100%-Linie des vorhergehenden Stationärzustandes. In Abbildung 23 stellt die Schrittmacherreaktion die Umwandlung von x_2 zu x_3 dar.

Diese Art des Herangehens wurde von B. Chance entwickelt und von T. A. Rapoport und R. Heinrich vertieft. Man bezeichnet es als das Cross-over-Verfahren. In DB II wurde dieses

Verfahren im Zusammenhang mit der Regulation der Atmungskette bereits erörtert.

2.6. *Energieprofil einer Stoffwechselkette*

An den Beispielen der Atmungs- und Glykolysekette lernten wir kennen, daß sich die Gesamtdifferenz an freier Enthalpie zwischen dem Ausgangssubstrat und dem Endprodukt einer Reaktionskette auf ihre Zwischenprodukte in der Weise verteilt, daß die Energie portionsweise in der Reaktionskaskade freigesetzt wird. Entlang der Reaktionssequenz können dabei größere oder kleinere Energiesprünge in Abhängigkeit von der jeweiligen chemischen Natur der Reaktionspartner auftreten. Auch hier führt der Vergleich einer Stoffwechselkette mit einem Flußlauf zu einem tieferen Verständnis (Bücher und Rüssmann). In einem geregelten Flußlauf hat ein Wehr einen Anstau des Wassers oberhalb von ihm zur Folge („Staustrecke"), am Wehr selbst haben wir eine „Fallstrecke". Die Stärke des Wasserstroms läßt sich durch das Öffnen und Schließen des Wehres verändern. In die Sprache der Thermodynamik von Stoffwechselketten übersetzt heißt das: innerhalb einer Reaktionskette gibt es im wesentlichen zwei Typen von Reaktionen; der eine Typ entspricht den *Staustrecken* in einem geregelten Flußlauf, diese sind weitgehend *reversible Streckenabschnitte*; der andere Typ entspricht den ***Fallstrecken***, diese sind die ***irreversiblen Abschnitte*** der Stoffwechselkette (Abb. 24).

Die reversiblen Staustrecken verbinden Metabolite miteinander, die nur geringe Differenzen in ihren freien Enthalpien aufweisen. Im Fließgewicht des Kettendurchsatzes weichen ihre Konzentrationen untereinander zwar nachweisbar, aber nicht wesentlich vom thermodynamischen Gleichgewicht ab, das sich zwischen ihnen, wenn man sie im isolierten Zustand betrachtet, einstellen würde.

Ganz anders verhalten sich die Substrate und Produkte der irreversiblen Schritte. Ihre Quotienten weichen unter den meisten zellbiologischen Bedingungen um Größenordnungen von den thermodynamischen Gleichgewichtskonzentrationen ab; diese Reaktionen weisen also ein erhebliches Ungleichgewicht auf. Daraus folgt, daß sie innerhalb der Reaktionskette einseitig ablaufen, nämlich in Richtung des Gesamtflusses des Substratdurchsatzes.

Wird man den Schrittmacher einer Reaktionskette an den Staustrecken oder den Fallstrecken suchen müssen? Die vorangegangenen Darlegungen ermöglichen die Beantwortung dieser Frage.

Die reversiblen Staustrecken scheiden von vornherein als begrenzende Schritte aus, da sie praktisch im thermodynamischen Gleichgewicht arbeiten und bei ihnen die Geschwindigkeiten von Vorwärts- und Rückwärtsreaktionen annähernd gleich sind. Veränderungen der katalytischen Aktivitäten der sie katalysierenden Enzyme würden keinen wesentlichen Einfluß auf die Geschwindigkeit des Gesamtdurchsatzes haben.

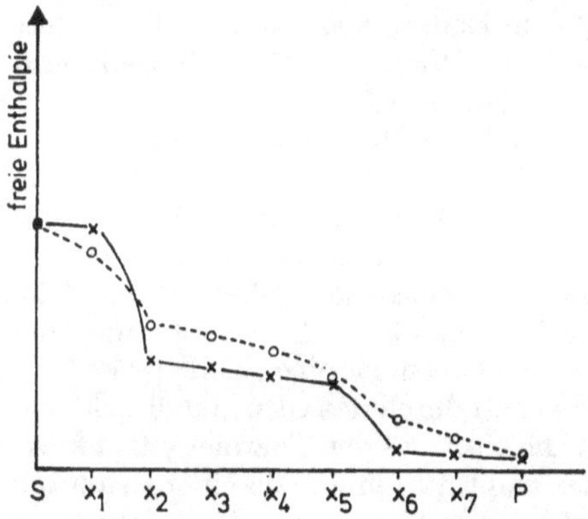

Abb. 24. Energieprofil einer Stoffwechselkette
Die gestrichelte Linie gibt die Verhältnisse bei höherem Substratdurchfluß im Vergleich zur durchgezogenen Linie wieder. Bei der Steigerung des Durchsatzes vergrößert sich die Differenz an freier Enthalpie an den Staustrecken, während sie sich an den Fallstrecken verringert.

Ganz anders verhalten sich die Fallstrecken. Jede Änderung an ihrem Querschnitt führt zu einer Änderung des Gesamtdurchsatzes, weil an ihnen infolge ihrer Irreversibilität jede Aktivitätsänderung eine Beeinflussung der Vorwärtsreaktion bedeutet.

Limitierende Schritte einer Reaktionskette sind demzufolge in allererster Linie dort zu suchen, wo zwischen hintereinander folgenden Metaboliten ein Energiegefälle besteht (vgl. auch mit Abb. 24).

Häufig unterliegt eine Stoffwechselkette einer vielfältigen Kontrolle, so daß in ihr mehrere limitierende Glieder nachweisbar sein können. Beispiele dieser Art sind Glykogenolyse, Glykolyse, Gluconeogenese u. a. Bei der Existenz mehrerer limitierender Glieder haben nicht alle die gleiche regulatorische Wirksamkeit für den Stoffdurchsatz. Für die Einschätzung der *Kontrollwirksamkeit* eines bestimmten Schrittes bei der Existenz mehrerer kontrollierender Schritte sind folgende Parameter von Bedeutung:

1. *Lokalisation* des Schrittes in der Kette: am Anfang der Kette liegende Schritte haben im allgemeinen eine höhere Bedeutung als in der Mitte oder am Ende liegende.
2. Grad der *Irreversibilität* der Reaktion.
3. *Beeinflußbarkeit* des die Reaktion katalysierenden Enzyms durch *allosterische Effektoren* als äußere (d. h. von anderen Stoffwechselwegen stammende) oder innere (d. h. von dem betreffenden Stoffwechselweg selbst stammende) chemische Signale.

In der Glykolysekette beispielsweise ist die Phosphofructokinase in Verbindung mit der Hexokinase Hauptschrittmacher, jedoch können auch Glycerinaldehyd-3-phosphatdehydrogenase und 3-Phosphoglyceratkinase sowie Pyruvatkinase regulatorische Funktionen ausüben, die jedoch von untergeordneter Bedeutung für die Regulation des Gesamtdurchsatzes durch die Glykolysekette sind. So besitzt die Pyruvatkinase eine bedeutende regulatorische Funktion bei der Koordinierung von Gluconeogenese und Glykolyse (S. 38 ff.).

2.7. *Die Regulation des Glucoseabbaues und der Mechanismus des* PASTEUR-*Effektes*

In der Glykolyse sind vielfältige Kontrollmechanismen wirksam. Bei den folgenden Betrachtungen wollen wir die Regulation der Glykogenolyse und der Glykogensynthese sowie der Gluconeogenese außer Betracht lassen, da sie auf S. 38 ff. und 49 ff. ausführlich erörtert wurden. Uns sollen hier die Probleme der Regulation des glykolytischen Durchsatzes sowie die Beziehungen zwischen dem Glucoseabbau und der oxidativen Phosphorylierung interessieren. Die Geschwindigkeit der Glykolyse in einer gegebenen Zellart hängt von den Bedingungen ab, unter denen sich die Zellen befinden (Aerobiose, Anaerobiose, Ruhe, Aktivität usw.).

Im *Muskel* ist der *geschwindigkeitsbestimmende Schritt* der Glucoseverwertung der *Transport* dieses Monosaccharids durch die Zellmembran. Bei Erhöhung der Transportgeschwindigkeit (z. B. bei Zugabe von Insulin, bei Muskelarbeit oder bei Sauerstoffmangel) kommt es zu einer gesteigerten Verwertung der Glucose. In Leberzellen, Ascitestumorzellen oder menschlichen Erythrozyten ist andererseits die Transportgeschwindigkeit durch die

Zellmembran so groß, daß sie für die Verwertung der Glucose keine Kontrollfunktion besitzt.

Bei *gesteigerter Transportgeschwindigkeit* der Glucose durch die Membran der Muskelzellen übernehmen bestimmte *Glykolyseenzyme* Kontrollfunktionen im Glucoseabbau. Eine besondere Rolle spielt dabei die Hexokinase, die unter der Kontrolle der Glucose-6-phosphat-Konzentration steht. Glucose-6-phosphat übt eine negative Rückkopplung auf die Hexokinase aus. Die Frage ist nun, welche Faktoren den Glucose-6-phosphat-Spiegel beeinflussen.

Von grundlegender Bedeutung ist dabei die Phosphofructokinase. Die Aktivität dieses Enzyms bestimmt den Glucose-6-phosphat-Spiegel in einer Reihe von Zellen und Geweben. Eine gesteigerte Aktivität senkt den Glucose-6-phosphat-Spiegel, eine erniedrigte Aktivität läßt ihn andererseits ansteigen. Auf diese Weise steht die Hexokinasereaktion unter der Kontrolle der Phosphofructokinase.

Die Phosphofructokinase ist ein allosterisches Enzym mit wichtigen Kontrollfunktionen. Es besitzt Bindungszentren für eine Reihe von Effektoren; insbesondere wird es durch ATP und Citrat gehemmt, durch AMP, ADP, anorganisches Phosphat, Fructose-6-phosphat, Fructose-1,6-bisphosphat und Adenosin-3,5-monophosphat jedoch aktiviert. Letztgenannte Substanzen vermögen die Hemmung des Enzyms durch ATP aufzuheben (über Fructose-2,6-bisphosphat s. FB 2).

Diese vielfältigen metabolischen Einflüsse spielen eine wesentliche Rolle bei der Beurteilung der Kontrollfunktion der Phosphofructokinase. Ihre Lokalisation am Anfang der Glykolysekette und ihre Irreversibilität machen sie in Verbindung mit ihren allosterischen Eigenschaften zu dem wichtigsten Kontrollenzym der Glykolyse (Abb. 25). Ihr Substrat und Aktivator Fructose-6-phosphat ist über die reversible Glucose-6-phosphat-Isomerase-Reaktion mit dem Glucose-6-phosphat verbunden. Da letzteres ein wirksamer Inhibitor der Hexokinase ist, bilden die *Hexokinase* und die *Phosphofructokinase* eine *funktionelle Einheit* in der Regulation der Glykolyse.

Ein weiteres *allosterisches Enzym* der Glykolyse ist die *Pyruvatkinase*. Es gibt zwei Haupttypen dieses Enzyms, den Leber-Typ (L-Typ) und den Muskel-Typ (M-Typ). Sie unterscheiden sich in ihren allosterischen Eigenschaften. Der L-Typ ist von großer regulatorischer Bedeutung. Seine Synthesegeschwindigkeit wird durch die Zusammensetzung der Nahrung (Steigerung der Synthese durch kohlenhydratreiche, Erniedrigung der Synthese durch eiweißreiche Nahrung) sowie durch Insulin kontrolliert. Das letztgenannte Hormon wirkt als Induktor und steigert die Synthese des Typs L. Die L-Pyruvatkinase unterliegt einer gerade entgegengesetzten Kontrolle als die gluconeogenetisch wirkenden Enzyme, die Pyruvat zum Phosphoenolpyruvat via Oxalacetat umwandeln (S. 38 ff.). Die Pyruvatkinase Typ L zeigt eine sigmoidale Abhängigkeit von der Phosphoenolpyruvatkonzentration und wird sehr spezifisch und hocheffektiv durch Fructose-1,6-bisphosphat aktiviert.

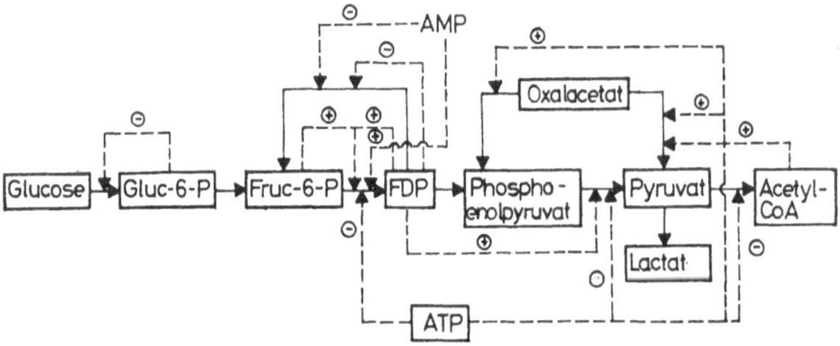

Abb. 25. Übersicht über allosterische Effekte im Glucosestoffwechsel
——— stöchiometrische, enzymkatalysierte Umwandlungen
--------- allosterische Beeinflussungen (+): Aktivierung; (—): Hemmung

ATP, Alanin und Phenylalanin hemmen das Enzym. Die Pyruvatkinase Typ L spielt eine bedeutende Rolle bei der Koordination von Glykolyse und Gluconeogenese. Sie liegt in zwei ineinander umwandelbaren Formen, einer phosphorylierten und einer nichtphosphorylierten, Form vor.

Bei vorherrschender Gluconeogenese in der Leber ist die Pyruvatkinase weitgehend gehemmt, so daß das gebildete Phosphoenolpyruvat nicht wieder zum Pyruvat umgewandelt werden kann, sondern den Weg in Richtung der Glucose gehen muß.

In neuerer Zeit ist ein weiterer Regulationsmechanismus an einem Enzymsystem des Kohlenhydratabbaues, dem Pyruvatdehydrogenasekomplex nachgewiesen worden. Dieses Enzymsystem katalysiert die CoA- und NAD-abhängige oxidative Decarboxylierung der Brenztraubensäure (DB II). Der Pyruvatdehydrogenasekomplex, dessen Molekulargewicht mehrere Millionen beträgt, wird durch Acetyl-CoA und ATP gehemmt. Die Ursache der ATP-Hemmung ist die Phosphorylierung dieses Enzymkomplexes mittels einer Proteinkinase, die ein Bestandteil des Multienzymkomplexes ist.

Anorganisches Phosphat, ADP, ATP, aber auch NAD^+ und NADH sind wichtige Kontrollmetabolite der Glykolyse. Außer ihrer Fähigkeit, als allosterische Effektoren zu wirken, sind sie stöchiometrisch bzw. katalytisch wirkende Reaktionspartner der Glykolyse. Sie spielen eine bedeutende Rolle bei der Koordination von Glykolyse und Atmung und sind für das Zustandekommen des Pasteur-Effektes, also für die Hemmung des glykolytischen Substratdurchsatzes durch die Atmung, verantwortlich.

Weitgehende Einmütigkeit besteht gegenwärtig darüber, daß das *Zustandekommen* des Pasteur-Effektes eng mit den *allosterischen Eigenschaften* und den *Kontrollfunktionen* der *Phosphofructokinase* zusammenhängt. Beim Übergang von Aerobiose zu Anaerobiose und umgekehrt weist sich die Phosphofructokinase als Schrittmacherenzym des Glucoseabbaues aus, die eine funktionelle Einheit mit der Hexokinase bildet. Von großer Bedeutung ist dabei das ATP—ADP—AMP-System, dessen komplexe Einwirkung auf das Enzym besondere kinetische Effekte hervorruft.

Infolge der Notwendigkeit des Adenylsäuresystems für die Atmung und die Glykolyse stellt dieses ein zentrales regulatorisches System für den Zellstoffwechsel und für die Koordinierung dieser beiden Stoffwechselwege dar. Es hat sich erwiesen, daß weder AMP noch ADP oder ATP allein und isoliert voneinander betrachtet, ausreichende regulatorische Potenzen besitzen, um die Abhängigkeit des Zellstoffwechsels von diesem System verstehen zu können. Vielmehr entwickelt das Adenylsäuresystem komplexe Wirkungen, die man unter Zugrundelegung der Konzeption von der „Energieladung" der Zelle systematisieren kann (s. Abschnitt 2.9.).

2.8. Crabtree-*Effekt*

Der Kohlenhydrat- und Atmungsstoffwechsel der Tumoren ist durch zwei wichtige Phänomene gekennzeichnet: a) durch eine hohe aerobe Glykolyse und b) durch eine Hemmung der Atmung nach Zugabe von Glucose.

Die Tumorzellen besitzen, wie andere Zellen auch, einen Pasteur-Effekt. Die Atmung vermag aber nicht vollständig, wie in den meisten normalen tierischen Zellen, die Lactatbildung zu unterdrücken (S. 22f.).

Der umgekehrte Effekt, die Hemmung der stationären Atmung nach Glucosezugabe zu Tumorzellen wird als Crabtree-Effekt bezeichnet. Er wurde vor allem an isolierten Ascitestumorzellen näher studiert. Hier beträgt die Atmungshemmung durch Glucose etwa 50%. Auch normale Zellen scheinen, wenn auch in geringem Ausmaß, einen Crabtree-Effekt zu besitzen; so wird die Atmung des Nierenmarkes sowie die der Retina zu etwa 20% und die von Reticulozyten zu etwa 10% durch Glucose gehemmt.

Entkoppler der Atmungskettenphosphorylierung haben die Fähigkeit, den Crabtree-Effekt zu beseitigen. Dies deutet auf eine enge energetische Kopplung zwischen Atmung und Glykolyse in den Krebszellen hin. Hierdurch werden auch gewisse Ähnlichkeiten im Mechanismus des Pasteur- und Crabtree-Effektes deutlich. Die energetische Kopplung der Atmung und Glykolyse ist in Ascitestumorzellen so groß, daß bei Anwesenheit von Glucose das Defizit in der ATP-Synthese infolge der Atmungshemmung quantitativ durch die aerobe Glykolyse ausgeglichen wird. Diese strenge energetische Kopplung liegt auch unter aeroben und anaeroben Bedingungen bei Gegenwart von Glucose vor. Dies zeigen Versuche, in denen nachgewiesen wurde, daß die ATP-Bildung in Ascitestumorzellen unter Anaerobiose genau so groß wie unter Aerobiose ist.

Chance und Hess schreiben dem ADP als Phosphatacceptor eine begrenzende Rolle für die Atmung von Asciteszellen bei Anwesenheit von Glucose zu. Infolge der hohen aeroben Glykolyse der Asciteszellen (und der hohen Aktivität ADP-verbrauchender Enzymreaktionen in dieser Kette) kommt es zu einer wirksamen Konkurrenz der Glykolyse mit der Atmung um das ADP, wobei dies dem Atmungssystem teilweise entzogen wird. Bei strenger Kopplung von Atmung und Phosphorylierung führt dies zu einer Verminderung des Elektronendurchsatzes, d. h. zu einer Erniedrigung der Atmung.

Eine andere Erklärungsmöglichkeit beruht darauf, daß bei einer Umschaltung von einem oxidierbaren Substrat (endogenes Substrat) auf ein anderes (Glucose) Veränderungen in der Atmungsgröße eintreten könnten, die auf Unterschiede in den Geschwindigkeiten der NADH- bzw. $FADH_2$-Anlieferung zurückgehen.

2.9. *Die Bedeutung des Adenylsäuresystems für die Regulation des Stoffwechsels; die „Energieladung“ der Zelle*

Auf S. 73ff. haben wir über den Regelkreis gesprochen, der zur Aufrechterhaltung des ATP-Spiegels in einer Zelle dient. Auch an anderer Stelle haben wir die Bedeutung der einzelnen Komponenten des Adenylsäuresystems für die Koordination von Stoffwechselabläufen in der Zelle besprochen (z. B. bei der Erklärung des PASTEUR-Effektes).

Alle diese Erörterungen haben die überragende Bedeutung des ATP als universelle „Währung“ des Zellstoffwechsels deutlich gemacht. Es wird durch die energiebereitstellenden Reaktionen des Zellstoffwechsels (Atmung, Glykolyse) nach folgender generellen Gleichung gebildet:

$$ADP + P \rightleftharpoons ATP + H_2O$$

und in energieverbrauchenden Prozessen in Form einer Umkehrung dieser Reaktion wieder gespalten (die Tatsache, daß ATP bei seinem Verbrauch in bestimmten Stoffwechselreaktionen nicht hydrolysiert, sondern der Phosphatrest auf einen Acceptor übertragen wird, bleibt bei den hier angestellten Überlegungen unberücksichtigt).

Die in den meisten Zellen hohe Aktivität der *Adenylatkinase* führt nun dazu, daß das gesamte Adenylsäuresystem AMP, ADP und ATP infolge der Möglichkeit des sich rasch einstellenden Gleichgewichtes zwischen seinen Komponenten als eine Einheit betrachtet werden muß:

$$ATP + AMP \rightleftharpoons 2\,ADP$$

Über die Adenylatkinasereaktion stehen die Bestandteile des Adenylsäuresystems in einem metabolischen Gleichgewicht.

Eine weitere Tatsache von fundamentaler Bedeutung ist die, daß eine Reihe wichtiger regulatorisch wirkender Enzyme von den einzelnen Komponenten des Adenylsäuresystems, vor allem durch AMP und ATP, gegensinnig beeinflußt werden. So ist der Spiegel an AMP von Bedeutung dafür, ob die Glykolyse oder die Gluconeogenese vorherrscht, da bei niedrigem AMP-Spiegel die Fructose-1,6-bisphosphatase aktiviert und die Phosphofructokinase gehemmt vorliegt und bei hohem AMP-Spiegel gerade die umgekehrten Verhältnisse herrschen. An bestimmten Enzymen können AMP,

ADP oder ATP also entgegengesetzte Wirkungen entfalten. So werden die Phosphofructokinase oder die Isocitratdehydrogenase durch AMP resp. ADP in ihrer Aktivität gesteigert, durch ATP jedoch gehemmt.

Diese Überlegungen führten zur Entwicklung des Konzeptes der „Energieladung" des Adenylsäuresystems, mit dem die regulatorischen Wirkungen dieses Systems besser erfaßt werden können als durch die isolierte Betrachtung nur einer seiner Komponenten. Unter „Energieladung" (engl. „energy-charge") versteht man nach Atkinson den folgenden Ausdruck:

$$\text{Energieladung} = \frac{[\text{ATP}] + 0{,}5\,[\text{ADP}]}{[\text{ATP}] + [\text{ADP}] + [\text{AMP}]}$$

Unter Berücksichtigung der Tatsache, daß zwei Mole ADP einem Mol ATP äquivalent sind, stellt demzufolge die Energieladung die effektive Molfraktion des ATP dar. Diese Größe ist direkt proportional der Zahl verwertbarer energiereicher Phosphatgruppen.

Liegt das gesamte Adenylsäuresystem „entladen" als AMP vor, ist die Energieladung 0, während sie bei vollständiger Aufladung (100% ATP) den Wert 1 besitzt.

Die Energieladung des Adenylsäuresystems ist eine Funktion der Konzentration seiner Komponenten, so wie beispielsweise die Ladungskapazität eines Bleiakkumulators (Stromstärke × Zeit) von den Konzentrationen der verschiedenen Oxidationszustände des Bleies abhängt. Die Zellenspannung eines Bleiakkumulators hingegen wäre, um bei diesem Vergleich zu bleiben, der freien Standardenthalpie der Hydrolyse der Pyrophosphatbindungen im ATP und ADP vergleichbar.

Enzyme vermögen auf Veränderungen der Energieladung nach prinzipiell zwei Möglichkeiten zu reagieren, je nachdem ob sie in Reaktionsketten eingebaut sind, die der ATP-Regeneration oder dem ATP-Verbrauch dienen. Diese verschiedenen Reaktionsweisen sind in Abb. 26 wiedergegeben. Im oberen Teil (A) sind die prozentualen Anteile von AMP, ADP und ATP bei verschiedenen Werten der Energieladung angegeben. Der mittlere Teil (B) der Abb. 26 gibt die Abhängigkeit der Reaktionsgeschwindigkeit der Kontrollenzyme von ATP-bildenden Stoffwechselketten (R) und von ATP-verbrauchenden Reaktionsketten (V) von der Energieladung wieder. Enzyme, wie Phosphofructokinase, Pyruvatdehydrogenase, Citratsynthetase und Isocitratdehydrogenase entsprechen in ihrer Antwort auf Veränderungen der Energieladung der Kurve R. Aspartatkinase, Phosphoribosylpyrophosphatsynthetase u. a. Enzyme hingegen verhalten sich nach Kurve V (vgl. Ausführungen auf S. 184 ff. und 227 ff.). Im Schnittpunkt der beiden Kurven existiert ein Gleichgewicht zwischen ATP-regenerierenden und ATP-verbrauchenden Prozessen. Eine Erniedrigung der Energieladung hat demzufolge einen Anstieg der energieliefernden und einen Abfall der energieverbrauchenden Prozesse zur Folge. Eine Erhöhung der Energieladung des Adenylsäure-

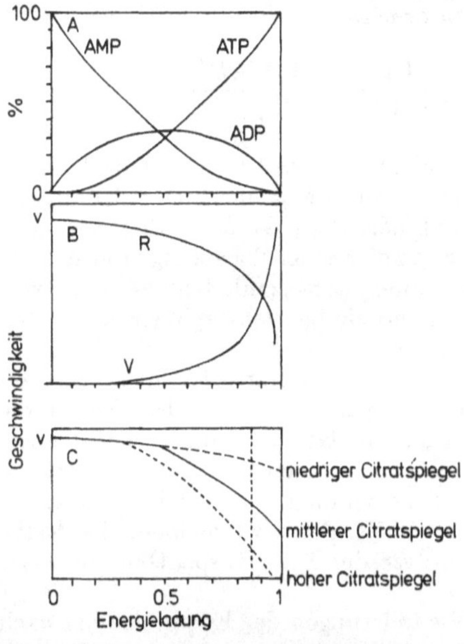

Abb. 26. Energieladung des Adenylsäuresystems

A = prozentuale Anteile von AMP, ADP und ATP in Abhängigkeit von der Energieladung

B = Reaktionsgeschwindigkeit von Kontrollenzymen der ATP-Regeneration (R) und des ATP-Verbrauchs (V) in Abhängigkeit von der Energieladung

C = Modulierung des Einflusses eines Signalmetaboliten auf das Schrittmacherenzym einer amphibolischen Reaktionskette. Die drei Kurven geben das Verhalten bei niedrigen, „normalen“ und hohen Konzentrationen des Signalmetaboliten wieder. Als amphibolische Reaktionskette wird hier die Glykolyse und als Signalmetabolit das Citrat betrachtet.

In C ist die allen drei Diagrammen gemeinsame Abszisse abgetragen.

systems hat die entgegengesetzten Effekte. Diese Darlegungen begründen die hohe gegenseitige Ausgewogenheit der energiebereitstellenden und energieverbrauchenden Reaktionssysteme des Zellstoffwechsels.

Eine besondere Besprechung erfordert die Regulation von Stoffwechselwegen, die sowohl der ATP-Regeneration als auch der Bereitstellung solcher Metabolite dienen, die für Biosyntheseprozesse verbraucht werden. Diese Stoffwechselwege werden als *amphibolische Reaktionsketten* bezeichnet. Die *Glykolyse* beispielsweise ist ein solcher *amphibolischer Weg*. Würde diese nur durch die Energieladung auf den Stufen der Phosphofructokinase, Pyruvatkinase oder Hexokinase kontrolliert werden, würde dies zur Folge haben, daß die Bildung biosynthetisch zu verwertender Metabolite wie Pyruvat, Acetyl-CoA, Oxalacetat, α-Ketoglutarat usw. allein vom Zustand des Adenylsäuresystems abhängt. Bei hoher Energieladung würde demzufolge ihre Bildungsgeschwindigkeit niedrig sein.

In solchen Fällen wurde jedoch beobachtet, daß zusätzliche Rückkopplungsmechanismen existieren. So ist Citrat ein negativer Effektor für die Phosphofructokinase und Acetyl-CoA ein solcher für die Pyruvatdehydrogenase. Es wurde beobachtet, daß solche Endproduktinhibitoren nahezu unwirksam bei niedriger Energieladung sind, ihre hemmenden Wirkungen jedoch bei hohen Werten der Energieladung beträchtlich ansteigen. Diese Verhältnisse sind in Abb. 26C wiedergegeben. Eine amphibolische Reaktionskette, wie die Glykolyse, hängt in ihrer Geschwindigkeit von *Signalmetaboliten* ab, die bei niedriger und hoher Konzentration den Einfluß der Energieladung jeweils unterschiedlich modulieren.

Bei niedriger Konzentration des Signalmetaboliten (für die Glykolyse ist dies das Citrat) ist das Schrittmacherenzym des jeweiligen Stoffwechselweges (Phosphofructokinase im Falle der Glykolyse) nur wenig abhängig von der Energieladung, bei höheren Konzentrationen des Signalmetaboliten steigt die Empfindlichkeit des Kontrollenzyms gegenüber der Energieladung deutlich an, so daß der Substratfluß durch die Kette bei höheren Werten der Energieladung stark gedrosselt wird.

Diese Darstellungen verdeutlichen die Abhängigkeit der Durchsatzgeschwindigkeit von Reaktionsketten von verschiedenen Kontrollparametern und zeigen überdies die besondere Funktion des Adenylsäuresystems bei der Aufrechterhaltung der funktionellen Ordnung im System des Zellstoffwechsels.

2.10. Quantitative Aspekte der Regulation einer Stoffwechselkette

Bei unseren Erörterungen über die Stoffwechselregulation standen bisher qualitative Aspekte im Vordergrund. In diesem Abschnitt wollen wir die Stoffwechselregulation vom quantitativen Standpunkt her etwas näher betrachten. Hierzu sollen uns die Theorie und das experimentelle Herangehen der *Kontrollanalyse* des *Stoffwechsels* dienen.

Die Kontrollanalyse des Stoffwechsels beruht auf folgenden zwei Grundlagen, nämlich 1. auf den Eigenschaften der Einzelenzyme einer Stoffwechselkette, unabhängig von anderen Teilen des Systems und 2. auf den kinetischen Eigenschaften und dem dynamischen Verhalten des Gesamtsystems der betreffenden Stoffwechselkette, des Stoffwechselcyclus usw. Ausgehend von der Erkenntnis, daß die *Eigenschaften* eines *Systems* mehr sind als die *Summe* der *Eigenschaften* seiner Teile, bilden beide die Basis der Kontrollanalyse des Stoffwechsels.

Hinsichtlich des Studiums eines bestimmten *Einzelenzyms*, isoliert betrachtet, interessiert bei der Kontrollanalyse dessen Aktivitätsänderung bei Konzentrationsänderungen eines für das betreffende Enzym kinetisch relevanten *Metaboliten* (z. B. seines Substrates, seines Coenzyms, eines seiner positiven oder negativen Effektoren usw.). Quantitativer Ausdruck dafür ist der *Elastizitätskoeffizient* (ε). Dieser ist wie folgt definiert:

$$\varepsilon = \frac{\Delta v/v}{\Delta S/S}$$

Δv stellt die Änderung der Geschwindigkeit der von dem betrachteten Enzym katalysierten Reaktion dar, die bei Änderung der Konzentration eines seiner Metabolite ΔS beobachtet wird. Durch $\Delta v/v$ und $\Delta S/S$ werden die fraktionale Änderung der Reaktionsgeschwindigkeit in Abhängigkeit von der fraktionalen Änderung der Metabolitkonzentration ausgedrückt. Da ein Enzym im allgemeinen von mehreren Partnern in seiner Aktivität beeinflußt wird, gibt es bei ihm auch mehrere Elastizitätskoeffizienten, nämlich einen solchen für jedes seiner Substrate, seiner Produkte, seiner Coenzyme, seiner allosterischen Effektoren usw. Das Produkt des Elastizitätskoeffizienten mit der fraktionalen Metabolitkonzentration $\Delta S/S$ wird als *lokale Antwort des Systems* ($\Delta v/v$) bezeichnet; diese stellt also die Änderung der Reaktionsgeschwindigkeit an diesem Enzym dar. Die ε-Werte sind entweder positiv oder negativ, je nachdem ob bei Änderung eines Metaboliten die Enzymaktivität erhöht oder erniedrigt wird.

Betrachten wir nun das Stoffwechselsystem als ganzes, nicht nur ein isoliertes Enzym daraus. Hier verursacht die Änderung der Aktivität eines seiner Einzelenzyme, ob infolge Änderung der Enzymkonzentration (epigenetische Regulation) oder eines Metaboliten (metabolische Regulation) ist dabei gleichgültig, eine Änderung der Geschwindigkeit des Stoffflusses durch das ganze System. Die Änderung im Stoffdurchsatz durch die Stoffwechselkette (ΔJ) vom ursprünglichen Stoffdurchsatz (J) in Abhängigkeit von der Änderung der Aktivität oder der Konzentration eines Enzyms dieser Kette (ΔE) von der ursprünglichen Aktivität (E) wird als *Fluxkontrollkoeffizient C* bezeichnet:

$$C = \frac{\Delta J/J}{\Delta E/E}$$

Für den Stoffdurchsatz in einem gegebenen Stationärzustand gibt es ebensoviele Fluxkontrollkoeffizienten wie es Enzyme in diesem Stoffwechselsystem gibt.

Nach dieser Vorstellung hat grundsätzlich jedes in einer Stoffwechselkette vorhandene Enzym einen Anteil an ihrer Durchsatzgeschwindigkeit. Die durch dieses Herangehen erreichte quantitative Verfeinerung der Vorstellungen über die Durchsatzkontrolle durch einen Stoffwechsel wird gegenüber der Darstellungsweise in Abschnitt 2.5. deutlich: jedem Enzym wird ein Anteil an der Durchflußkontrolle durch das System zugeordnet. Allerdings ist der *individuelle Fluxkontrollkoeffizient*, positiv oder negativ, von Enzym zu Enzym verschieden. Je größer sein absoluter Wert ist, desto größer ist der Anteil des jeweiligen Enzyms an der Durchflußkontrolle durch die Stoffwechselkette.

Aus Abschnitt 2.5. geht hervor, daß bei Änderungen der Aktivität oder der Konzentration eines Enzyms, die eine Änderung der Stoffdurchsatzrate hervorrufen, Änderungen in den Zwischenstoffkonzentrationen eintreten. Diese Änderungen werden als *Konzentrationskontrollkoeffizienten* bezeichnet.

$$\text{Konzentrationskontrollkoeffizient} = \frac{\Delta S/S}{\Delta E/E}$$

Sie stellen also die fraktionalen Änderungen der Substrat- (Metabolit-) Konzentrationen in einer Kette bei Änderung der Aktivität oder der Konzentration eines bestimmten Enzyms dar. Es gibt ebensoviele *Konzentrationskontrollkoeffizienten* wie es enzymkatalysierte Schritte in der betreffenden Stoffwechselkette gibt.

Die *lokalen Elastizitätskoeffizienten* eines metabolischen Systems und die *Fluxkontroll-* bzw. *Konzentrationskontrollkoeffizienten* stehen untereinander in einer quantitativen Beziehung. Diese beruht darauf, daß die Antworten des Gesamtsystems auf Änderungen der äußeren Bedingungen (z. B. bei Änderung eines allosterischen Effektors) auf den lokalen Antworten der Einzelschritte beruhen.

Die *Theorie der Kontrollanalyse* (KACSER, RAPOPORT) wurde erfolgreich auf die Glykolyse in Erythrozyten, die Argininbiosynthese in *Neurospora*, den mitochondrialen Elektronentransport und den Abbau aromatischer Aminosäuren in Leberzellen angewandt.

In *Erythrozyten* haben unter den Glykolyseenzymen tatsächlich die *Hexokinase* und die *Phosphofructokinase* die höchsten absoluten Werte in den *Fluxkontrollkoeffizienten*, so daß auf sie der Hauptanteil der Kontrolle des Stoffflusses durch die Glykolyse entfällt. Einer vertieften Analyse wurde auch die *Tryptophandioxygenase* in Leberzelle unterzogen und so ihre regulatorische Rolle beim Tryptophanabbau quantitativ erfaßt.

3. Lipidstoffwechsel

Die durch die Nahrung zugeführten Triglyceride und anderen Lipide werden durch die Lipasen des Magen-Darm-Traktes hydrolysiert. Man findet vor allem eine stark wirksame *Lipase* im Sekret des *Pankreas*, die bei schwach alkalischem pH-Wert ihre Wirkung entfaltet. Von untergeordneter Bedeutung für die Fettverdauung ist die Magenlipase (Tributyrase), die bei schwach saurer Reaktion arbeitet. Die Lipasewirkung wird im Dünndarm durch Salze der Gallensäuren infolge ihrer emulgierenden Wirkung begünstigt. Dadurch wird die Oberfläche der Fetttröpfchen stark vergrößert, so daß die Lipase, die sich in der wäßrigen Phase befindet, besser wirksam werden kann. Die einmal gebildeten fettsauren Salze (Seifen) und Monoglyceride unterstützen die emulgierende Wirkung der Gallensäuren auf die Fetttröpfchen, so daß nach eingeleiteter Fettspaltung die Lipase zunehmend günstigere Wirkungsbedingungen erhält (Micellbildung, s. DB I). Die Lipasewirkung führt zu einem Gemisch von Fettsäuren und Glycerin sowie von Mono- und Diglyceriden (FB 2).

Wesentlich für die *Resorption* eines vollständig oder nur teilweise hydrolysierten Fettes durch die Mucosa scheint die Größe der Micellen in der Emulsion zu sein. Diese muß kleiner als 0,5 μ sein.

$$
\begin{array}{lcl}
CH_2OOC-R_1 & & CH_2OH + HOOC-R_1 \\
| & & | \\
CHOOC-R_2 + 3\,H_2O & \xrightarrow[\text{Lipase}]{} & CHOH + HOOC-R_2 \\
| & & | \\
CH_2OOC-R_3 & & CH_2OH + HOOC-R_3 \\
\text{Triglycerid} & & \text{Glycerin + Fettsäuren}
\end{array}
$$

Im *Darmepithel* erfolgt bereits eine teilweise *Resynthese* der Fettsäuren und des Glycerins zu den Triglyceriden. Auch kommt es zu einem Einbau der Fettsäuren in Phosphatide, vorwiegend in Lecithin. Die Reesterifizierung der Fettsäuren, die in den Mucosazellen erfolgt, ist der geschwindigkeitsbestimmende Schritt der Fettresorption. Gleichzeitig ist sie für die Bildung eines Konzentrationsgefälles verantwortlich, das seinerseits die Voraussetzung für die Resorption ist. Aus den Epithelzellen gelangt das Fett in Form feinster Fetttröpfchen, die von *Proteinen*, welche ebenfalls in der Mucosa gebildet werden, umgeben sind (*Chylomikronen*), in die Lymphräume und von dort in die Lymphgefäße. Über den Ductus thoracicus gelangen die Chylomikronen in den Blutstrom, der sie in die Leber transportiert. In der Lymphe und auch im Plasma bewirken die Chylomikronen eine milchige Trübung.

Die Fettsäuren mit kurzen Ketten werden durch die Pfortader direkt in die Leber geleitet (über den Stoffwechsel der Chylomikronen und anderer Lipoproteine des Blutplasmas s. FB 1).

Die Fettaufnahme durch die Leber und durch die Darmepithelien erfolgt auf dem Wege der *Pinocytosis*. Man versteht darunter die Aufnahme eines nicht in molekularer Verteilung vorliegenden Stoffes in eine Zelle, dessen Teilchen eine bestimmte Größe haben. Die Pinocytose erfolgt so, daß sich das Cytoplasma von außen her einstülpt und dabei das Teilchen aufnimmt. Im Anschluß daran schließt sich die Zellmembran über dem Tröpfchen, wonach diese in den Stoffwechsel einbezogen wird. Die *Pinocytose* ist der *Phagocytose* ähnlich, weist dieser gegenüber jedoch einige charakteristische Unterschiede auf (DB IV). Die Abgabe der Chylomikronen von den Mucosazellen an die Lymphe erfolgt durch eine „umgekehrte" Pinocytose.

3.1. *Abbau der Fettsäuren*

Der Hauptort der Fettsäurestoffwechsels ist die Leber. Daneben sind andere Organe und Gewebe, wie das Fettgewebe und das Muskelgewebe, vor allem der Herzmuskel, am Fettstoffwechsel beteiligt.

Der Abbau der Fettsäuren erfolgt vom Kettenende her, d. h. von der Carboxylgruppe ausgehend, indem jeweils zwei Kohlenstoffatome von der Fettsäure abgespalten werden. Da dieser Prozeß ein oxidativer Vorgang ist und dabei jeweils das β-Kohlenstoffatom der Carboxylgruppe oxidiert wird, bezeichnet man diesen Prozeß als β-Oxidation. Die Nettogleichung der β-Oxidation ist

$$R{-}CH_2{-}CH_2{-}COOH + 2H_2O \xrightarrow{-4H} R{-}COOH + CH_3COOH$$

Unter Abspaltung von Essigsäure entsteht dabei eine Fettsäure, die um zwei C-Atome ärmer als die Ausgangssubstanz geworden ist. Diese wird dann erneut der β-Oxidation unterworfen. Auf diese Weise erfolgt ein stufenweiser Abbau der Fettsäuren. Am Ende der Spaltung geradzahliger Fettsäuren steht die Essigsäure, am Ende der Spaltung der ungeradzahligen die Propionsäure.

Die β-Oxidation läßt sich in eine Anzahl von Einzelschritten zerlegen, die im folgenden besprochen werden sollen (LYNEN). Entscheinend hierfür ist die Beteiligung des CoASH und ATP sowie von NAD^+ und FAD.

Der Feinmechanismus konnte aufgeklärt und die daran beteiligten Enzyme und Coenzyme weitgehend charakterisiert werden. Die Initial- und Schlüsselreaktion besteht in einer *Aktivierung* der *Fettsäure* durch *CoASH* und *ATP* (*Reaktion 1*). Die Enzyme werden als Fettsäurethiokinasen bezeichnet. Für die Wirksamkeit der Enzyme ist Mg^{++} notwendig. Der Reaktionsmechanismus stimmt mit dem der Aktivierung der Essigsäure überein (DB II).

Die Acyl-CoA-Verbindung wird durch *Acyldehydrogenasen* oxidiert (*Reaktion 2*). Dabei entsteht das entsprechende α,β-ungesättigte Acylderivat. Die Enzyme sind Flavinproteide mit FAD als prosthetischer Gruppe.

Das α,β-ungesättigte Acyl-CoA-Derivat wird im Anschluß daran durch die *Enoyl-Hydratase* hydratisiert (*Reaktion 3*). Dieses Enzym wurde ebenfalls aus Lebermitochondrien isoliert. Im Anschluß an die Hydratisierung erfolgt eine zweite Oxidationsreaktion (*Reaktion 4*). Das zuständige Enzym ist eine *β-Hydroxyacyl-Dehydrogenase*. NAD^+ ist der Wasserstoffacceptor. Das Produkt dieser Reaktion ist eine β-Ketoacyl-Verbindung des CoA.

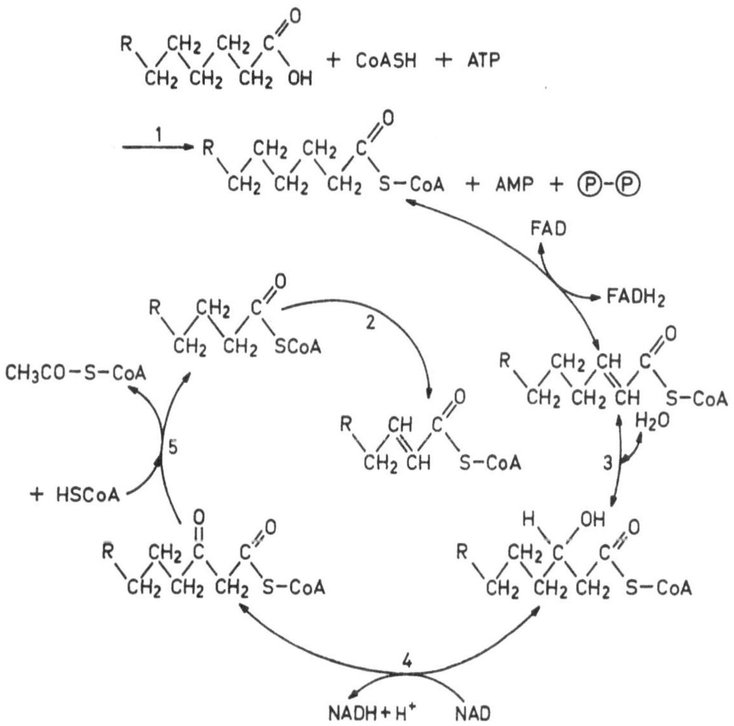

Danach kommt es zur thiolytischen Spaltung des Ketoacylderivates unter gleichzeitigem Einbau von CoASH und Verkürzung der Kette um zwei C-Atome (Thiolase) (*Reaktion 5*). Der thiolytische (oder thioklastische) Prozeß läuft in folgenden Einzelschritten ab:

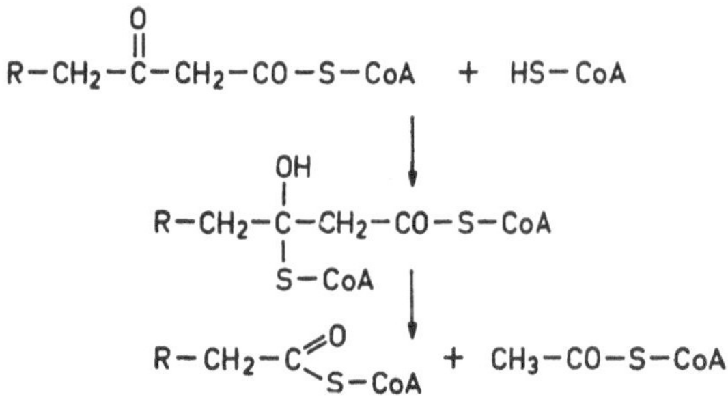

Produkte dieser Reaktion sind Acetyl-CoA und ein Acyl-CoA-Derivat, welches sich um zwei C-Atome von der ursprünglichen Fettsäure unterscheidet. Dieses tritt erneut in die Spirale ein und erleidet wiederum die gleichen Reaktionen.

Daraus wird ersichtlich, daß bei jedem Durchgang durch die Spirale ein C_2-Bruchstück in Form von aktiver Essigsäure abgespalten wird. Bei der vollständigen β-Oxidation der Palmitinsäure (16C-Atome) muß diese demnach die Spirale siebenmal durchlaufen. Es entstehen dabei acht Moleküle aktiver Essigsäure.

Die *aktive Essigsäure* wird im Anschluß daran entweder im *Citronensäurecyclus* vollständig oxidiert oder für anderweitige Stoffwechselreaktionen genutzt.

Bei einem Durchgang durch diese Spirale werden zwei Wasserstoffpaare frei. Sie liegen als $FADH_2$ und als NADH vor. Beide Wasserstoffpaare werden unter aeroben Bedingungen durch die Atmungskette oxidiert. Im ersten Falle entstehen dabei zwei Mol ATP und im zweiten drei Mol ATP. Bei der Oxidation eines Acetyl-CoA werden im Citronensäurecyclus-Atmungsketten-Komplex insgesamt 12 Mol ATP gebildet (DB II). Bei der Oxidation von neun Acetyl-CoA-Resten, wie sie z. B. aus einem Mol Stearin-

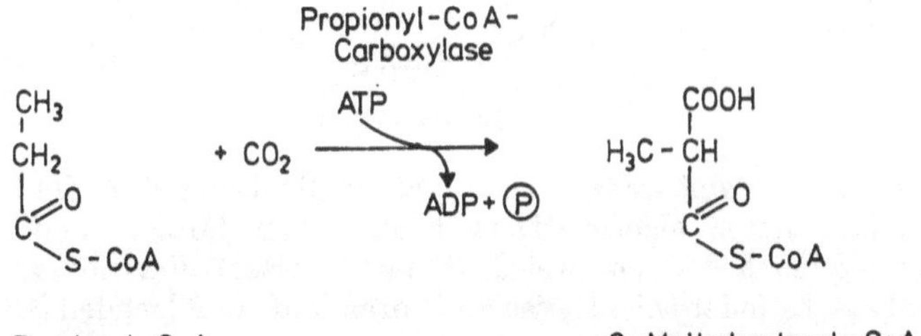

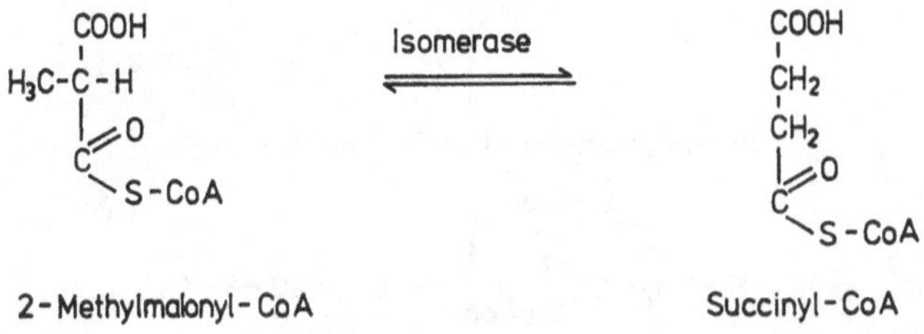

säure entstehen, werden folglich $9 \times 12 = 108$ Mol ATP gebildet. Hinzu kommt, daß Stearinsäure achtmal die Fettsäurespirale durchläuft, das zur Bildung von weiteren $5 \times 8 = 40$ Mol ATP führt. Bei vollständiger Oxidation von einem Mol Stearinsäure werden demnach insgesamt 148 Mol ATP gebildet. Lediglich ein Mol ATP davon wird zur Aktivierung der Fettsäure am Anfang gebraucht.

Bei vollständiger Verbrennung von einem Mol Stearinsäure werden etwa 10718 kJ frei. Rechnet man die freie Enthalpie des ATP (Hydrolyse der endständigen Pyrophosphatbindung) zu 33,5 kJ pro Mol, so ergibt sich eine Ausbeute von $33{,}5 \times 148 = 4958$ kJ an ATP-Energie, das sind etwa 45% der Verbrennungsenthalpie der Fettsäure.

Der Abbau ungeradzahliger Fettsäuren erfolgt durch β-Oxidation bis zum *Propionyl-CoA*, das durch eine biotin- und Vitamin-B_{12}-abhängige Carboxylierung in Methylmalonyl-CoA umgewandelt wird. Letzteres isomerisiert auf enzymatischem Wege zum Succinyl-CoA, wodurch der Anschluß zum Citronensäurecyclus erreicht wird. Der Abbau verzweigter Carbonsäuren wird auf S. 197f. am Beispiel des Leucins besprochen.

3.2. *Stoffwechsel der Ketonkörper*

Unter dem Begriff „Ketonkörper“ faßt man eine physiologisch und pathophysiologisch wichtige Gruppe von Stoffwechselprodukten zusammen, nämlich die *Acetessigsäure* sowie die aus ihr entstehenden Abkömmlinge *β-Hydroxybuttersäure* und *Aceton*.

Während die Konzentrationen dieser Substanzen im Blut normalerweise sehr niedrig sind (0,4 bis 0,8 mval/l Plasma), gibt es verschiedene pathologische Bedingungen, unter denen es zu starken Erhöhungen (bis zu 15 mval/l Blutplasma) kommen kann. Zu nennen sind dabei insbesondere der Diabetes mellitus und Hungerzustände. Folgen dieser Erhöhungen sind lebensbedrohende pH-Erniedrigungen im Blut (Acidose), da Acetessigsäure und β-Hydroxybuttersäure im Blut als Anionen vorliegen und eine Verminderung der HCO_3^--Konzentration bewirken. Es kommt zu einer Ausscheidung durch die Nieren und Produktion eines sauren Harns (Aceton wird als flüchtige Substanz auch durch die Lunge und die Haut ausgeschieden). Die Acetonkörper entwickeln schwere toxische Wirkungen auf das Zentralnervensystem, woraus Bewußtseinsstörungen und tiefe Bewußtlosigkeit resultieren können (FB 1 und 2).

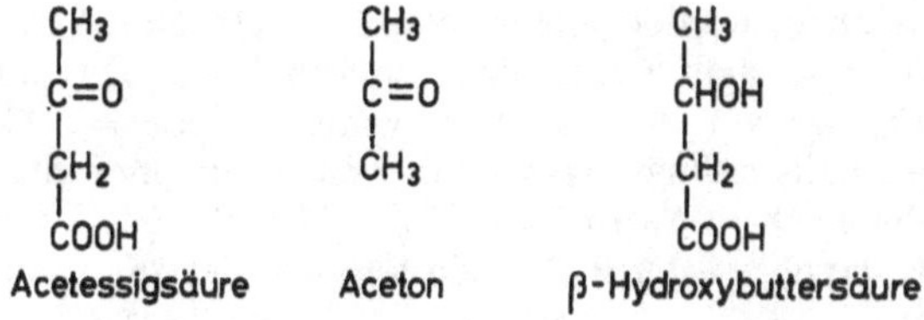

Das primäre Produkt in der Ketonkörperbildung ist die Acetessigsäure. Ihre Bildung erfolgt intramitochondrial aus dem Acetyl-CoA. Als Zwischenprodukte fungieren Acetoacetyl-CoA und β-Hydroxy-β-methylglutaryl-CoA.

Bildungsort der Acetessigsäure ist die Leber. Aus ihr kann in vielen Geweben (quantitativ spielt die Leber jedoch auch hier eine besondere Rolle) unter NADH-Verbrauch und unter Mitwirkung der *β-Hydroxybuttersäuredehydrogenase* β-Hydroxybuttersäure entstehen. Dieses Enzym ist mitochondrial lokalisiert. Aceton entsteht aus der Acetessigsäure durch spontane Decarboxylierung.

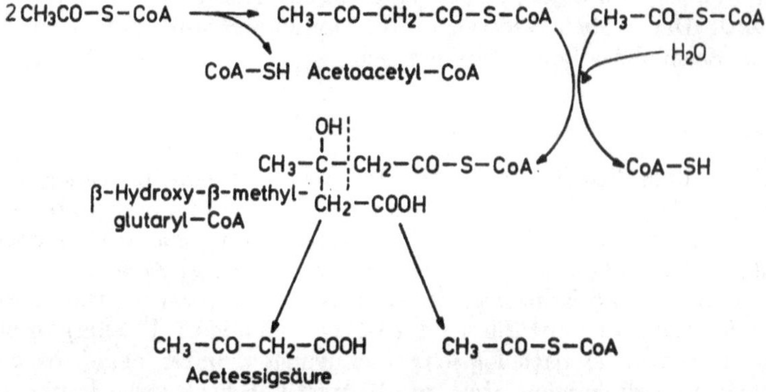

In der normalen Leber werden nur verhältnismäßig kleine Mengen Acetonkörper gebildet. Die Bildungsgeschwindigkeit ist jedoch bei *Kohlenhydratmangel* (Hunger) oder bei *mangelhafter Kohlenhydratverwertung* (Diabetes mellitus) stark gesteigert (FB 2).

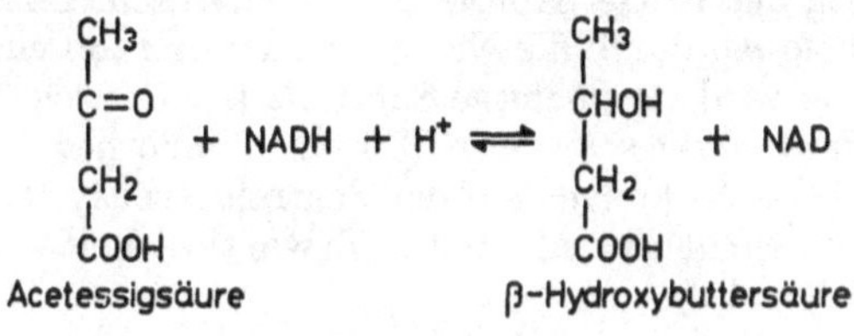

Die Ursache hierfür ist eine um das Vielfache gegenüber der normalen Leber gesteigerte Fettsäureoxidation, die zu einem massenhaften Anfall von C_2-Bruchstücken in Form von Acetyl-CoA führt. Da offensichtlich die Kapazität des Citronensäurecyclus unter diesen Umständen nicht ausreicht, die anfallenden C_2-Körper zu verwerten und eine Rückkopplungshemmung nicht existiert, wird der oben besprochene Reaktionsweg eingeschlagen und Acetessigsäure gebildet.

Als *ketonkörperverwertende Organe* müssen vor allem die *Muskulatur*, unter bestimmten Bedingungen auch das Zentralnervensystem, genannt werden. Es kommen hierfür die folgenden zwei Reaktionen in Betracht.

a) Acetoacetat + Succinyl-CoA $\rightleftharpoons$ Acetoacetyl-CoA + Succinat

b) Acetoacetat + CoA + ATP $\rightleftharpoons$

Acetoacetyl CoA + AMP + Ⓟ—Ⓟ

Das in beiden Fällen gebildete Acetoacetyl-CoA wird unter CoA-Verbrauch auf dem Wege über die thioklastische Spaltung zu zwei Molekülen Acetyl-CoA zerlegt.

3.3. *Synthese von Fettsäuren*

Der Mensch vermag Fettsäuren, auch längerkettige, aufzubauen und sie ineinander umzuwandeln. Lediglich die Synthese mehrfach ungesättigter Fettsäuren (Linolsäure, Linolensäure, Arachidonsäure u. a.) ist dem Menschen und dem höheren Tier nicht möglich; diese sind essentielle Fettsäuren.

Die Fettsäuren unterliegen einer ständigen Erneuerung. Die gesättigten Fettsäuren haben im Depotfett von Ratten eine biologische Halbwertzeit von 16 Tagen, die der ungesättigten Fettsäuren ist länger. Die Fettsäuren in der Leber haben eine wesentlich höhere Umsatzgeschwindigkeit.

Die meisten Reaktionen der Fettsäurespirale sind reversibel, nicht jedoch die Thiolasereaktion. Deshalb geht die Fettsäuresynthese in vivo teilweise andere Wege. Sie ist NADPH-abhängig und wird außerdem durch HCO_3^- stark gesteigert. Obwohl ^{14}C-markiertes CO_2 nicht in die fertige Fettsäure eingebaut wird, ist es doch stöchiometrischer Reaktionspartner bei diesem Prozeß. Es ist an der Bildung von Malonyl-CoA aus Acetyl-CoA beteiligt

(Acetyl-CoA-Carboxylase):

$$CH_3-CO-S-CoA + {}^*CO_2 + ATP$$

$$\rightleftharpoons {}^*COOH-CH_2-CO-S-CoA + ADP + Ⓟ$$

In dieser Reaktion ist *Biotin* (s. Vitamine, FB 2), das an vielen Carboxylierungsreaktionen mitwirkt, als Cofaktor beteiligt (*carboxyliertes Biotin* = „aktive Kohlensäure"):

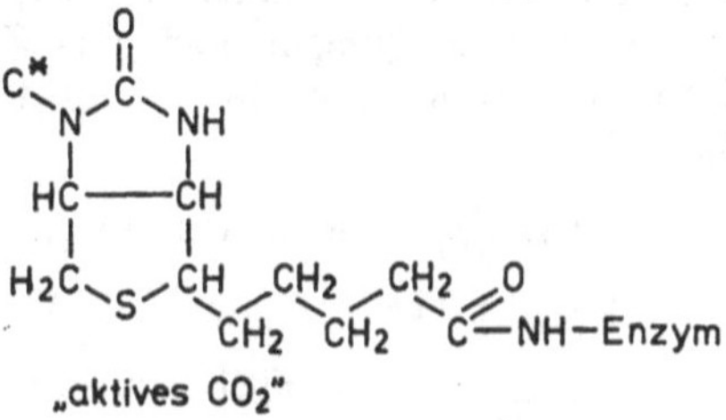

Malonyl-CoA ist zusammen mit *Acetyl-CoA* Substrat der *Fettsäuresynthese*, gleichzeitig kommt es zu einem Verbrauch von NADPH:

$$CH_3-CO-S-CoA + COOH-CH_2-CO-S-CoA$$

$$+ 2NADPH + 2H^+ \rightarrow CH_3-CH_2-CH_2-CO-S-CoA$$

$$+ HS-CoA + CO_2 + H_2O + 2NADP^+.$$

Die Kettenverlängerung erfolgt durch Verwertung weiterer Malonyl-CoA-Einheiten unter CO_2-Abspaltung und unter Verbrauch von NADPH.

Die *Fettsäuresynthese* erfolgt im *Cytosol*. Hierfür ist ein Multienzymkomplex verantwortlich (s. u.).

Woher stammen die für die Fettsäuresynthese erforderlichen Substrate Acetyl-CoA und NADPH? Acetyl-CoA wird intramitochondrial aus Pyruvat, welches u. a. von der Glucose stammt, gebildet. Da die Mitochondrieninnenmembran für Acetyl-CoA impermeabel ist, bedarf es eines *besonderen Transporteurs* für diese C_2-Reste aus dem intramitochondrialen Raum in das Cytosol. Als solcher wurde *Citrat*, das intramitochondrial durch die Citratsynthase gebildet wird, erkannt (Abb. 27).

Für Citrat ist die Innenmembran der Mitochondrien permeabel. Außerhalb der Mitochondrien, d. h. im Cytosol, wird das Citrat durch die *ATP-Citratlyase* gespalten. Dieses Enzym katalysiert

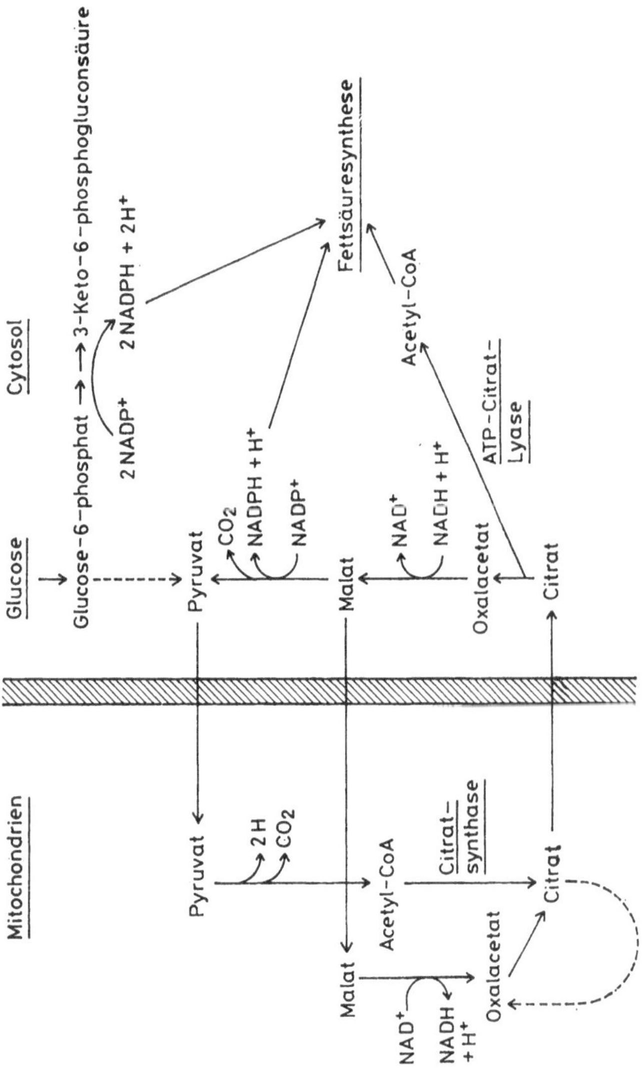

Abb. 27. Das Zusammenwirken von Mitochondrien und Cytosol bei der Synthese von Fettsäuren

die folgende Reaktion:

ATP + Citrat + CoA → ADP + Ⓟ + Acetyl-CoA + Oxalacetat.

Oxalacetat wird über Malat in Pyruvat zurückverwandelt, das dann wieder in die Mitochondrien eintritt.

Dabei erfolgt die Reduktion des Oxalacetates NADH-abhängig durch die *Malaldehydrogenase*, die Oxidation des Malates erfolgt aber durch die gleichzeitig *decarboxylierend wirkende NADP-abhängige Malatdehydrogenase*, die dabei NADPH und Pyruvat bildet. Im Endeffekt wird in dieser Reaktionssequenz im Cytosol nicht nur das Acetyl-CoA, sondern auf Kosten des cytosolischen NADH auch das für die Fettsäuresynthese benötigte NADPH gebildet.

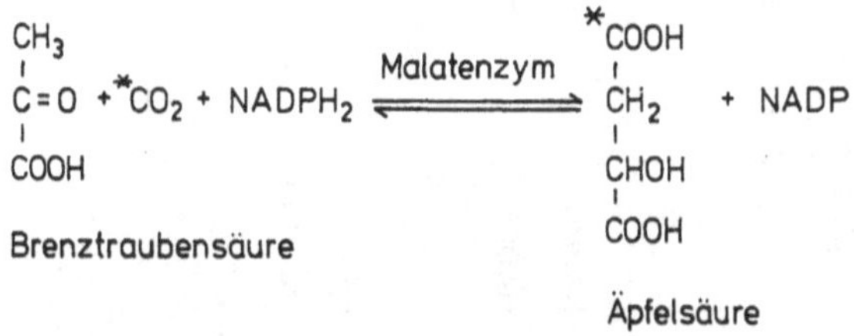

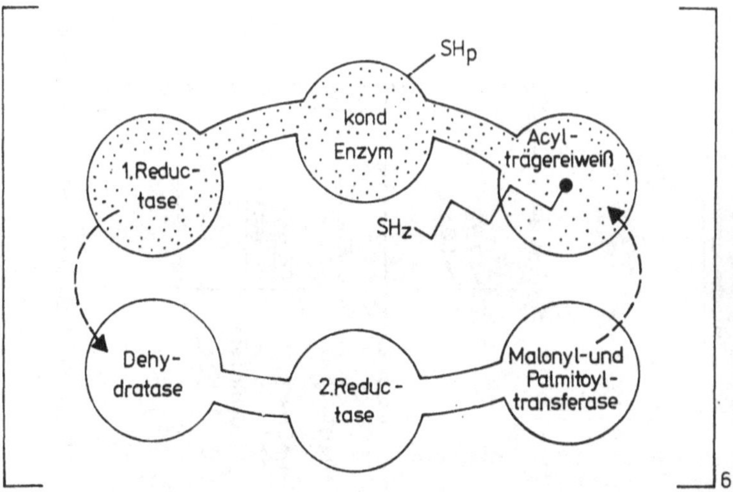

Abb. 28. Aufbau des Fettsäuresynthasekomplexes aus Hefe (nach E. SCHWEIZER: Biosynthese und Struktur des Fettsäuresynthetasekomplexes der Hefe, Naturwissenschaften 64, 366–370, (1977)

Aus verschiedenen Quellen wurde der Multienzymkomplex isoliert, der alle Reaktionen der Fettsäuresynthese katalysiert (*Fettsäuresynthasekomplex* von LYNEN). Der Komplex ist in Abbildung 28 dargestellt. Er weist eine beträchtliche Stabilität und eine hohe strukturelle Organisation auf. Außer den diese Reaktionsfolge katalysierenden Enzymen spielen sog. periphere und zentrale SH-Gruppen eine entscheidende Rolle im Reaktionsablauf.

Die Reaktionsfolge der Fettsäuresynthese im Multienzymkomplex der Hefe gliedert sich in folgende Schritte:

1. Übertragung des Acetylrestes vom Acetyl-CoA auf die periphere SH-Gruppe (SH_p) des Komplexes

   $CH_3-CO-S-CoA + p\text{-}SH \rightarrow p\text{-}S-CO-CH_3 + CoASH$

2. Übertragung des Malonyl-Restes vom Malonyl-CoA auf die zentrale SH-Gruppe des Komplexes (SH_z)

   $COOH-CH_2-CO-S-CoA + z\text{-}SH$

   $\rightarrow z\text{-}S-CO-CH_2-COOH + CoASH$

   Die zentrale SH-Gruppe des Fettsäuresynthase-Komplexes stammt vom Cysteamin, das über Pantothensäure an eine zentrale Proteinkomponente mit einem Molekulargewicht von 9550 gebunden ist (Struktur der Pantothensäure s. FB 2). Dieser relativ kleine Eiweißkörper wird als „Acyl-Träger-Eiweiß“ bezeichnet.

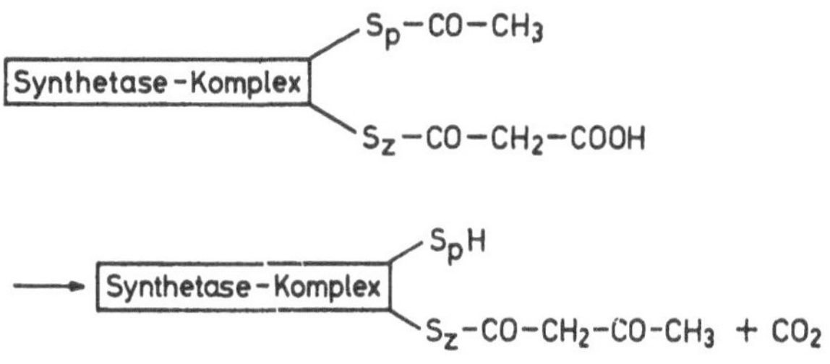

3. Der nächste Schritt ist eine Kondensation des enzymgebundenen Acetylrestes mit dem an das zentrale Trägerprotein gebundene Malonylrest, wodurch eine Acetoacetyl-Enzym-Verbindung entsteht und gleichzeitig CO_2 freigesetzt wird. Die Acetoacetyl-Gruppe sitzt dabei an der zentralen SH-Gruppe (S_z).

4. Die schrittweise Reduktion (1. und 2. Reduktion) des an die zentrale SH-Gruppe gebundenen Acylrestes erfolgt durch die um sie herum angeordneten Enzymproteine.
5. Der vollständig reduzierte Acylrest (in diesem Fall der Butyrylrest) wird von der zentralen auf die periphere SH-Gruppe abgegeben, so daß das zentrale Trägereiweiß einen neuen Malonyl-Rest aufnehmen kann.
6. Nach mehrmaliger Wiederholung dieses Vorganges und Fertigstellung der langkettigen Fettsäure wird die langkettige Fettsäure (Palmitoyl- oder Stearylrest) von der zentralen Thiolgruppe auf CoA-SH unter Bildung des betreffenden Acyl-CoA-Derivates übertragen, so daß im Fettsäuresynthase-Komplex ein neuer Cyclus beginnen kann. In der neugebildeten Fettsäure ist der erste Acetylrest (Synthesebeginn) ω-ständig. Insgesamt sind für diese Reaktionsfolge sieben Enzyme nötig, die man sich im Modell des Fettsäuresynthase-Komplexes um die zentrale SH-Gruppe herumgelagert vorstellt, so daß optimale Reaktionsbedingungen im Multienzym-Komplex entstehen. Die zentrale Pantothensäure-Cysteamin-Verbindung, an der der Acyl-Rest sitzt, stellt offenbar einen flexiblen Arm mit mehr als 15 Å Länge dar, der die Fähigkeit zur Rotation besitzt und durch ein „Herumreichen" der gebundenen Acyl-Gruppe deren schrittweise Reduktion durch die peripher angeordneten Enzyme ermöglicht.

Die Synthese von *Palmityl-CoA* ($CH_3-(CH_2)_{14}-CO-S-CoA$) geht nach folgender Bruttogleichung vor sich:

$$\text{Acetyl}-\text{CoA} + 7\,\text{Malonyl}-\text{CoA} + 14\,\text{NADPH} + 14\,\text{H}^+$$

$$\rightarrow \text{Palmityl}-\text{CoA} + 7\,\text{CoASH} + 14\,\text{NADP}^+ + 7\,\text{H}_2\text{O} + 7\,\text{CO}_2$$

Palmityl-CoA ist ein sehr starker Hemmstoff der Fettsäuresynthase, woraus sich die Möglichkeit einer *Selbstregulation* der Fettsäurebiosynthese durch Rückkopplungshemmung ergibt.

Außer der Start- und Schlußreaktion (*Acetyl-* bzw. *Palmityltransfer*) katalysiert die Fettsäuresynthase die fünf folgenden Teilreaktionen:
Malonyltransfer, *Kondensation*, *1. Reduktion* (β-Ketoacylreductase), *Dehydratation*, *2. Reduktion* (Enoylreductase).

Der *Fettsäuresynthasekomplex* aus Hefe enthält *zwei* verschiedene *Polypeptidketten* (A und B) mit Molekulargewichten von 185000 und 180000 im Verhältnis 1 : 1. Da das Partikelgewicht des Multienzymkomplexes 2,3 Millionen ist, ergibt sich daraus, daß jede Polypeptidkette sechsfach vertreten ist. Die Formel der Hefefettsäuresynthase ist demzufolge $(AB)_6$.

Jede der beiden Polypeptidketten enthält mehrere verschiedenartige Enzymaktivitäten, wie dies schematisch in Abb. 28 wiedergegeben ist.

Einen grundsätzlich gleichen Aufbau findet man auch beim Fettsäuresynthasekomplex der Leber, allerdings mit der Besonderheit, daß in ihm die beiden Polypeptidketten nicht sechsfach vertreten sind, sondern jeweils nur in einer Kopie vorliegen (Molgewicht etwa 400000).

In Prokaryonten (*E. coli*, *Clostridium kluyveri*) ist der enzymatische „Fließband"-Mechanismus der Fettsäuresynthese nicht auf zwei große Polypeptidketten konzentriert, sondern es existiert für jeden Schritt der Synthese ein Einzelenzym.

Möglicherweise ist die geschilderte Multienzymstruktur der Fettsäuresynthase in den Geweben von Eukaryonten das Ergebnis eines Evolutionsprozesses, in dessen Verlauf ein multifunktionelles Protein durch Genfusion (DB IV) aus mehreren Einzelenzymen hervorgegangen ist.

3.4. Einige Regulationsmechanismen im Fettsäurestoffwechsel und in der Ketonkörperbildung

Die *Carboxylierung des Acetyl-CoA* ist der *geschwindigkeitsbestimmende* Schritt der Synthesekette der Fettsäuren. Diese Reaktion ist ein Schrittmacher (S. 80 f.) im klassischen Sinn, da bei jeder Veränderung ihrer Geschwindigkeit die Geschwindigkeit der Fettsäuresynthese verändert wird. Citronensäure und Isocitronensäure sind Aktivatoren der tierischen Acetyl-CoA-Carboxylase, wodurch vermutlich wichtige Kontrollmechanismen für die Fettsäuresynthese geschaffen werden. Die Senkung der Citratsynthaseaktivität und die damit verbundene Senkung des Citratspiegels in der diabetischen Leber führen über diese Wechselwirkung indirekt zu einer Verminderung der Fettsäuresynthese. Interessant ist ferner, daß die CoA-Derivate der längerkettigen Fettsäuren, nicht aber die freien Fettsäuren selbst, die Carboxylase kompetitiv zum Acetyl-CoA hemmen, wodurch eine negative Rückkopplung entsteht. Da es in der diabetischen Leber zu einer Anhäufung dieser Acyl-CoA-Verbindungen kommt, wird dadurch ein wesentlicher Faktor für die Hemmung der Fettsäuresynthese deutlich (Abb. 29).

Infolge der Hemmung der Carboxylierung des Acetyl-CoA treten dann andere Acetyl-CoA-verwertende Prozesse in den Vordergrund, so z. B. die Acetessigsäurebildung.

Im Zustand des Hungers und des Diabetes mellitus fällt in der Leber infolge gesteigerter Fettsäureoxidation vermehrt Acetyl-CoA an. Dieses Acetyl-CoA hat unter diesen Bedingungen sowohl als Substrat als auch als allosterischer Effektor eine besondere Bedeutung im Stoffwechsel dieses Organs. Wie in DB II ausgeführt ist, ist dem Acetyl-CoA infolge Hemmung der Citratsynthase der Eintritt in den Citratcyclus versperrt. Die Carboxylierung des Acetyl-CoA zu Malonyl-CoA ist, wie oben diskutiert wurde, infolge Mangel an Citronensäure als allosterischer Aktivator der Acetyl-CoA-Carboxylase und der Hemmwirkung der erhöhten Konzentrationen von Acyl-CoA-Verbindungen ebenfalls unterbunden. Die einzigste, noch verbleibende Abflußreaktion für Acetyl-CoA ist die Synthese von Acetessigsäure. Dieser Weg wird in der diabetischen Leber in großem Umfang beschritten.

Die Erhöhung der Acetessigsäurebildung führt zu einer erhöhten Bildung der β-Hydroxybuttersäure und der Ketonkörper im Blut. Acetessigsäure und β-Hydroxybuttersäure werden in der Peripherie, vor allem in der Muskulatur und nach dessen Adaptation an einen Hungerzustand auch im Zentralnervensystem oxidiert und können auf diese Weise die Kohlenhydrate, die entweder unge-

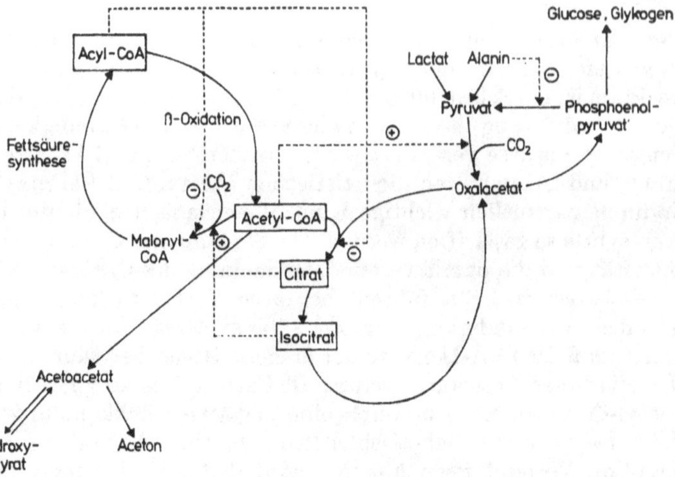

Abb. 29. Beziehungen zwischen Fettsäurestoffwechsel, Ketogenese und Gluconeogenese

nügend vorhanden sind (Hunger) oder nicht normal verwertet werden (Diabetes mellitus), als Energiedonatoren ersetzen.

Neben dieser eben besprochenen Substratfunktion hat *Acetyl-CoA* eine große Bedeutung als *allosterischer Effektor*. Im Vordergrund steht dabei seine Wirkung auf die Pyruvatcarboxylase.

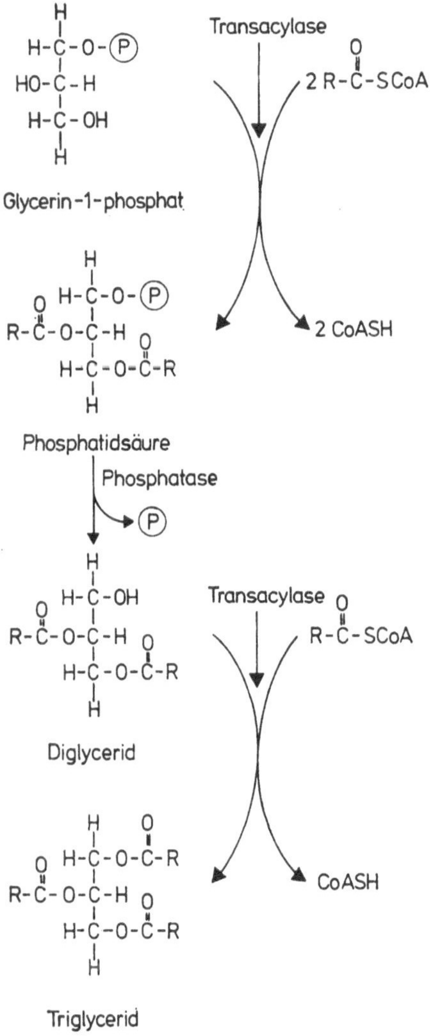

Abb. 30. Die Biosynthese eines Triglycerids

Dadurch wird, wie im entsprechenden Abschnitt auf S. 39 besprochen, die Gluconeogenese gefördert. Diese Darlegungen unterstreichen die besonderen Beziehungen zwischen Ketogenese und Gluconeogenese. Alle Faktoren, die zu einer gesteigerten Ketonkörperbildung führen (Hunger, Diabetes mellitus oder gesteigerte Lipolyse und Fettsäureoxidation nach Zufügung von Glucagon und Adrenalin) begünstigen die Gluconeogenese. Schlüsselfaktoren hierfür sind Acetyl-CoA, die Energieladung sowie der NADH/NAD-Quotient.

3.5. Synthese von Triglyceriden

Orte der ***Triglyceridsynthese*** im Organismus sind vor allem die ***Leber***, das ***Fettgewebe***, die ***Mucosazelle*** und die ***Muskulatur***. Be-

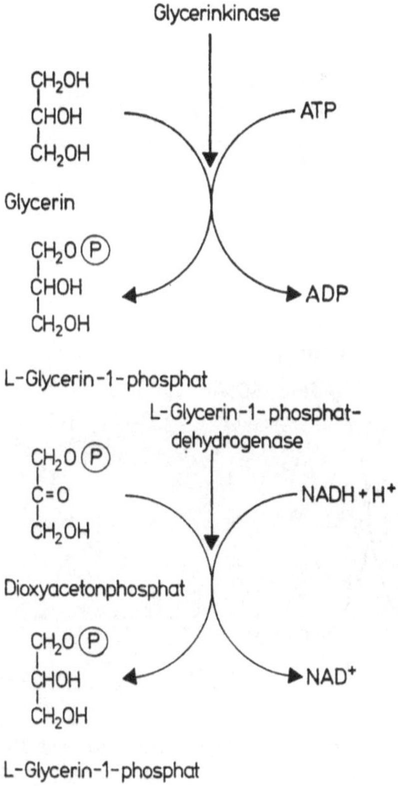

nötigt werden hierzu *L-Glycerin-1-phosphat* und *aktivierte Fettsäuren* (CoA-Derivate der Fettsäuren) (Abb. 30).

L-Glycerin-1-phosphat kann auf verschiedene Weise bereitgestellt werden: a) durch Phosphorylierung von Glycerin mittels Glycerinkinase unter Verbrauch von ATP und b) durch Reduktion von glykolytisch angeliefertem Dioxyacetonphosphat unter Verbrauch von NADH mittels L-Glycerin-1-phosphat-Dehydrogenase (S. 112, vgl. auch mit Abb. 2 und 4).

In der Leber herrscht der Weg a) zur Anlieferung von Glycerin-1-phosphat vor, während das Fettgewebe und die Muskulatur infolge der weitgehenden Abwesenheit der Glycerinkinase auf die glykolytische Bereitstellung von Glycerin-1-phosphat angewiesen sind.

Glycerin-1-phosphat reagiert dann nacheinander mit zwei Molekülen Acyl-CoA unter Bildung von Diacyl-glycerin-1-phosphat; dieser Typ von Verbindungen wird *Phosphatidsäure* genannt.

Als Beispiel einer Phosphatidsäure sei die Dipalmitylphosphatidsäure angegeben:

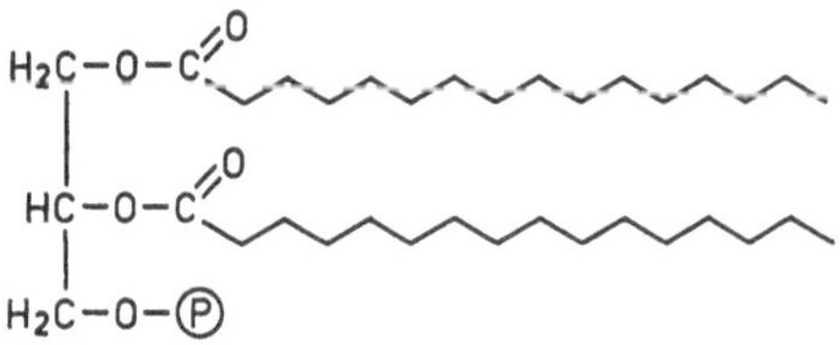

Dipalmitylphosphatidsäure

Anschließend wird die Phosphatidsäure durch Phosphatabspaltung mittels Phosphatase in das jeweilige Diglycerid übergeführt, das unter Verbrauch eines dritten Acyl-CoA danach in das *Triglycerid* umgewandelt wird (über die chemische Struktur der Triglyceride s. DB I).

In der *Darmschleimhaut* gestaltet sich die Triglyceridsynthese etwas anders, da aus dem Darmlumen vorwiegend Monoglyceride aufgenommen werden. Diese werden durch Verwertung von Acyl-CoA direkt in Triglyceride übergeführt ohne dabei die Stufe des Glycerin-1-phosphates zu durchlaufen. Man bezeichnet diese Route als *Monoglyceridweg*:

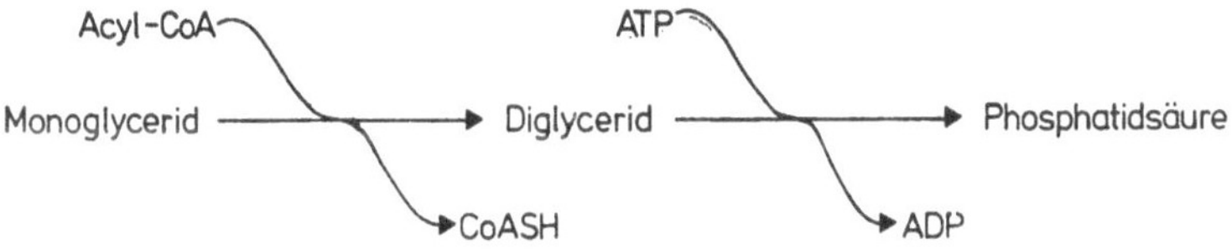

Die fertiggestellten Triglyceride können ihre Fettsäuren durch Fettsäureübertragung (*Transesterifizierung*) mit Phospholipiden und Cholesterinestern austauschen. Reaktionen dieser Art kommen in verschiedenen Geweben und Organen, teilweise auch im Blut vor:

$$\text{Triglycerid} + \text{Lysolecithin} \rightleftharpoons \text{Lecithin} + \text{Diglycerid}$$

$$\text{Lysolecithin} + \text{Diglycerid} \rightleftharpoons \text{Lecithin} + \text{Monoglycerid}$$

$$\text{Lecithin} + \text{Cholesterin} \rightleftharpoons \text{Lysolecithin} + \text{Cholesterinester}$$

3.6. Die Synthese der Phosphoglyceride

Der Biosyntheseweg der Phospholipide beginnt wie der der Triglyceride: zunächst kommt es zur Bildung der Phosphatidsäuren, die danach in spezifischer Weise weiter umgesetzt werden.

Die *Biosynthese* der *Phospholipide* bedarf der Einführung eines *Alkohols* (*Colamin, Cholin, Inosit* usw.) in das Molekül (DB I). Zu ihrer Bewerkstelligung muß dieser Alkohol einen besonders gearteten Aktivierungsprozeß durchlaufen, der für das Cholin näher dargestellt sei und zur Synthese von Phosphatidylcholin (Lecithin), dem am meisten im Organismus vorkommenden Phospholipid, führt (Abb. 31, S. 115).

Cholin wird durch Phosphorylierung unter Bildung von *Cholinphosphat* (Phosphorylcholin) aktiviert; der Phosphatdonator ist ATP und das diese Reaktion katalysierende Enzym heißt ATP-Cholinphosphotransferase. Das Enzym ist nicht für Cholin spezifisch, sondern vermag auch andere Alkohole, z. B. Colamin, zu phosphorylieren.

Von großem Interesse ist die sich daran anschließende Reaktion. Sie besteht in einer Umsetzung des *Cholinphosphates* mit *Cytidintriphosphat* (CTP). Es war dies die erst in größerem Umfang im Stoffwechsel ablaufende Reaktion, bei der man erkannte, daß sie unter Verbrauch von CTP abläuft. Die Reaktion von Cholinphosphat mit CTP wird durch die Cholinphosphat-Cytidyltransferase katalysiert und liefert *Cytidindiphosphatcholin* (CDP-Cholin) und Pyrophosphat.

Bevor das CDP-Cholin weiter reagieren kann, muß aus der Phosphatidsäure als dem anderen Substrat durch Phosphataseangriff zunächst das Phosphat abgespalten werden, so daß sich das CDP-Cholin mit dem dabei entstehenden Diglycerid umsetzen und dabei unter Freisetzung von CMP das *Phosphatidylcholin* (Lecithin) bilden kann. Das diese Reaktion katalysierende Enzym bezeichnet man als *CDP-Cholinphosphotransferase*.

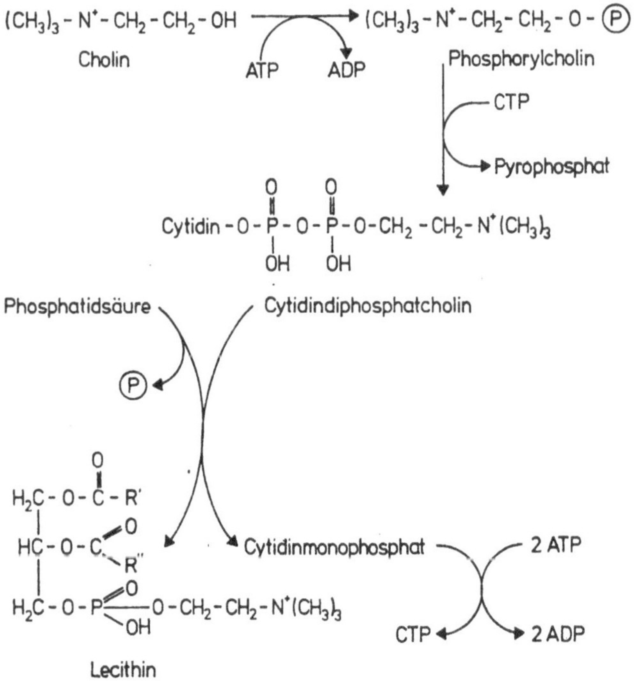

Abb. 31. Die Biosynthese von Phosphatidylcholin (Lecithin)

Phosphatidylcolamin (Kephalin) wird analog synthetisiert, hingegen werden Inosit- und Serinphosphatide auf andere Weise gebildet: hierbei reagiert die Phosphatidsäure zunächst mit CTP unter Bildung von CDP-Diglycerid und Pyrophosphat. Das CDP-Diglycerid reagiert mit Inosit oder Serin, wobei dann das jeweilige Phosphatid unter Freisetzung von CMP entsteht (siehe S. 116)

3.7. *Die Biosynthese der Sphingomyeline*

Die Sphingomyeline enthalten kein Glycerin, sondern den ungesättigten, stickstoffhaltigen, 2-wertigen Alkohol Sphingosin (DB I). Das Sphingosin entsteht im Stoffwechsel aus Serin und Palmitinsäure. Nach seiner Bildung reagiert es mit Acyl-CoA unter Bildung von N-Acylsphingosin (Ceramid). Ceramid wird in einem zweiten Schritt mit CDP-Cholin umgesetzt, wobei das Sphingomyelin entsteht.

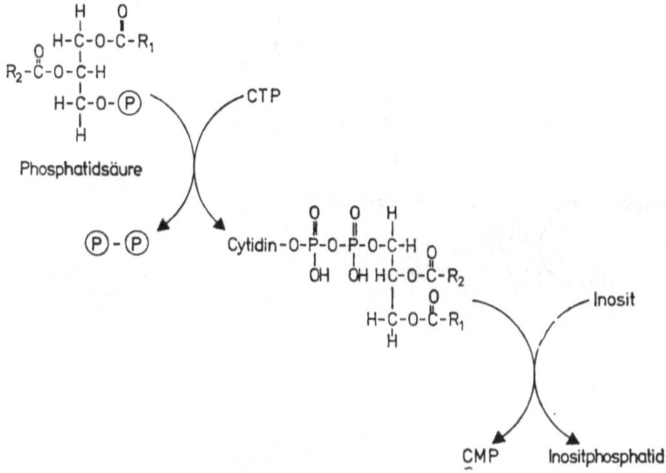

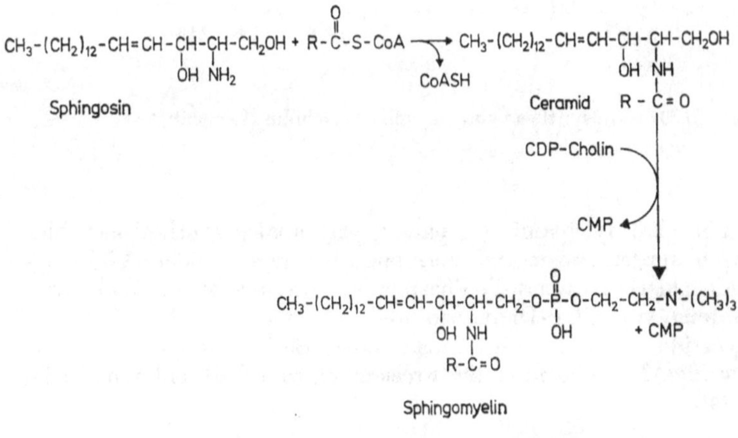

3.8. *Die Biosynthese von Cerebrosiden*

Cerebroside enthalten kein Phosphat; sie sind aus Sphingosin, einer Fettsäure und einem Monosaccharid (z. B. Galactose) aufgebaut (DB I). Ihre Synthese geht folgendermaßen vor sich:

Sphingosin + Acyl-CoA → Ceramid + CoASH

Ceramid + UDP-Galactosid → Cerebrosid + UDP

3.9. *Die Biosynthese der Ganglioside*

Ganglioside sind aus Ceramid und einem Oligosaccharidteil aufgebaut (DB I). Ihre Biosynthese geht ebenfalls vom Ceramid aus; an dieses werden schrittweise Glucose, Galactose, N-Acetylneuraminsäure und N-Acetylgalactosamin angehängt (Abb. 32). Substrate hierfür sind jeweils die UDP-Derivate der entsprechenden Monosaccharide bzw. die CMP-N-Acetylneuraminsäure.

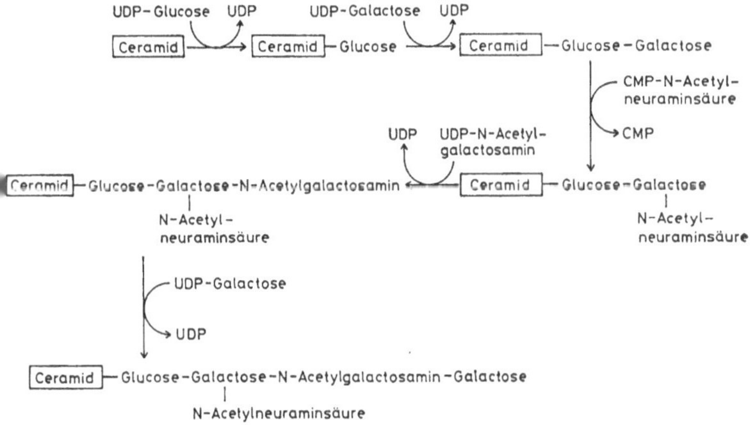

Abb. 32. Die Biosynthese eines Gangliosides

3.10. *Der Abbau der Phosphoglyceride*

Für die Abspaltung der Fettsäurereste sowie des Cholins und des Phosphates aus den Phosphatiden existieren in der Natur zahlreiche Enzyme. Sie kommen zumindest teilweise im menschlichen und tierischen Organismus vor, manche von ihnen findet man in Bakterien und in tierischen Giften (Schlangen- und Bienengift).

Die *Phospholipase A* kommt im Schlangengift und in vielen tierischen Geweben vor. Sie spaltet von den Phospholipiden auf hydrolytischem Wege die Fettsäure in Stellung 2 des Glycerinrestes ab, unabhängig davon, ob diese gesättigt oder ungesättigt ist.

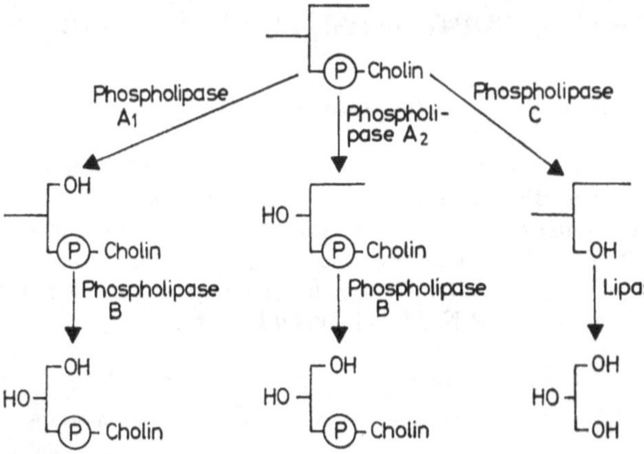

Abb. 33. Der Abbau der Phosphoglyceride im tierischen Organismus am Beispiel des Lecithins

Das Pankreas bildet eine inaktive Vorstufe dieses Enzyms (*Phospholipase A-Zymogen*), das durch Trypsin unter Abspaltung eines Heptapeptides aktiviert wird.

Eine weitere Phospholipase spaltet aus dem intakten Phospholipidmolekül die Fettsäure aus Stellung 1 des Glycerinrestes ab.

Nach neuer Nomenklatur bezeichnet man dieses Enzym als *Phospholipase* A_1, während man das Enzym, das die Fettsäure vom C-2 des Glycerins abspaltet (also die oben besprochene Phospholipase A) jetzt als *Phospholipase* A_2 bezeichnet.

Das Produkt der Phospholipase A_2 ist *Lysolecithin.* Dieses Lysolecithin besitzt stark hämolysierende Eigenschaften.

Lysolecithin wird durch Lysophospholipase (*Phospholipase B*) weiter abgebaut und geht dabei im Glycerylphosphorylcholin über. Das Enzym kommt in tierischen Geweben, vor allem in der Darmschleimhaut, vor. Es vermag den Fettsäurerest in Position 1 des Glycerinrestes abzuspalten, nachdem vorher die Phospholipase A_2 auf das Phosphoglycerid eingewirkt hat.

Die *Phospholipase C* spaltet Cholinphosphat aus den Phospholipiden ab. Es ist vor allem in Mikroorganismen vorhanden. Ein nur in Pflanzen vorkommendes Enzym ist die *Phospholipase D*. Sie spaltet Cholin von den Phospholipiden ab und führt auf diese Weise zur Bildung von Phosphatidsäuren als Spaltprodukte.

3.11. *Der Abbau der Sphingomyeline*

Der erste Schritt des Sphingomyelinabbaues besteht in einer Abspaltung von Cholinphosphat unter Bildung von Ceramid (Sphingomyelinphosphodiesterase). Das Ceramid wird durch eine Desacylase in Sphingosin und Fettsäure gespalten. Das Sphingosin wird danach weiter zu Palmitinsäure abgebaut, welches der β-Oxidation unterliegt.

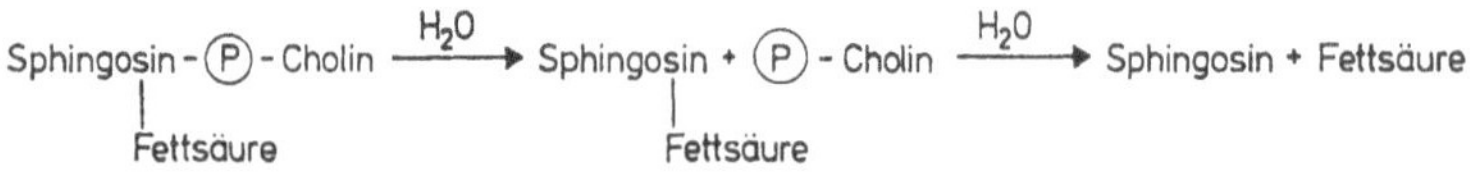

3.12. *Der Abbau der Cerebroside und Ganglioside*

Der Monosaccharidrest der Cerebroside wird auf hydrolytischem Wege abgespalten; im Falle von Galactocerebrosid erfolgt die Spaltung durch eine β-Galactosidase, im Falle von Glucocerebrosid durch eine β-Glucosidase.

Der Abbau der Ganglioside erfolgt, indem von ihnen durch Enzyme unterschiedlicher Spezifität die Monosaccharid- und N-Acetylneuraminsäurereste schrittweise abgespalten werden.

3.13. *Lipidspeicherkrankheiten*

Es gibt eine Gruppe relativ seltener autosomal-recessiv vererbbarer Erkrankungen, die durch *Lipidablagerungen* vor allem im Zentralnervensystem, in der Leber, der Milz und den Nieren gekennzeichnet sind. Bei diesen Erkrankungen ist das Fließgleichgewicht zwischen Synthese und Abbau bestimmter Lipide gestört, indem es infolge eines spezifischen Enzymdefektes in ihrem Abbau zu einer vermehrten Ablagerung des betreffenden Lipides kommt. Da vor allem verschiedene Vertreter der *Sphingolipide* betroffen sind, bezeichnet man diese Gruppe von Krankheiten auch als *Sphingolipidosen*. Die Tab. 3 enthält eine Auswahl dieser Speicherkrankheiten und gibt Auskunft über das gespeicherte Lipid und das jeweils defekte Enzym.

Tabelle 3
Lipidspeicherkrankheiten (Auswahl)

Krankheit	abgelagertes Lipid	defektes Enzym
Niemann-Pick	Sphingomyelin	Sphingomyelin-phosphodiesterase
Gaucher	Glucocerebrosid	Glykolipid-β-Glucosidase
Krabbe	Galactocerebrosid	Glykolipid-β-Galactosidase
Tay-Sachs	Ganglioside	Gangliosid-β-Acetyl-galactosaminidase
Fabry	Ceramidtrihexosid	β-Galactosidase

3.14. Der Stoffwechsel der Steroide

Im Mittelpunkt des Steroidstoffwechsels steht das *Cholesterin* (*Cholesterol*) (Struktur in DB I). Dieses kann im Körper selbst synthetisiert werden, wird jedoch auch durch die Nahrung dem Organismus zugeführt. Der Organismus synthetisiert in der *Leber*, der *Nebennierenrinde*, der *Haut*, dem *Darm* und den *Geschlechtsdrüsen* pro Tag etwa *1 g Cholesterin*, während bei einer gesunden Ernährungsweise etwa *0,2—0,3 g Cholesterin* aufgenommen werden.

Cholesterin ist die *Muttersubstanz* physiologisch wichtiger Verbindungen. Aus ihm werden die *Gallensäuren*, die *Sexualhormone* und das *Vitamin D* gebildet. Das Cholesterin besitzt für die Pathobiochemie ein beträchtliches Interesse, da es als wichtiger Risikofaktor für die Entstehung von Herz-Kreislauf-Erkrankungen erkannt wurde (FB 1).

3.14.1. Die Biosynthese des Cholesterins (Cholesterol)

Ausgangsprodukt der Cholesterinbiosynthese ist das *Acetyl-CoA*. Dieses wird zunächst in einer Mehrschrittreaktion in *Mevalonat* umgewandelt, wobei als Stufen Acetoacetyl-CoA und β-Hydroxy-β-methylglutaryl-CoA durchlaufen werden (s. Abb. 34 am Schluß dieses Bandes auf losem Blatt). Dieser Stoffwechselweg ist uns schon bei der Bildung der Acetessigsäure begegnet. Es sei jedoch darauf hingewiesen, daß die Acetessigsäurebildung intramitochondrial, die Mevalonatbildung und die Cholesterinsynthese aber extramitochondrial erfolgen. Die Bildung von Mevalonat aus β-Hydroxy-β-methylglutaryl-CoA erfolgt durch Reduktion mittels NADPH (*β-Hydroxy-β-methylglutaryl-CoA-Reductase* oder *MHG-CoA-Reductase*).

Das Mevalonat wird schrittweise unter ATP-Verbrauch aufphosphoryliert und dabei *Mevalonat-5-pyrophosphat* gebildet; letzteres wird unter CO_2- und H_2O-Abspaltung in *Isopentenylpyrophosphat* umgewandelt. Diese Verbindung ist das für die Synthese vieler Naturstoffe wichtige *aktive Isopren*.

Das Isopentenylpyrophosphat wird zum *3,3-Dimethylallylpyrophosphat* isomerisiert, welches mit einem weiteren Molekül Isopentenylpyrophosphat zu *Geranylpyrophosphat* und dieses zu *Farnesylpyrophosphat* umgesetzt wird. Aus dem Farnesylpyrophosphat entsteht durch Umlagerung *Nerolidylpyrophosphat*. Letzteres kondensiert mit einem zweiten Molekül Farnesylpyrophosphat unter NADPH-abhängiger Reduktion zu *Squalen*. Squalen wird durch Ringschluß in *Lanosterin* umgewandelt, vorher tritt aber eine Wanderung der Methylgruppen von C_{14} nach C_{13} und von C_8 nach C_{14} ein. Am C_3 erfolgt eine Hydroxylierung durch Aufnahme von molekularem Sauerstoff mittels eines im endoplasmatischen Reticulum lokalisierten *Hydroxylasesystems*.

Durch schrittweise Veränderung am Steranskelett und an den Seitenketten wird das Lanosterin schließlich in *Cholesterin* übergeführt.

3.14.2. Die Regulation der Cholesterinsynthese

Die *Schrittmacherreaktion*, d. h. der geschwindigkeitsbestimmende Schritt der Cholesterinsynthese, ist die Reaktion zwischen dem β-Hydroxy-β-methylglutaryl-CoA (HMG-CoA) und dem Mevalonat, also die Reaktion, die durch die *HMG-CoA-Reductase* katalysiert wird. Das Enzym wird durch verschiedene Faktoren in seiner Aktivität beeinflußt:

Gallensäuren zeigen deutliche Hemmwirkungen auf die Cholesterinbiosynthese, die durch Rückkopplungshemmung (*Endproduktthemmung*) der HMG-CoA-Reductase zustande kommen. Bei Bindung der Gallensäuren im Darm an einen nichtresorbierbaren Ionenaustauscher und dadurch erfolgter Unterbindung der Rückresorption, d. h. bei *Unterbrechung* des *enterohepatischen Kreislaufes* der Gallensäuren, kommt es in der Leber zu einer *Steigerung* der *Cholesterinbiosynthese* (s. auch FB 1). Cholesterin selbst ist als Hemmstoff der HMG-CoA-Reductase von verhältnismäßig geringer Wirkung.

Allerdings vermag Cholesterin die Biosynthese des Enzyms zu unterdrücken und auf diese Weise hemmend in seine eigene Bildung einzugreifen.

Die *HMG-Reductase* ist ein *mikrosomales Enzym*. Sie liegt ähnlich wie die Phosphorylase und andere Enzyme (S. 49ff.), in zwei reversibel ineinander umwandelbaren Formen, einer aktiven (nichtphosphorylierten) und einer inaktiven (phosphorylierten) Form, vor.

Im Zustand des *Fastens* sinkt der Cholesterinspiegel im Blut deutlich ab. Die Ursache ist, daß unter diesen Bedingungen in der Leber die Aktivität der HMG-CoA-Reductase beträchtlich erniedrigt ist. Beim *Diabetes mellitus* ist der Serumcholesterinspiegel hoch, allerdings sind dabei die Cholesterinbiosynthese und die Aktivität der HMG-CoA-Reductase erniedrigt. Offenbar ist im Zustand des Diabetes mellitus der Cholesterinumsatz und die Cholesterinausscheidung vermindert.

Ähnliches gilt auch für eine *Unterfunktion* der *Schilddrüse*. Bei ihrer *Überfunktion* findet man aber eine *hohe Cholesterinsynthese* und eine *hohe Aktivität* der *HMG-CoA-Reductase* bei insgesamt *erniedrigtem Cholesterinspiegel* im Blut (über weitere Aspekte der Regulation des Cholesterinstoffwechsels und den Transport des Cholesterins im Blutplasma sowie über Cholesterin als Nahrungsbestandteil s. FB 1 und 2).

3.14.3. Steroidhormone

Diese wichtige Gruppe von Hormonen läßt sich ebenfalls vom Steran herleiten. Sie werden in der *Nebennierenrinde*, in den *Ovarien* und *Testes* sowie im *Corpus luteum* (*Gelbkörper*) aus Cholesterin synthetisiert. In der Nebennierenrinde werden Hormone mit Wirkungen auf den Kohlenhydratstoffwechsel (*glucocorticoide Hormone*) und den Mineralstoffwechsel gebildet (*mineralocorticoide Hormone*, Aldosteron). Letzteres steigert die Rückresorption von Na^+-Ionen in der Niere (Näheres s. FB 2).

Die vor allem in den Ovarien, Testes und im Gelbkörper produzierten Steroidhormone werden als *Sexualhormone* bezeichnet, da ihre Hauptwirkungen auf die Ausbildung und normale Funktionsweise der Geschlechtsorgane, die Entwicklung der sekundären Geschlechtsmerkmale und die Fortpflanzung gerichtet sind. Auch in der Nebennierenrinde werden Geschlechtshormone gebildet.

Bei den Sexualhormonen werden, entsprechend ihren physiologischen Wirkungen, die weiblichen Sexualhormone, die *Östrogene* (Östradiol, Östron und Östriol) und die *Gestagene* (Schwanger-

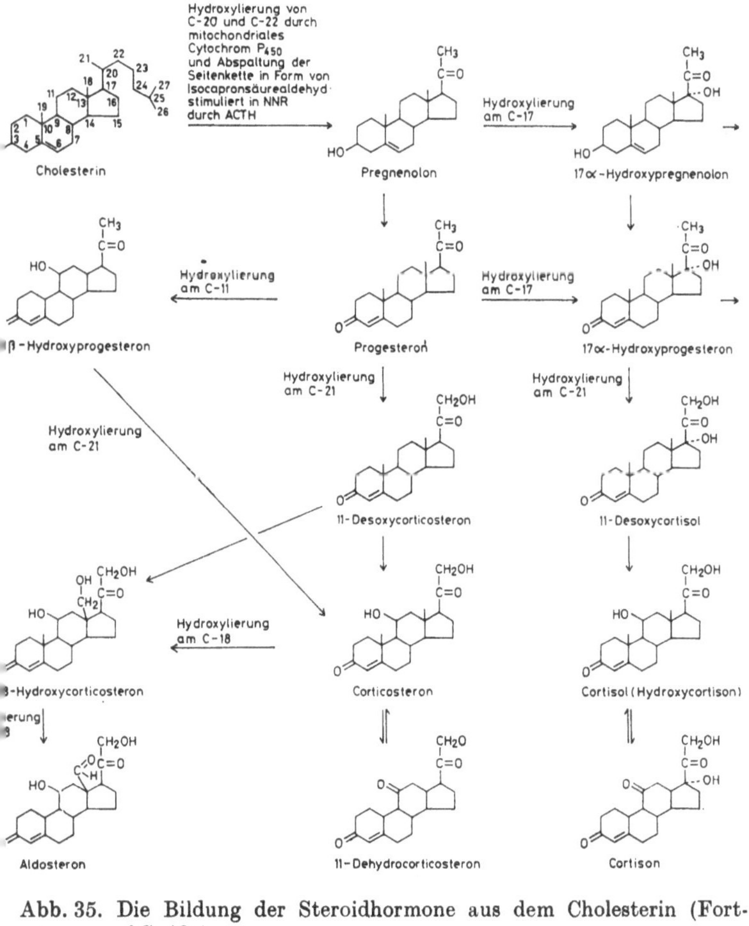

Abb. 35. Die Bildung der Steroidhormone aus dem Cholesterin (Fortsetzung auf S. 124)

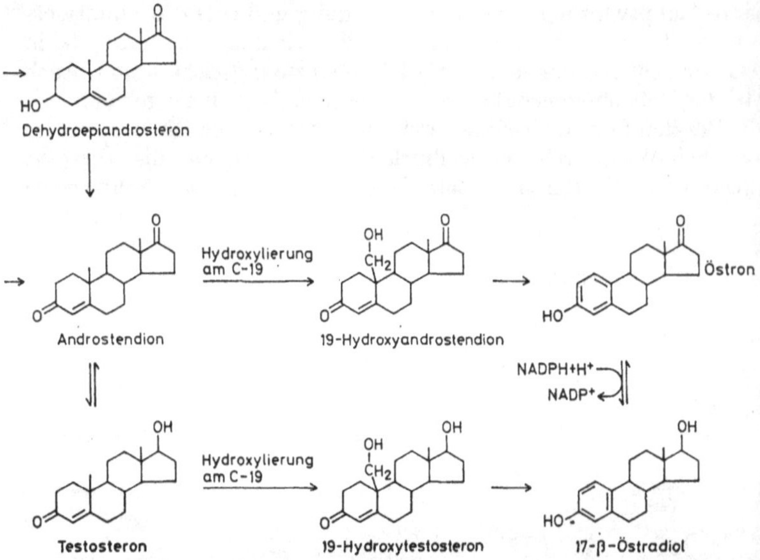

schaftshormon, Progesteron) von den männlichen Geschlechtshormonen (*Androgene*: Androsteron, Testosteron) unterschieden. Es gibt keine scharfe Trennung bezüglich der Bildung der Sexualhormone zwischen den beiden Geschlechtern. Im männlichen Organismus überwiegen die Androgene, im weiblichen die Östrogene. Im Gelbkörper, in der Plazenta und in der Nebennierenrinde wird *Progesteron* gebildet. Das *Pregnandiol* kann als inaktives Abbauprodukt des Progesterons aus dem Harn isoliert werden.

Die Steroidhormone lassen sich in drei Gruppen einordnen:

C_{18}-Steroide (Östrogene): Grundkörper Östran.
C_{19}-Steroide (Androgene): Grundkörper Androstan.
C_{21}-Steroide (Nebennierenrindenhormone, Progesteron und Pregnandiol): Grundkörper Pregnan.

3.14.3.1. Die Bildung der Steroidhormone aus dem Cholesterin

Die *Biosynthese* der *Steroidhormone* geht vom *Cholesterin* aus und durchläuft eine beträchtliche Zahl von Zwischenprodukten (Abb. 35). In FB 2 findet man weitere Angaben hierüber, einschließlich der Orte, wo diese Umwandlungen jeweils vor sich gehen. In Abb. 35 sind die Wege angegeben, die der Umwandlung des Cholesterins in die verschiedenen Steroidhormone zugrunde liegen. Man erkennt, daß diese Umwandlungen vor allem in Hydroxylierungen und in Veränderungen der Zahl der Doppelbindungen sowie in Verkürzung bzw. Abspaltung der Seitenketten bestehen.

In der *Nebennierenrinde* ist die Bildung des *Pregnenolons* der *geschwindigkeitsbestimmende Schritt* in der Kette der Umwandlungen des *Cholesterins* in die *Steroidhormone*. Die Hydroxylierung und Abspaltung der Seitenkette vom Cholesterin, die bei diesem ersten Schritt der Hormonbiosynthese eintreten, erfolgen unter Mitwirkung des *mitochondrialen Cytochroms P 450* (DB II). Dieser Schritt ist *Angriffspunkt* des *ACTH*, dessen Funktion darin besteht, die *Biosynthese* und *Sekretion* der Steroidhormone in der Nebennierenrinde zu *stimulieren*. Diese ACTH-Wirkung ist demzufolge auf die Aktivierung der Schrittmacherreaktion in der Biosynthesekette dieser Hormone zurückzuführen. Sie wird durch cAMP, cGMP und einen Eiweißfaktor vermittelt. Die Wirkungsweise des ACTH besteht darin, daß es die Übertragung des Cholesterins aus den Lipidvesikeln der Zellen in die Mitochondrien stimuliert, d. h. das Substrat Cholesterin an das umsetzende Enzym, nämlich das Cytochrom P 450, heranbringt.

3.14.4. Gallensäuren

Ein Teil des Cholesterins wird im Organismus auf kompliziertem Wege in *Gallensäuren* umgewandelt. Diese haben eine große Bedeutung in den Prozessen der *Fettverdauung* und *Fettresorption*. Gallensäuren haben 24 C-Atome, enthalten demzufolge drei C-Atome weniger als das Cholesterin.

Zunächst werden in die Stellung 7 und 12 des Steroidgerüstes des Cholesterins zwei Hydroxylgruppen eingeführt und danach der Isopropylrest der Seitenketten oxidativ abgespalten. Die Hydroxylierung erfolgt durch ein mikrosomales Enzym, das Sauerstoff und NADPH benötigt (Monooxygenase, wahrscheinlich Cytochrom P 450, DB II).

Die wichtigsten Gallensäuren der menschlichen Gallenflüssigkeit sind die *Cholsäure* und die *Chenodesoxycholsäure*.

Ihr größter Teil liegt mit Glycin oder Taurin verbunden, d. h. in konjugierter Form, vor (Glykochol- bzw. Taurocholsäure). Zu deren Synthese muß die betreffende Gallensäure vorher durch CoASH aktiviert werden (Abb. 36).

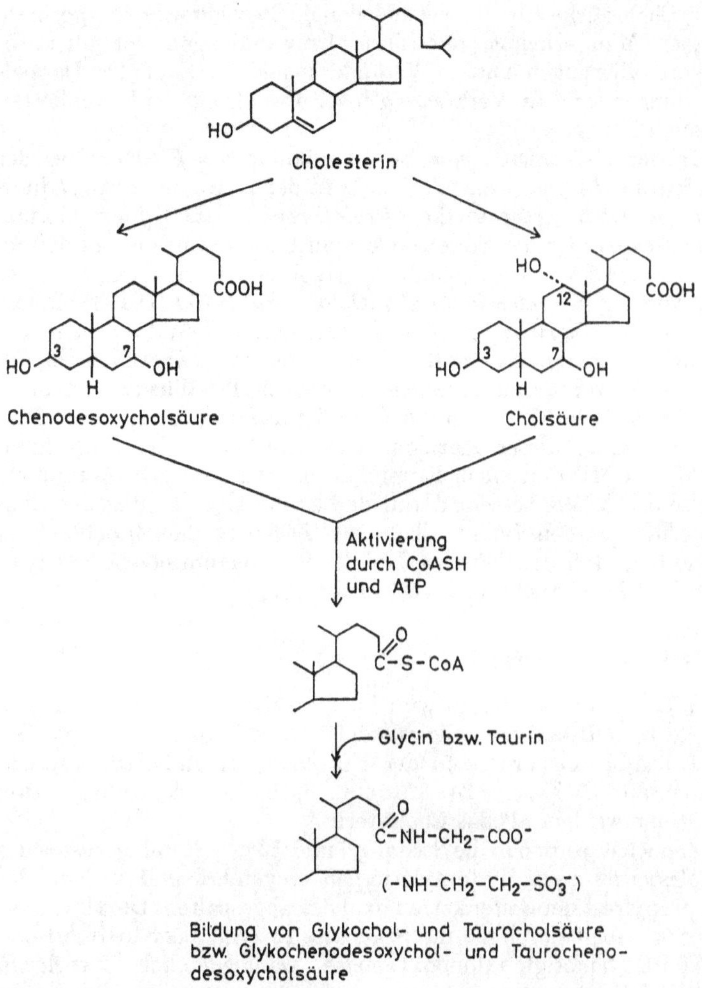

Abb. 36. Die Bildung der Gallensäuren aus dem Cholesterin und ihre Konjugation mit Glycin und Taurin

3.14.5. D-Vitamine (Calciferole)

Biochemisch eng verknüpft mit den Sterinen sind die Vitamine der D-Gruppe. Charakteristisch ist ihr aufgespaltener B-Ring. Die beiden wichtigsten Vertreter sind das Vitamin D_2 und das Vitamin D_3 (FB 1 und 2).

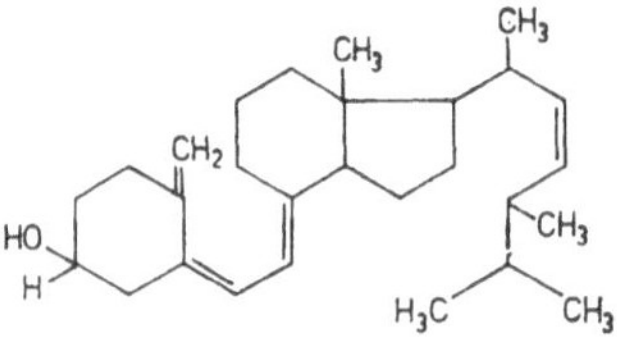

Vitamin D_2
(Ergocalciferol)

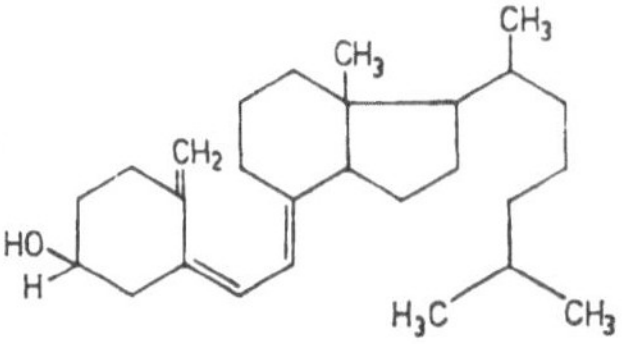

Vitamin D_3
(Cholecalciferol)

Sie entstehen aus den Provitaminen *Ergosterin* (*Vitamin D_2*) und *7-Dehydrocholesterin* (*Vitamin D_3*). Letzteres wird in der Leber aus Cholesterin gebildet. Beim Fehlen der D-Vitamine kommt es beim Menschen zu dem lange bekannten Krankheitsbild der Rachitis, bei dem infolge ungenügender Entwicklung und mangelhafter Verkalkung des Skeletts Deformationen der Knochen auftreten. Von großer Bedeutung war die Entdeckung, daß das Auftreten der Rachitis durch mangelhafte Sonnenbestrahlung begünstigt wird (Englische Krankheit).

Das *natürliche*, bei Mensch und Tier vorkommende und auch in ihnen gebildete *Provitamin* ist das *7-Dehydrocholesterin*, das in der Haut angereichert ist und aus dem durch photochemische Öffnung des Ringes B das Vitamin D_3, das eine höhere Wirksamkeit als Vitamin D_2 hat, entsteht. Daneben existieren noch andere Provitamine, deren aktive Formen zum Teil wesentlich weniger wirksam sind als die Vitamine D_2 und D_3. Wichtig für den Provitamincharakter sind offensichtlich zwei Doppelbindungen im B-Ring des entsprechenden Sterins.

Die Wirkung der D-Vitamine besteht in einer Steigerung der Ca-Resorption im Dünndarm sowie in einer Förderung des Verknöcherungsprozesses und der Entwicklung der Knochenmatrix. Darüber hinaus haben sie allgemein eine positive Wirkung auf das Wachstum. Überdosierungen der D-Vitamine führen zu Verkalkungen der Niere und anderer Organe (Hypervitaminose).

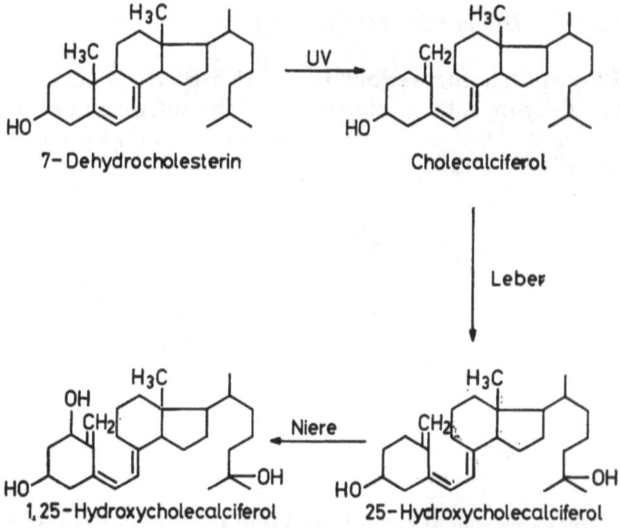

In neuerer Zeit wurde nachgewiesen, daß das Cholecalciferol (Vitamin D_3) in der Leber und der Niere erst enzymatisch verändert werden muß, bevor es im Darmepithel und im Knochensystem seine Wirkungen entfalten kann. In der Leber entsteht aus Cholecalciferol das *25-Hydroxycholecalciferol,* das in der Niere zu *1,25-Dihydroxycholecalciferol* umgewandelt wird. Dieses wird von der Niere sezerniert und in den Erfolgsorganen akkumuliert. Man fand, daß 1,25-Dihydroxycholecalciferol durch die Zellkerne der Darmepithelzellen gebunden wird, worauf die Zellen ein spezifisches Ca-bindendes Protein synthetisieren. Dies stellt die Voraussetzung für die *Resorptionssteigerung* des Calciums im Darm dar, die durch Vitamin D bewirkt wird.

3.15. Die Carotinoide

Die *Carotinoide* sind polymere Abkömmlinge des *Isoprens.* Sie sind pflanzlicher Herkunft. Ihr Name ist von einem wichtigen Vertreter ihrer Gruppe, dem *Carotin,* abgeleitet, das man aus Karotten isolieren kann. Ihre Farbigkeit beruht auf der Anwesenheit mehrerer konjugierter Doppelbindungen, die die Funktion von Chromophoren haben (DB I).

3.15.1. *Einige Aspekte der Biosynthese der Carotinoide*

Der Mensch ist nicht in der Lage, die *Carotinoide* zu synthetisieren. Diese Fähigkeit besitzen jedoch höhere Pflanzen sowie Pilze und Hefen. Biochemisch ist die Tatsache von großem Interesse, daß der *Biosyntheseweg* der Carotinoide vom *Acetyl-CoA* ausgeht und

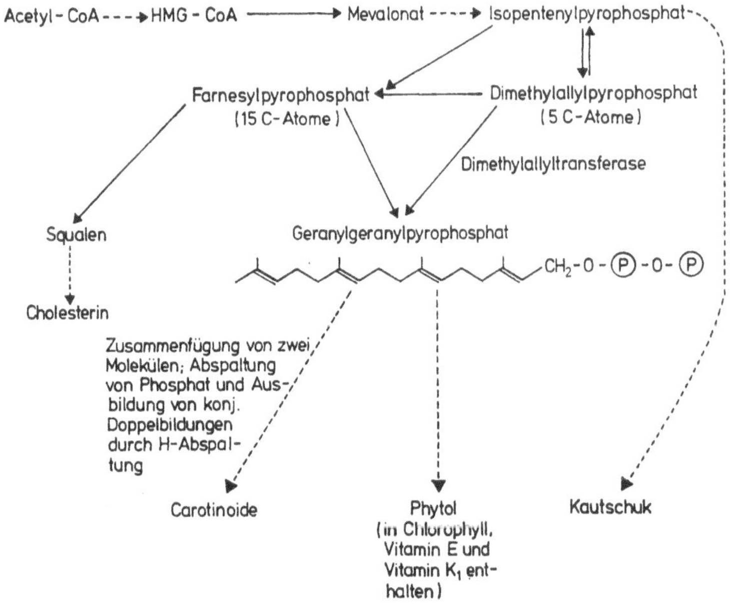

Abb. 37. Die Biosynthese der Isoprene. Die durchgezogenen Pfeile geben direkte Umwandlungen wieder, die gestrichelten symbolisieren Reaktionen mit Zwischenprodukten

im ersten Abschnitt dieselben Zwischenprodukte durchläuft, die wir schon bei der *Steroidsynthese* kennengelernt haben. Die Synthesewege der Carotinoide und Steroide durchlaufen beide die Stufen des *Isopentenylpyrophosphates* (*aktives Isopren*) und teilen sich erst nach Bildung des Farnesylpyrophosphates. Letzteres geht auf dem Biosyntheseweg des Cholesterins zusammen mit dem Nerolidylpyrophosphat in das Squalen über, während sich bei der Carotinoidsynthese das Farnesylpyrophosphat schrittweise mit Dimethylallylpyrophosphat zusammenlagert (Abb. 37).

Durch diese Stoffwechselkette werden in der belebten Natur auch andere wichtige Stoffgruppen synthetisiert, z. B. der im Chlorophyll sowie in den Vitaminen E und K_1 vorkommende langkettige Alkohol Phytol, außerdem das in der Atmungskette vorkommende Ubichinon und der Naturkautschuk.

Chemisch werden alle diese Verbindungen zur großen Gruppe der Isoprenoide zusammengefaßt, die man in die *Terpene* und *Steroide* einteilt (DB I).

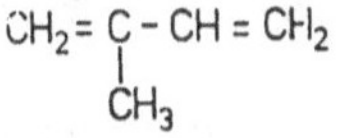

Isopren

Diese Darlegungen und der Abschnitt über die Steroidbiosynthese machen deutlich, daß die zunächst vom chemischen Standpunkt getroffene Zusammenfassung dieser anscheinend sehr verschieden gebauten Verbindungen zur Gruppe der Isoprenoide ihre biologische Rechtfertigung durch die Gemeinsamkeit ihrer Biosynthesewege findet.

3.15.2. Die Bedeutung von Carotinoiden für den Sehvorgang: Vitamin A

Ein für den Menschen äußerst wichtiges Carotinoid ist das *Vitamin A* (Retinol) .Formal ist dieses aus vier Isopreneinheiten aufgebaut; es liegt in der *all-trans-Form* vor. Durch die *NAD⁺-abhängige Retinoldehydrogenase* (Alkoholdehydrogenase) kann sie zu dem entsprechenden Aldehyd, dem *all-trans-Retinal,* oxidiert werden. Dieser wird durch eine Isomerase in *11-cis-Retinal* umgewandelt. Das *11-cis-Retinal* ist von *großer biologischer Bedeutung,* da es das *Chromophor* für alle *Sehsysteme* der Natur ist.

Im menschlichen Auge kommt *11-cis-Retinal* in den *Stäbchen* und *Zapfen* vor. Die Stäbchen können schwache Lichtintensitäten wahrnehmen, jedoch keine Farben unterscheiden, während die Zapfen für das Farbensehen verantwortlich sind. Diese Zellen fungieren als *Photorezeptorzellen,* indem sie Licht in Atombewegungen und Nervenimpulse umwandeln.

Die *Stäbchenzellen* der *Netzhaut* haben eine längliche Struktur (Länge 40 μm und Breite 1 μm). Sie bestehen aus einem Außen- und einem Innensegment (Abb. 38). Das Außensegment ist der Sitz der Photorezeption. Es enthält einen Stapel von etwa 1000 Scheiben; diese sind geschlossene, flache Vesikel mit einer Dicke von 16 nm. Das Innensegment ist reich an Mitochondrien und Ribosomen. Dem *Kern* an der *Basis* benachbart ist der *Synapsenkörper*.

Der *Photorezeptor* der *Stäbchen* ist der *Sehpurpur* oder das *Rhodopsin*. Dieses besteht aus einem Protein, dem *Opsin*, und dem *11-cis-Retinal* als prosthetische Gruppe. Rhodopsin ist ein integraler Bestandteil der flachen Membranscheiben des Außensegmentes.

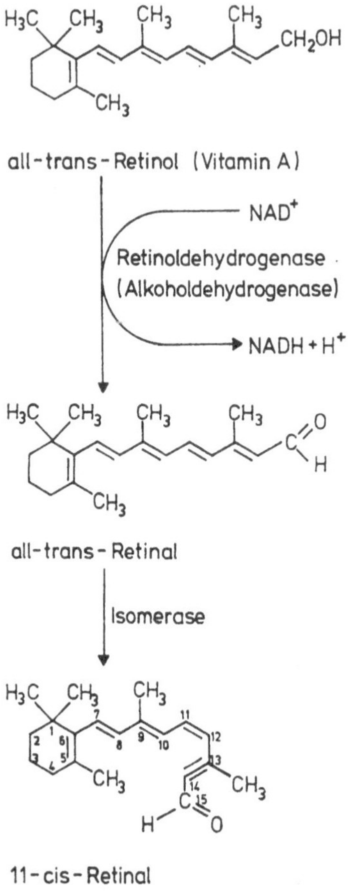

Die Umwandlung von Vitamin A in 11-cis-Retinal

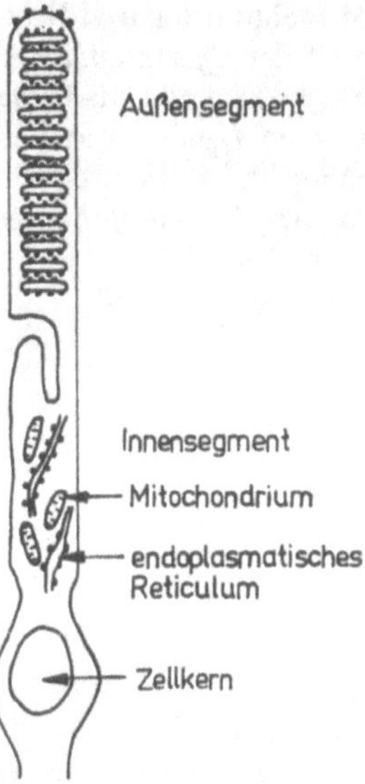

Abb. 38. Schema eines Stäbchens aus der Retina eines Säugetiers. Im Außensegment befinden sich die flachen Membranscheiben, die zusammen mit der Hüllmembran Rhodopsin enthalten. Das Innensegment ist reich an Mitochondrien und endoplasmatischem Reticulum. In ihm findet die Opsinsynthese statt.

Das *11-cis-Retinal* ist für die *breite Absorptionsbande* des Rhodopsins im sichtbaren Bereich des Spektrums mit einem *Absorptionsmaximum* bei *500 nm* verantwortlich.

Im Rhodopsin ist das 11-cis-Retinal mit dem Opsin in Form einer *Schiff'schen Base* verknüpft, indem sich dessen Aldehydgruppe mit der ε-NH_2-Gruppe eines spezifischen Lysinrestes der Eiweißkomponente verbindet:

$$\mathrm{R{-}C}\begin{matrix}\mathrm{{=}O}\\ \mathrm{{\setminus}H}\end{matrix} + \mathrm{H_2N{-}(CH_2)_4{-}Opsin} \overset{H^+}{\rightleftharpoons} \mathrm{R{-}\overset{H}{C}{=}\overset{+}{\underset{H}{N}}{-}(CH_2)_4{-}Opsin} + \mathrm{H_2O}$$

11-cis-Retinal Lysyl-Seitenkette Schiff'sche Base

Der *wichtigste Schritt* beim Sehvorgang ist, daß Licht das *11-cis-Retinal* des Rhodopsins zu *all-trans-Retinal* isomerisiert. Dadurch wird die Struktur des Retinals wesentlich geändert: die Energie eines Photons ist in Atombewegung umgewandelt worden.

Das all-trans-Retinal paßt nun nicht mehr an die Bindungsstelle des Opsins für das 11-cis-Isomere, wodurch die Schiff'sche Base instabil und nach einer Reihe von Konformationsänderungen schließlich hydrolysiert wird (*Bleichung des Rhodopsins*). Dabei werden folgende Stadien durchlaufen: Prälumirhodopsin, Lumirhodopsin und Metarhodopsin; letzteres zerfällt in Opsin und all-trans-Retinal (Abb. 39).

Im Verlauf dieser Reaktionsfolge entsteht ein *Nervenimpuls*.

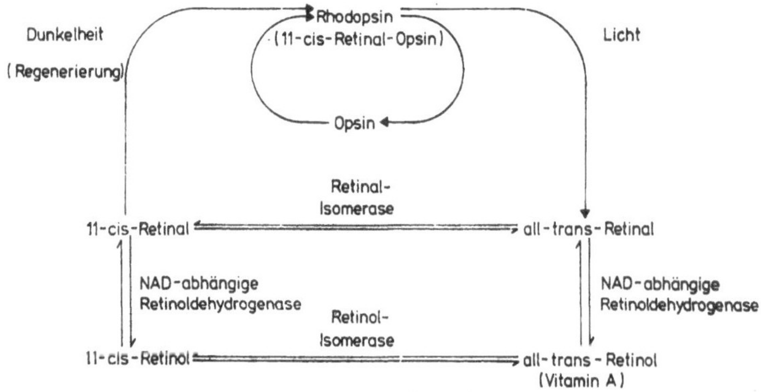

Abb. 39. Der Retinalcyclus beim Sehvorgang in den Stäbchenzellen der Retina

Die *cis-trans-Isomerisierung* des Retinals und die daraus sich ergebenden Konformationsänderungen des Rhodopsins sind die entscheidenden Ereignisse des Sehvorganges. Der *Nervenimpuls* entsteht danach durch eine *Hyperpolarisierung* der Plasmamembran der Stäbchenzelle, indem deren Permeabilität für Na^+-Ionen herabgesetzt wird.

Im Hinblick auf das *Farbensehen* ist von grundlegender Bedeutung, daß es drei Arten von Zapfen in der Netzhaut gibt, nämlich für *Blau-*, *Grün-* und *Rotabsorption*.

In allen *drei Zapfentypen* ist *11-cis-Retinal* das verantwortliche Chromophor, hingegen sind die Opsine jeweils verschieden. Dadurch entstehen Sehfarbstoffe mit unterschiedlichen Absorptionsmaxima: für blau liegt es bei 450, für grün bei 530 und für rot bei 625 mn.

Farbenblindheit ist das Ergebnis einer geschlechtsgebundenen rezessiven Mutation. Es wurde erkannt, daß Blindheit für eine bestimmte Farbe durch die *Abwesenheit* des *betreffenden Zapfenopsins* verursacht wird.

4. Stoffwechsel der Porphyrine

Unter *Porphyrinen* versteht man cyclische, aus vier Pyrrolringen bestehende Verbindungen. Die Pyrrolringe sind über Methinbrücken (—CH=) untereinander verbunden (Tetrapyrrolring, Porphin). Porphyrine bilden mit Metallionen, z. B. Eisen oder Magnesium, stabile Komplexe. Das Metallion bindet sich in diesen Komplexen an die Stickstoffatome der Pyrrolringe. Die so entstehenden Metalloporphyrine sind die prosthetischen und farbgebenden Gruppen einer großen Zahl von *Chromoproteinen*, die wichtige Funktionen innehaben: *Hämoglobin*, *Cytochrome*, *Cytochromoxidase*, *Katalase* und *Peroxidase* als zusammengesetzte Eiweiße mit *Eisenporphyrinen* sowie *Chlorophyll* als *Magnesiumporphyrin*.

Die Struktur und Nomenklatur der Porphyrine sind in DB I erklärt.

4.1. Biosynthese der Porphyrine

Wir verfolgen die Biosynthese der Porphyrine am Beispiel der Synthese des Häms als Eisenporphyrinanteil des Hämoglobins. Das *Häm* ist der Fe^{2+}-Komplex des *Protoporphyrins IX*. Besonders aktiv ist das porphyrinsynthetisierende Enzymsystem in den Zellen des blutbildenden Systems und in der Leber. An der Hämsynthese sind vier mitochondriale und vier cytosolische Enzyme beteiligt.

Der *erste Schritt* der Porphyrinbiosynthese läuft *intramitochondrial* ab. Er geht vom Succinyl-CoA und Glycin aus und besteht in der Bildung der sehr labilen α-Amino-β-ketoadipinsäure als Zwischenprodukt, die zu *δ-Aminolävulinsäure* decarboxyliert wird. Das hierfür verantwortliche Enzym ist *pyridoxalphosphatabhängig* und heißt *δ-Aminolävulinsäuresynthase*. Die Notwendigkeit von CoA und Pyridoxalphosphat an dieser Reaktion erklärt die alte Beobachtung, daß beim Bestehen eines Vitamins B_6- und Pantothensäuremangels bei einigen Säugetierspecies eine Anämie auftritt (s. Kapitel Vitamine in FB 2) (Abb. 40).

Die durch die *δ-Aminolävulinsynthase* katalysierte Reaktion ist der für die Porphyrinbiosynthese *geschwindigkeitsbestimmende* Schritt (S. 80f.).

Die δ-Aminolävulinsäure muß dann in das Cytosol übertreten, da die folgenden Schritte in diesem vor sich gehen. Dort vereinigen sich zwei Moleküle δ-Aminolävulinsäure zu *Porphobilinogen*, das die Pyrrolvorstufe der Porphyrine darstellt. Diese Reaktion kata-

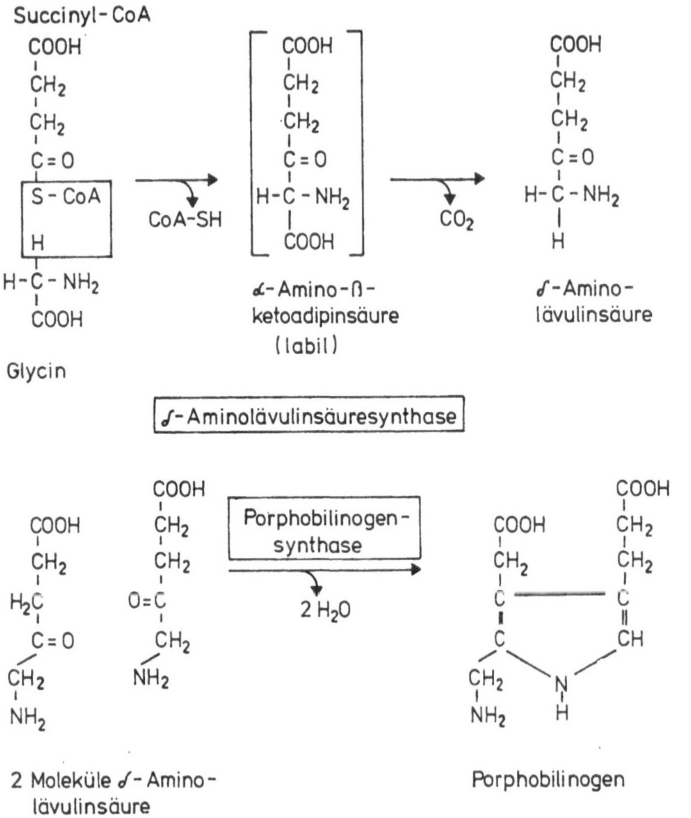

Abb. 40. Die Biosynthese von Porphobilinogen

lysiert die *Porphobilinogensynthase*, die entsprechend der von ihr bewerkstelligten Reaktion auch als *δ-Aminolävulinsäuredehydratase* bezeichnet wird. Unter der Wirkung von zwei weiteren Enzymen, der *Uroporphyrinogen-I-Synthase* (als *Desaminase* wirkend) und der *Cosynthase* (als *Isomerase* wirkend) erfolgt dann die Bildung von *Uroporphyrinogen I* (bei alleiniger Anwesenheit der

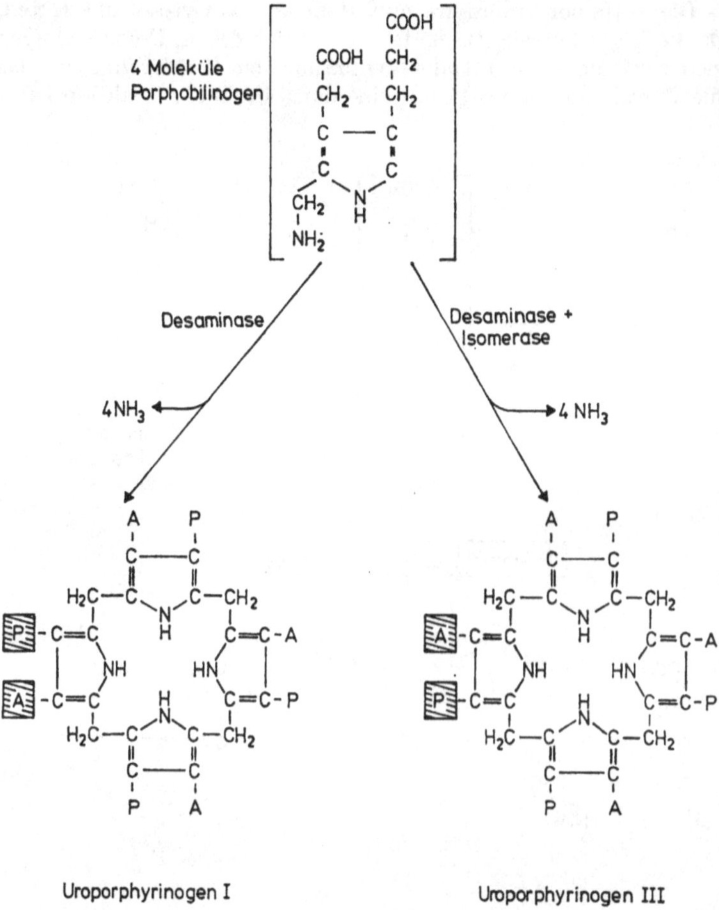

Abb. 41. Die Bildung von Uroporphyrinogen I und III aus Porphobilinogen
(A bedeutet Acetat, P Propionat)

Desaminase) bzw. von *Uroporphyrinogen III* (bei Anwesenheit beider Enzyme). Das *Uroporphyrinogen III* ist das für die Hämbiosynthese benötigte „physiologische" Zwischenprodukt (Abb. 41).

Durch die Wirkung der cytosolischen *Uroporphyrinogen-decarboxylase* werden alle vier Acetatseitenketten im Uroporphyrinogen

III zu Methylgruppen decarboxyliert: Bildung von *Koproporphyrinogen III*. Dieses tritt nun wieder in die Mitochondrien über, wo die Propionsäureseitenketten durch die *Koproporphyrinogenoxidase* in den Ringen I (bzw. A) und II (bzw. B) zu Vinylgruppen ($-CH{=}CH_2$) dehydriert und decarboxyliert werden (Bildung von *Protoporphyrinogen*). Der nächste Schritt besteht in einer Dehydrierung der Methylen-($-CH_2-$) Brücken zwischen den Pyrrolringen zu den Methinbrücken durch eine Oxidase. Dabei wird *Protoporphyrin IX* als unmittelbare Hämvorstufe gebildet. Durch die *Ferrochelatase* wird nun im Matrixraum der Mitochondrien das Fe^{2+}-Ion in das Protoporphyrin IX eingebaut, wodurch das *Häm* entsteht. Diese ist das Endprodukt der eben beschriebenen Biosynthesekette (Abb. 42).

4.2. *Ausscheidung von Porphyrinen*

Normalerweise ist die *Porphyrinausscheidung* beim Menschen durch die Niere (40–200 µg/Tag) und den Darm (300–1100 µg pro Tag) *verhältnismäßig klein*. Von der Gesamtmenge entfallen etwa 80% auf das Koproporphyrin I, das ein Nebenprodukt der Hämbiosynthese ist und durch Decarboxylierung und Dehydrierung aus dem Uroporphyrinogen I entsteht. Das physiologische Zwischenprodukt der Hämbiosynthese, das Koproporphyrin III, wird nur in kleinen Mengen im Harn ausgeschieden (etwa 50 µg pro Tag).

Uroporphyrine sind im Harn nur in geringer Menge enthalten (unter 20 µg/Tag).

Unter pathologischen Bedingungen kann die Porphyrinausscheidung durch Urin und Stuhl beträchtliche Werte erreichen. Man spricht dann von einer *Porphyrie*.

Bei der *Porphyrinurie* kommt es infolge eines genetischen Defektes und dadurch eintretender Störungen der Porphyrinbiosynthese zu Steigerungen der Ausscheidung bestimmter Porphyrine und ihrer Vorstufen. Von den *genetisch bedingten Porphyrinurien* muß man die *erworbenen Porphyrinurien* unterscheiden. Erhöhungen der Porphyrinausscheidung findet man nämlich auch bei hoch fieberhaften Erkrankungen, bei Vergiftungen mit Schwermetallen (z. B. mit Blei) oder mit Chemikalien, z. B. mit dem Fungizid Hexachlorbenzol) und bei Lebererkrankungen (Fettleber, Lebercirrhose).

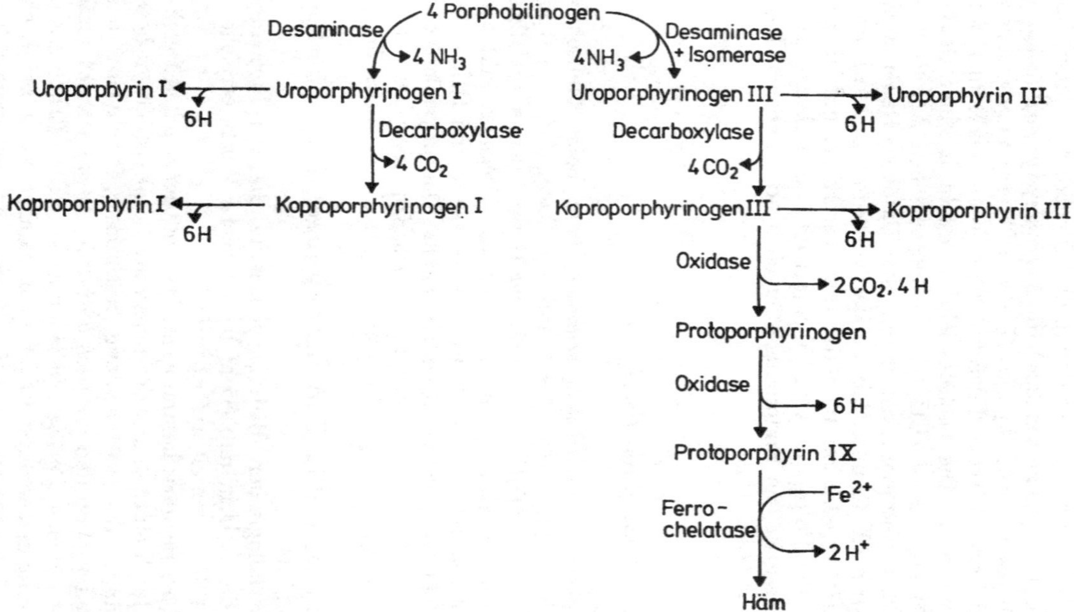

Abb. 42. Die Zwischenstufen der Biosynthese des Häms, vom Phorphobilinogen ausgehend

Um die Entstehung derartiger Porphyrinurien zu verstehen, muß man wissen, daß das *Häm* die *Biosynthesegeschwindigkeit* der *δ-Aminolävulinsäuresynthase* als geschwindigkeitsbestimmendes Enzym der Biosynthesekette *unterdrückt*. Dadurch tritt eine *Selbstregulation* der Kette ein.

Bei Mangel eines Enzyms in der Synthesekette wird infolge verminderter Hämsynthese dessen reprimierende Wirkung auf die Synthesegeschwindigkeit dieses Enzyms geringer und im Ergebnis werden vermehrt Porphyrine und Porphyrinvorstufen gebildet. Da nur ein kleiner Teil von ihnen in Häm umgewandelt wird, kommt es zu Ablagerungen von Porphyrinen in verschiedenen Geweben sowie zu deren Ausscheidung im Harn und Stuhl.

Je nach dem Ort des Defektes unterscheidet man *erythropoetische* und *hepatische Porphyrien*.

Die Ablagerung von Porphyrinen in der Haut führt bei diesen Erkrankungen zur *Photosensibilisierung*, die darin besteht, daß es bei Lichteinwirkung zu *Blasenbildungen* kommt, die sekundär infiziert werden und zu *Narbenbildungen* und *Verstümmelungen* führen können.

Bei den verschiedenen Formen der Porphyrien werden je nach dem Defekt vermehrt Uroporphyrin I und III, Koproporphyrin I und III sowie bei einigen von ihnen auch δ-Aminolävulinsäure und Porphobilinogen ausgeschieden. Der Harn ist meist dunkel gefärbt oder dunkelt beim Stehen rasch nach. Er weist fast stets eine hohe Fluoreszenz beim Betrachten mit UV-Licht auf.

Es ist auf Grund der Darlegungen verständlich, daß bei diesen Erkrankungen die δ-Aminolävulinsäuresynthese wesentlich erhöht ist.

Dieses Enzym wird in seiner Biosynthesegeschwindigkeit auch durch barbiturathaltige Schlafmittel, Psychopharmaka und bestimmte Abkömmlinge von Sexualhormonen gesteigert.

4.3. Abbau des Häms

Die *Hauptabbauorte* des *Hämoglobins* sind die *Leber*, die *Milz* und das *Knochenmark*. Nach Ablauf ihrer Lebenszeit (100—120 Tage) werden die Erythrozyten aus dem strömenden Blut durch das *reticuloendotheliale* System dieser Organe aufgenommen und abgebaut. Die beim Abbau des Hämoglobins und auch der anderen Hämoproteine aus dem Eiweißanteil freiwerdenden Aminosäuren

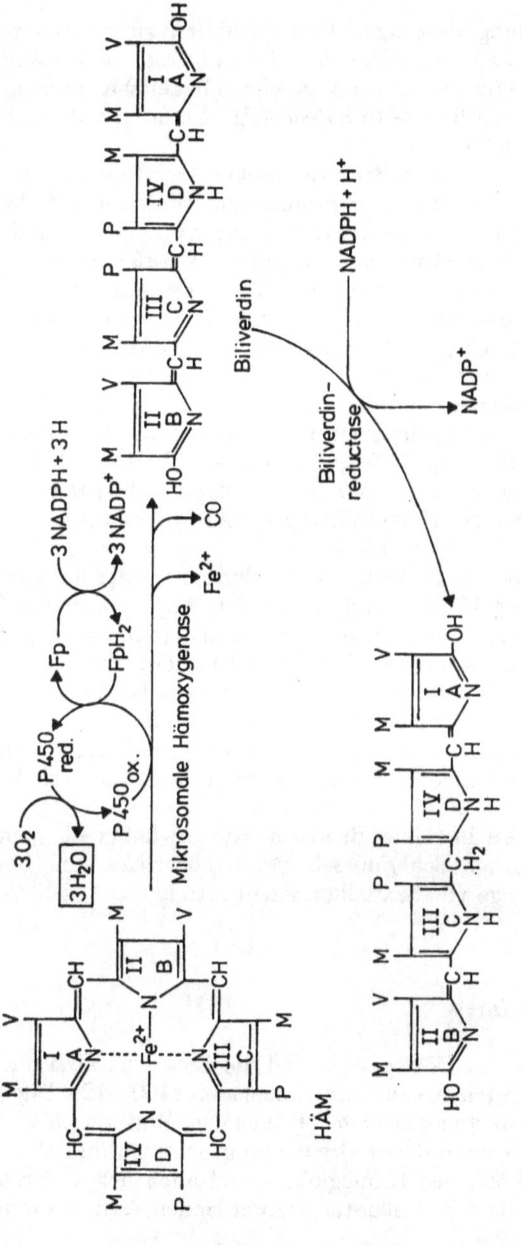

Abb. 43. Der Abbau des Häms und die Bildung von Bilirubin

werden im Stoffwechsel wieder verwendet, auch das Eisen wird einer Wiederverwertung zugeführt. Das Porphyrinskelett jedoch wird abgebaut.

Der erste Schritt des Abbaues besteht in einer Aufspaltung der Methinbrücke zwischen Ring I und Ring II. Katalysiert wird diese Reaktion durch eine *Hämoxygenase.* Diese ist eine *NADPH-abhängige mischfunktionelle Oxygenase,* die sich des *Cytochroms P 450* bedient (DB II) und mit molekularem Sauerstoff reagiert. Dabei entsteht aus dem Häm das grüngefärbte *Biliverdin* und es werden *Kohlenmonoxid* und *Fe^{2+}* frei (über dessen weiteres Schicksal s. FB 1). Der nächste Schritt besteht in der Bildung des orangeroten *Bilirubins,* indem das Biliverdin durch die NADPH-abhängige *Biliverdinreductase* reduziert wird (Abb. 43).

Das in der Milz und im Knochenmark entstandene Bilirubin wird nach seiner Bindung an Albumin im Blut transportiert und von der Leber aufgenommen (freies Bilirubin ist in Wasser praktisch unlöslich). In der Leber wird das Bilirubin mit zwei Molekülen Glucuronsäure gekoppelt (*Bilirubinkonjugation*) und dabei das wasserlösliche *Bilirubindiglucuronid* gebildet. Substrat dieser Reaktion ist UDP-Glucuronsäure. Das Enzym heißt *Glucuronyltransferase.* Die beiden Glucuronsäuremoleküle werden an die zwei Propionsäurereste des Bilirubins esterförmig gebunden. Das konjugierte (glucuronidierte) Bilirubin wird durch die Galle ausgeschieden. 15–20% des Trockengewichtes der menschlichen Galle entfallen auf dieses Stoffwechselprodukt.

Im Darm, besonders im Dickdarm, erfolgt die weitere Umwandlung von Bilirubin, die durch die dort herrschende Mikrobenflora vorgenommen wird. Zunächst werden die zwei Glucuronsäuremoleküle wieder abgespalten, danach wird das Bilirubin stufenweise reduziert. Dabei werden nacheinander folgende Zwischenprodukte durchlaufen: *Mesobilirubin, Mesobilinogen* und *Stercobilinogen.*

Durch Sauerstoff können Mesobilinogen und Stercobilinogen spontan zu den gelbbraunen Produkten *Mesobilin* und *Stercobilin* oxidiert werden (Abb. 44).

Aus dem Dünndarm kann ein Teil des *Mesobilinogens* rückresorbiert werden und durch die Pfortader in die Leber gelangen; von dort wird es erneut mit der Gallenflüssigkeit in den Darm ausgeschieden. Dieser Prozeß der Resorption und erneuten Ausscheidung von Abbauprodukten des Hämoglobins, der unter Zwischenschaltung der Leber erfolgt, wird als *enterohepatischer Kreislauf der Gallenfarbstoffe* bezeichnet.

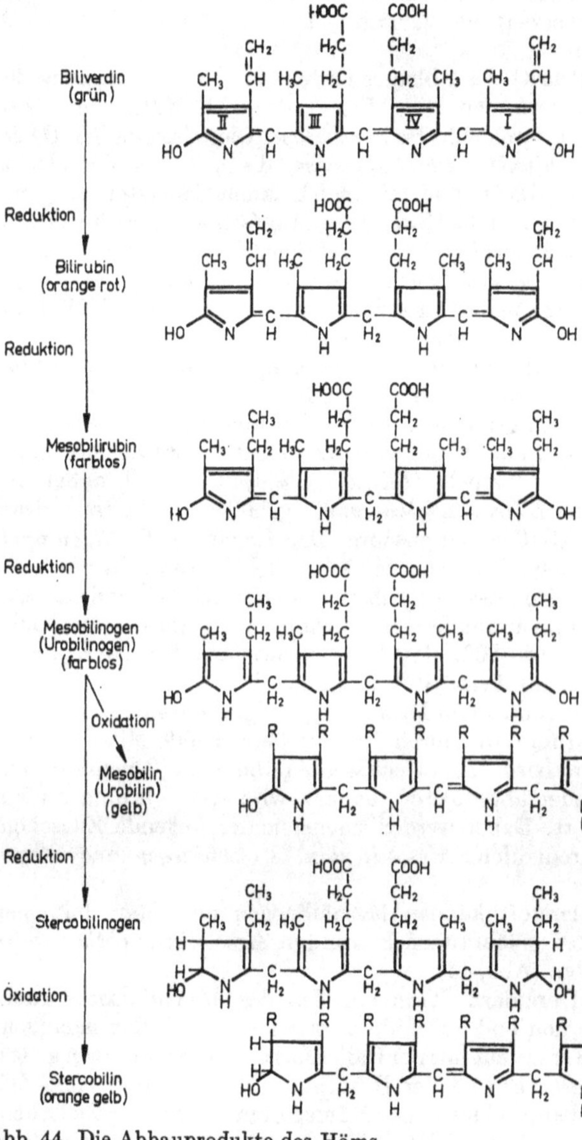

Abb. 44. Die Abbauprodukte des Häms

Aus dem Dickdarm gelangt ein kleiner Teil des Stercobilinogens unter Umgehung der Leber direkt in den großen Kreislauf und wird über die Niere mit dem Harn ausgeschieden. Beim Stehen des Harns entsteht durch Luftsauerstoff aus dem farblosen Stercobilinogen das gelbgefärbte *Stercobilin*. Der Hauptanteil der Abbauprodukte des Hämoglobins wird durch den Stuhl ausgeschieden. Ein Teil des Urobilinogens wird dort zu *Dipyrrolen* gespalten (*Mesobilifuscin, Bilifuscin*), die zusammen mit dem Urobilin und Stercobilin die normale Stuhlfarbe ergeben.

Im Blutplasma lassen sich zwei Formen des Bilirubins analytisch voneinander unterscheiden: das „direkte" und das „indirekte" Bilirubin. Das „direkte" Bilirubin ist das Bilirubindiglucuronid, das „indirekte" das an Albumin gebundene, nichtkonjugierte Bilirubin.

4.4. *Pathobiochemie des Bilirubinstoffwechsels*

Bei *Verschluß* des *Gallenganges* (z. B. bei einem Tumor oder einem Stein) gibt die Leber infolge Rückstaues verstärkt *Bilirubindiglucuronid* in die *Blutbahn* ab. Unter diesen Umständen kommt es also zu einem Anstieg des Gesamtbilirubins, von dem der größte Teil „direktes" Bilirubin ist. Dieses Bilirubin kann im *Urin* ausgeschieden werden. Der *Stuhl* ist dann *frei* oder arm an Abbauprodukten des Bilirubins.

Bei *Schädigung* des *Leberparenchyms* hingegen (Hepatitis, Cirrhose) ist die *Konjugation* des Bilirubins in den Leberzellen *vermindert*. Bei erhöhtem Bilirubingehalt des Serums ist unter diesen Umständen vor allem das „indirekte" Bilirubin gesteigert. Das „indirekte" Bilirubin, also das nichtkonjugierte Bilirubin, ist auch bei Bilirubinüberproduktion gesteigert, z. B. bei *hämolytischer Gelbsucht*. Infolge seiner starken Bindung an Serumalbumin wird das nichtkonjugierte Bilirubin im Harn nicht ausgeschieden.

Beim Menschen kommt eine *nichthämolytische Hyperbilirubinämie* vor, bei der das nichtkonjugierte Bilirubin im Serum erhöht ist. Es handelt sich dabei um einen *genetisch* verursachten *Mangel* an *Glucuronyltransferase* in Leber und Niere, dem Enzym, welches die Übertragung der Glucuronsäure von der UDP-Glucuronsäure auf das Bilirubin katalysiert (CRIGLER-NAJJAR-Krankheit). Außerdem sind noch eine Reihe weiterer genetisch verursachter Störungen des Bilirubinstoffwechsels bekannt.

Ein *anormaler Bilirubinstoffwechsel* kann auch beim *Neugeborenen* vorkommen. Neben milden Formen nichthämolytischer Gelbsucht bei Neugeborenen können schwere Formen der Gelbsucht, die mit einem *Kernikterus* verbunden sind, vor allem bei *Frühgeborenen* oder bei starker Hämolyse infolge einer *Rh-Inkompatibilität* auftreten. Dies liegt zu einem Teil daran, daß die unreife Leber noch nicht die Fähigkeit erlangt hat, Bilirubin mit Glucuronsäure zu konjugieren, so daß das Bilirubin nicht rasch genug ausgeschieden werden kann.

5. Stoffwechsel der Proteine und Aminosäuren

5.1. *Proteolytische Enzyme*

5.1.1. *Vorkommen und allgemeine Eigenschaften von proteolytischen Enzymen*

Den enzymatischen Abbau der Proteine katalysieren *Proteasen* (*Peptidhydrolasen*). Sie hydrolysieren die *Peptidbindungen*, wobei das Reaktionsgleichgewicht weit auf der Seite der Spaltprodukte liegt.

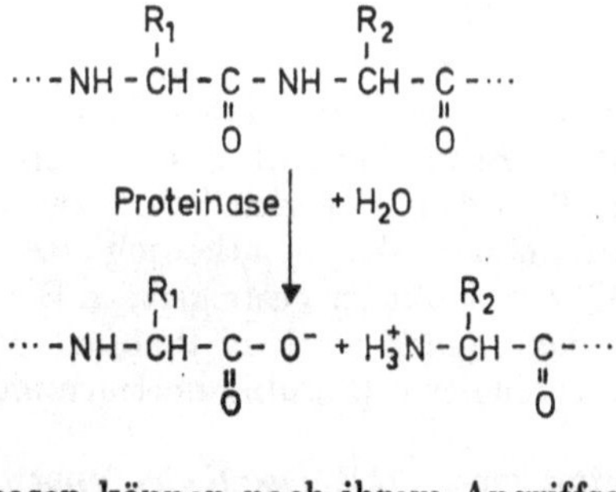

Die Proteasen können nach ihrem Angriffsort in den Polypeptidketten in zwei Gruppen unterteilt werden:

a) *Endopeptidasen* (auch Proteinasen genannt) hydrolysieren Peptidbindungen im Inneren eines Proteinmoleküls. Zu dieser Gruppe gehören Pepsin, Rennin, Trypsin, Chymotrypsin, verschiedene Kathepsine, Elastase, Thrombin, Renin, Papain, Subtilisin, Ficin, Bromelin u. a.

b) *Exopeptidasen* spalten C- oder N-terminal die endständigen Aminosäuren einzeln von der Polypeptidkette ab. Bei ihnen unterscheidet man *Carboxy-* und *Aminopeptidasen*, z. B. Carboxypeptidase A und Leucinaminopeptidase sowie solche Peptidasen, die nur kleinere Peptide bestimmter Aminosäurezusammensetzung angreifen (*Di- oder Tripeptidasen*).

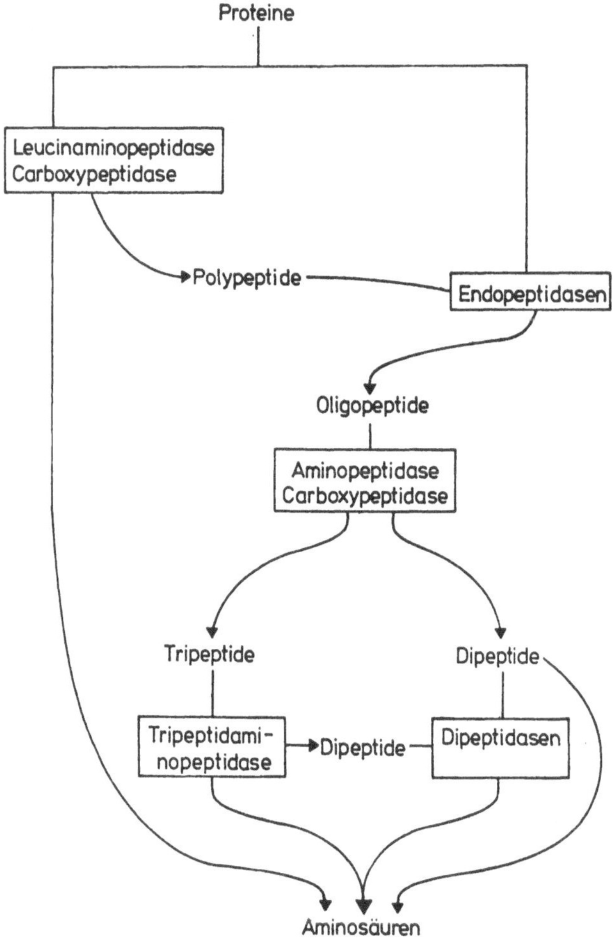

Abb. 45. Schema des intrazellulären Proteinabbaus

Durch ein Zusammenwirken der verschiedenen Proteasen können Proteine vollständig hydrolysiert werden.

Die Proteasen sind im gesamten Tier- und Pflanzenreich sowie bei den Mikroorganismen verbreitet. Intrazellulär vollziehen sie im Rahmen des Proteinstoffwechsels den Abbau der zelleigenen Proteine bis zu den Aminosäuren (Abb. 45). Manche Proteasen werden als inaktive Vorstufen (*Zymogene*) gebildet und entfalten erst extrazellulär ihre Aktivität. Viele von ihnen sind Verdauungsproteasen (z. B. Pepsin, Trypsin, Chymotrypsin) und ermöglichen die Verwertung der Proteine in der Nahrung. Sie erfüllen auch bei der Zerstörung von körper- oder artfremden Eiweißen eine wichtige Funktion. Ihre extrazelluläre Aktivierung schützt vor einer Selbstverdauung der enzymproduzierenden Organe.

5.1.2. *Aktivierung der Zymogene*

Wie alle Enzyme sind auch die proteolytischen Verdauungsenzyme Eiweiße. Ihre *Aktivierung* selbst ist ein proteolytischer Vorgang, bei dem Peptide aus der Polypeptidkette des Zymogens (Proenzym) in der Weise freigesetzt werden, daß eine Demaskierung der aktiven Zentren stattfindet. Diese Proteolyse beschränkt sich selektiv auf ganz bestimmte Peptidbindungen der inaktiven

Tabelle 4
Aktivierung von Proteasen sowie von Proinsulin und Fibrinogen durch limitierte Proteolyse

inaktives Protein	MG	AS	aktives Protein	MG	AS
Pepsinogen	40000	362	Pepsin	33500	321
Prorennin	36200	321	Rennin	30700	272
Trypsinogen	24000	229	Trypsin	23400	223
Chymotrypsinogen A	25400	245	Chymotrypsin A	24500	241
Procarboxypeptidase A	ca. 90000	850	Carboxypeptidase A	34600	307
Prothrombin	68900		Thrombin	33700	258
Proinsulin	9100	84	Insulin	6000	51
Fibrinogen	340000	ca. 3400	Fibrinmonomer	327000	ca. 3270

MG = Molekulargewicht; AS = Zahl der Aminosäuren

Vorstufe (s. Aktivierung des Chymotrypsinogens in DB II). Dabei erlangt das Produkt eine Stabilität, die seine Aktivität erhält und vor weiterer oder gar totaler Hydrolyse schützt. In Tab. 4 sind Beispiele einer solchen begrenzten oder *limitierten Proteolyse* angeführt. Sie findet nicht nur bei der Aktivierung von Zymogenen der Verdauungsorgane, sondern auch bei der Blutgerinnung, Milchgerinnung und bei der Bildung bestimmter Proteo- bzw. Peptidhormone (Insulin, Angiotensin, Kinine u. a.) statt.

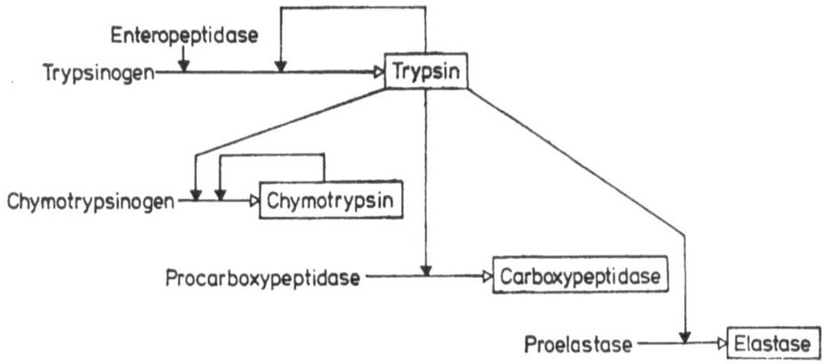

Abb. 46. Zentrale Bedeutung von Trypsin bei der Aktivierung von Proteasen im Dünndarm

Bei einigen Proteasen erfolgt die Aktivierung in einem autokatalytischen Prozeß. Die *Autokatalyse* ist für das Pepsin gut untersucht worden (DB II). Seine Vorstufe, das Pepsinogen, wird in den Hauptzellen der Mucosa des Magenfundus gebildet, seine Aktivierung erfolgt im sauren Milieu des Magensaftes.

Die Vorstufen von Trypsin, Chymotrypsin, Elastase und Carboxypeptidase sind in den Zymogengranula der merokrinen Azinuszellen des Pankreas enthalten. Die Aktivierung dieser Zymogene wird im Darm durch ein proteolytisch wirksames Glykoprotein der Dünndarmschleimhaut, die *Enteropeptidase*, gestartet. Dieses Enzym ist in den Bürstensäumen der duodenalen Epithelzellen lokalisiert. An der luminalen Membranseite dieser Zellen findet die primäre Aktivierung von Trypsinogen durch die Enteropeptidase statt. Trypsin seinerseits aktiviert im Darmlumen die aus dem Pankreas sezernierten Zymogene (Abb. 46). Die Aktivierung von Trypsinogen und Chymotrypsinogen verläuft auch autokatalytisch (Näheres über diesen Vorgang DB II).

5.1.3. Einteilung der Proteasen

Die gegenwärtigen Kenntnisse über die chemischen Mechanismen der Katalyse durch Peptidhydrolasen erlauben, diese Enzyme folgendermaßen zu klassifizieren:

a) *Serinproteasen*, die einen spezifischen Serylrest enthalten, der direkt an der Katalyse beteiligt ist (DB II).
b) *Thiolproteasen*, die nur aktiv sind, wenn in ihrer Aminosäuresequenz die Sulfhydrylgruppe eines spezifischen Cysteinylrestes in reduzierter Form vorliegt;
c) *Metallproteasen*, deren Aktivität an die Gegenwart bestimmter Metallionen wie Mg^{++}, Mn^{++}, Co^{++} oder Zn^{++} gebunden ist;
d) *Aspartatproteasen*, die in ihrem aktiven Zentrum einen Aspartatrest enthalten. Zu ihnen gehören die sauren Proteasen Pepsin und Rennin (Chymosin) sowie die beim pH-Wert des Blutes aktive Nierenprotease Renin (FB 1).

In Tab. 5 sind für jede Proteaseklasse einige repräsentative Vertreter genannt.

Tabelle 5
Einige Proteasen und ihre Herkunft

Serinproteasen:	Trypsin, Chymotrypsin und Elastase (Pankreas), Thrombin (Leber bzw. Blutplasma), Subtilisin (B. Subtilis)
Thiolproteasen:	Papain (Papayabaum), Ficin (Feige), Bromelin (Ananas), einige Kathepsine
Metallproteasen:	Carboxypeptidase (Pankreas), Leucinaminopeptidase (Niere, Rinderaugenlinse), Prolinase und andere Dipeptidasen (verschiedene tierische Gewebe)
Aspartatproteasen:	Pepsin und Rennin (Magen), Renin (Niere)

5.1.4. Aktivierung und Wirkungsweise einiger Proteasen

In DB II werden die Aktivierung und die Funktionsweise sowie die katalytischen Mechanismen der Proteasen an den Beispielen *Chymotrypsin* und *Pepsin* besprochen, so daß die folgenden Ausführungen auf eine gestraffte Darlegung einer kleinen Auswahl dieser Enzyme beschränkt werden können.

5.1.4.1. Trypsin und andere Verdauungsproteasen

Zwischen dem Trypsin und dem Chymotrypsin bestehen zahlreiche Ähnlichkeiten. Beide Enzyme werden im Pankreas gebildet und sind Endopeptidasen vom Typ der Serinproteasen. Sie enthalten Bereiche indentischer Aminosäuresequenzen, das pH-Optimum liegt für beide bei pH 7,5—8,5 und ihre Reaktionsmechanismen sind weitgehend gleichartig. Von den 229 Aminosäuren des Trypsinogens stehen 101 in analogen Positionen zu denen im Chymotrypsinogen A, darunter 3 von 6 Disulfidbindungen und die Mehrzahl der Prolinreste. Gleiche Sequenzen über einen langen Abschnitt der Polypeptidkette bestehen besonders in Nachbarschaft der beiden aktiven Aminosäuren Serin und Histidin, die an der katalytischen Reaktion von Trypsin und Chymotrypsin beteiligt sind. Auf Grund der großen Übereinstimmung in der Primärstruktur beider Proteasen ist anzunehmen, daß auch ihre Tertiärstruktur sehr ähnlich ist, vor allem die des aktiven Zentrums.

Unter allen Proteasen hat *Trypsin* die ausgeprägteste *Substratspezifität*. Sein Angriff richtet sich auf die Spaltung der Peptidbindungen am Carbonylende der basischen Aminosäuren *L-Arginin* und *L-Lysin*. *Chymotrypsin* hingegen spaltet die Peptidbindung am Carbonylende von *Tyrosin*, *Tryptophan*, *Phenylalanin*, *Leucin* und *Methionin*. Der Angriffsort von *Pepsin* liegt bei den Aminosäuren *Phenylalanin* und *Leucin*.

Die Umwandlung von Trypsinogen zu Trypsin wird durch Enteropeptidase eingeleitet und autokatalytisch beschleunigt (siehe Seite 147). Dabei wird an N-terminaler Position des Trypsinogens durch Hydrolyse der Peptidbindung zwischen Lysin 6 und Isoleucin 7 ein Hexapeptid (Val-Asp-Asp-Asp-Asp-Lys) freigesetzt.

Auch bei anderen Zymogenen erfolgt die Aktivierung von ihrem Aminoende her, z. B. bei der Procarboxypeptidase A und B, Prophospholipase A und dem Pepsinogen. Dagegen ist eine C-terminale Aktivierung der Zymogene nicht bekannt. Diese Tatsache scheint im Hinblick auf die Bildung der Zymogene und ihre intrazelluläre Wirkungslosigkeit sinnvoll. Da die Proteinsynthese am N-Terminus startet (DB IV), wird verhindert, daß Zymogene in statu nascendi enzymatische Aktivität erlangen, bevor ihre komplette Synthese an den Polysomen abgeschlossen ist.

Darüber hinaus müssen Mechanismen existieren, die die Zymogene des Pankreas während des gesamten Prozesses von ihrer Anreicherung in den Zymogengranula bis zur Sekretion in das Duodenum vor einer frühzeitigen Aktivierung schützen. Für die Stabilität des Zymogensystems ist entscheidend, daß die Konzentration des aktiven Trypsins auf einem Minimum gehalten wird, da alle Zymogene des Pankreas durch Trypsin aktiviert werden (Abb. 46). Bisher sind hierfür zwei Mechanismen bekannt:

1. im Pankreas werden zwei Proteine gebildet, die Proteaseinhibitoren mit besonders hoher Affinität zum Trypsin sind. Trypsininhibitoren findet man aber auch z. B. in Blut, Lunge, Colostrum, Sojabohnen u. a.
2. einen effektiven Schutz vor beschleunigter Autokatalyse bewirken die vier N-terminalen Aspartylreste des Trypsinogens. Kinetische Untersuchungen zeigen, daß bei Abwesenheit von Ca^{++} die Abspaltung des Hexapeptides und damit die Aktivierung nur langsam erfolgt. Erst bei Calciumkonzentrationen von ca. 50 mM findet eine Bindung von Ca^{++} an die Aspartylreste 4 und 5 statt. Dadurch wird die Bildung des Trypsinogen-Trypsin-Komplexes begünstigt, so daß die Autokatalyse ablaufen kann. Diese Bedingungen sind im Darmlumen gegeben.

5.1.4.2. Carboxypeptidasen

Carboxypeptidase A und B bilden neben Chymotrypsin und Trypsin die dritte bedeutsame Proteasegruppe des Pankreas. Sie hydrolysieren C-terminale Peptidbindungen unter Abspaltung der endständigen Aminosäure und werden deshalb auch für die Endgruppenbestimmung und Sequenzanalyse von Proteinen eingesetzt.

Beide Enzyme unterscheiden sich durch ihre elektrophoretische Mobilität und Substratspezifität. Carboxypeptidase A spaltet die terminalen Aminosäuren in der Reihenfolge Phenylalanin, Tyrosin, Tryptophan, Leucin, Methionin, Isoleucin, Alanin und Glycin mit abnehmender Geschwindigkeit und wird durch Lysin, Arginin und Prolin gehemmt. Carboxypeptidase B ist für die basischen Aminosäuren spezifisch.

Von der Carboxypeptidase A sind Struktur und Wirkungsmechanismus teilweise aufgeklärt. Das aktive Rinderenzym besteht aus einer einzigen Polypeptidkette von 307 Aminosäuren

(Molekulargewicht 34600), von denen 30% in Helixform, zumeist vom α-Helixtyp, angeordnet sind. Es enthält 1 Atom Zink pro Mol, das durch Dialyse entfernt werden kann. Das zinkfreie Enzym ist inaktiv. Zink wird unter Chelatbildung durch eine spezifische Merkaptidgruppe und eine Aminogruppe an das Enzym gebunden und ist für die katalytische Wirkung dieser Metallprotease essentiell.

Die Aktivierung von Procarboxypeptidase A liefert zwei aktive Polypeptide. Das eine besitzt Carboxypeptidaseaktivität und wird je nach Ausmaß der Trypsin- und Chymotrypsineinwirkung in die Form α, β oder γ (Carboxypeptidase Aα, Aβ und Aγ) umgewandelt. Das andere Polypeptid ist eine chymotrypsinähnliche Endopeptidase. Der Aktivierungsvorgang der Procarboxypeptidase B liefert nur eine Exopeptidase.

Die Aktivierung der Procarboxypeptidasen verläuft unter Abspaltung großer Polypeptidkettenanteile. Während bei der Trypsinogen- und Chymotrypsinogenaktivierung nur 3 bzw. 2% des Zymogenmoleküls entfernt werden, sind es bei Procarboxypeptidase A und B 66 bzw. 40%.

5.1.4.3. Rennin

Rennin (Chymosin, Labferment) wird im Magen nur in den ersten Monaten nach der Geburt gebildet. Beim Übergang von der reinen Milchernährung auf gemischte Kost tritt Pepsin an die Stelle des Rennins.

Die Aktivierung von Prorennin ist pH-abhängig. Sie kann im schwach sauren Bereich (pH 3—5) autokatalytisch erfolgen. Bei pH-Werten unter 3 läuft die Aktivierung spontan ab. Ursache ist das Verschwinden negativer Ladungen von sauren Aminosäureseitenketten des Prorennins, die das Zymogenmolekül durch elektrostatische Wechselwirkungen stabil halten. Der Verlust dieser Ionenbindungen führt über Konformationsänderungen zur nichtenzymatischen Hydrolyse und Freisetzung eines oder mehrerer Peptide.

Die milchgerinnende Wirkung von Rennin ist auf die gezielte Hydrolyse einer relativ kleinen Proteinfraktion der Milch zurückzuführen, die als $\varkappa$-Casein bezeichnet wird, calcium- und kohlenhydratreich ist, etwa 15% des Gesamtcaseins ausmacht und als einzige Caseinfraktion durch Ca^{++} nicht präzipitierbar ist. Sie erfüllt deshalb in der Milch eine Schutzkolloidfunktion.

Durch Rennin wird das κ-Casein in ein Glykopeptid und in das als unlösliches Calciumsalz präzipitierende para-κ-Casein gespalten. Die dabei hydrolysierte Peptidbindung wird im κ-Casein vom Phenylalanin und Methionin gebildet und liegt in Nachbarschaft zu den Aminosäuren Serin und Histidin. Der Serylrest fungiert als Bindungsort für das Rennin, der Imidazolring des Histidins als Protonenacceptor und -donator. Es liegen hier also im Vergleich zu den Serinproteasen umgekehrte Verhältnisse vor.

Die Spaltung der Peptidbindung ...Phe-Met... im κ-Casein tritt bei schwach saurem pH auch in Abwesenheit proteolytischer Enzyme beim einfachen Erhitzen ein und löst so die Milchgerinnung aus.

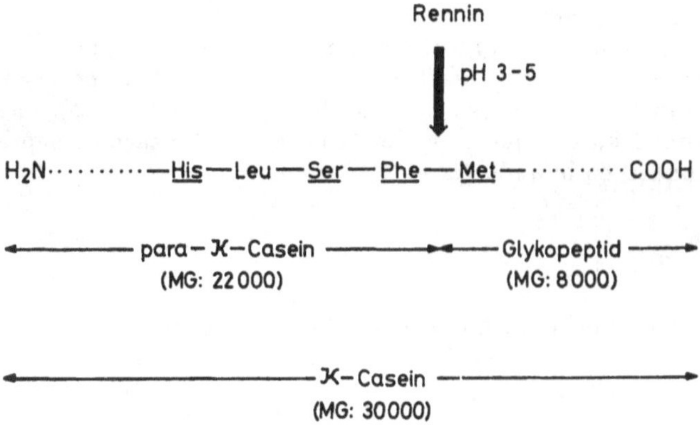

5.1.4.4. Papain

Die bekannteste pflanzliche Endopeptidase ist das *Papain*, das aus den Früchten des Papaya-Baumes kristallin gewonnen und einer eingehenden Analyse unterzogen wurde. Es ist eine Thiolprotease. Das pH-Optimum liegt im neutralen Gebiet. Die Spezifität ist dem Pepsin und Chymotrypsin ähnlich. Die Aktivierung von Papain verläuft unter Freisetzung von Sulfhydrylgruppen aus einer Disulfidbindung:

$$\mathrm{Pa{-}S{-}S{-}Pa} + 2\,\mathrm{R'{-}SH} \rightleftharpoons 2\,\mathrm{Pa{-}SH} + \mathrm{R'{-}S{-}S{-}R'}$$

inaktives Papain — Cystein bzw. red. Glutathion — aktives Papain — Cystin bzw. oxid. Glutathion

Spektrophotometrische Untersuchungen haben wahrscheinlich gemacht, daß diese essentielle Sulfhydrylgruppe im Verlauf der Katalyse durch das Substrat acyliert und so ein Thiol-acylenzym intermediär gebildet wird, das dann der Hydrolyse unterliegt.

5.1.4.5. *Weitere Exopeptidasen*

Außer *Carboxypeptidasen* kennt man zahlreiche weitere Exopeptidasen, nämlich die *Aminopeptidasen*, die *Tripeptidaminopeptidase* und eine große Zahl von *Dipeptidasen*.

Alle *Exopeptidasen* sind dadurch gekennzeichnet, daß sie Peptidbindungen angreifen, die einer *freien Carboxyl-* (*Carboxypeptidasen*) oder *freien* α-NH_2*-Gruppe* (*Aminopeptidasen*) benachbart sind. Sie spalten demzufolge von Peptiden deren endständige Aminosäuren ab. Die Dipeptidasen brauchen sowohl eine freie Amino- als auch eine freie Carboxylgruppe.

Aminopeptidasen kommen im Dünndarm vor und spalten die einer freien Aminogruppe benachbarte Peptidbindung. Sie spalten bevorzugt kurzkettige Peptide, vor allem Penta-, Tetra- und Tripeptide, jedoch nicht Dipeptide. Man findet *Aminopeptidasen* auch intrazellulär in verschiedenen Zellen und Geweben. Zu ihnen gehört die *Leucinaminopeptidase*, ein Zinkenzym von breiter Spezifität. Sie spaltet also nicht nur aminoendständiges Leucin, sondern auch andere Aminosäuren vom N-Terminus von Peptiden ab, wirkt aber nicht auf Lysyl- und Arginylpeptide.

Die *Tripeptidaminopeptidase* spaltet spezifisch von Tripeptiden die an deren Aminoende sitzende Aminosäure ab und läßt das Dipeptid zurück.

Die Zahl der verschiedenen *Dipeptidasen* mit geringer oder hoher Spezifität ist sehr groß. Neben den wenig spezifischen Dipeptidasen kennt man sehr spezifisch auf bestimmte Dipeptide ausgerichtete Dipeptidasen: Glycylglycindipeptidase, Methionyldipeptidase, Prolindipeptidase u. a.

5.1.5. *Das intrazelluläre proteolytische System der Säugetiere*

5.1.5.1. *Die lysosomalen Proteasen*

In den tierischen Zellen kommt eine große Zahl verschiedener *Endopeptidasen* (*Proteinasen*) und *Exopeptidasen* vor. Man hat sie zusammenfassend als *Kathepsine* bezeichnet. In neuerer Zeit jedoch versteht man unter Kathepsinen im engeren Sinne die intrazellulären Endopeptidasen, während man anstrebt, die Exopeptidasen nach ihrer Spezifität und ihrem Wirkungsmechanismus zu benennen (s. u.).

Proteolytische Aktivitäten findet man in allen Zellorganellen, besonders reichlich sind sie aber in den Lysosomen der Zellen vertreten. Daraus kann abgeleitet werden, daß die Lysosomen eine vorrangige Rolle im intrazellulären Proteinabbau spielen.

Auf Grund des nachweisbaren intrazellulären *Proteinumsatzes*, dem Enzymproteine, membranständige Proteine und auch Proteine mit anderen funktionellen Eigenschaften, z. B. Myosin, Actin u. a., unterliegen, muß man annehmen, daß die Prozesse der Proteinsynthese und des Proteinabbaues fein aufeinander abgestimmt sind und innerhalb einer Zelle ständig nebeneinander her ablaufen. Dies geschieht jedoch in unterschiedlichen Zellkompartimenten (über Proteinsynthese DB IV). Hauptort der Proteinsynthese sind die Ribosomen, Hauptorte des Proteinabbaues sind die Lysosomen.

Die Tab. 6 gibt einen Überblick über die bisher bekannten Endo- und Exopeptidasen der Lysosomen, einschließlich ihrer Klassifikation. Während die Exopeptidasen (lysosomale Carboxypeptidase A (früher Kathepsin A), lysosomale Carboxypeptidase B

Tabelle 6
Enzyme des intrazellulären lysosomalen proteolytischen Systems (Auswahl nach Kirschke et al. (1977) und Barrett (1977)).

Name	Exo- oder Endopeptidase	Klassifikation	frühere Bezeichnung
Lysosomale Carboxypeptidase A	Exopeptidase	Metallprotease	Kathepsin A
Kathepsin B	Endopeptidase	Thiolproteinase	Kathepsin B_1
Lysosomale Carboxypeptidase B	Exopeptidase	Metallprotease	Kathepsin B_2
Kathepsin H	Endopeptidase	Thiolproteinase	Kathepsin B_2
Dipeptidylpeptidase I	Exopeptidase	Metallprotease	Kathepsin C
Kathepsin D	Endopeptidase	Carboxylproteinase	
Kathepsin E	Endopeptidase	Carboxylproteinase	
Kathepsin S	Endopeptidase	Thiolproteinase	

(früher Kathepsin B_2) und Dipeptidylpeptidase I (früher Kathepsin C) nur eine partielle Spaltung der zellulären Proteine bewirken oder niedermolekulare Peptide angreifen, bewirken die Endopeptidasen eine schnelle und tiefgreifende Spaltung der Proteine.

Lysosomen sind die Hauptabbauorte jener Proteine, die durch Endozytose in die Zelle gelangen sowie der Membranproteine und vieler sog. langlebiger Zellproteine. Von besonderer Bedeutung sind sie auch für den Eiweißabbau im Hungerzustand (FB 2).

Weitere Ausführungen über Lysosomen und über die zelluläre Aufnahme von zum Abbau bestimmter Proteine (Endozytose) findet man in DB IV.

5.1.5.2. Kontrolle des intrazellulären Proteinabbaues

Obwohl in den Lysosomen der Hauptteil des intrazellulären Eiweißabbaues abläuft, sind auch die Mitochondrien und andere Organellen am intrazellulären Proteinumsatz beteiligt. Es gibt jedoch noch zahlreiche ungelöste Probleme im Verständnis der qualitativen und quantitativen Verteilung sowie der Kontrolle des Eiweißabbaues innerhalb einer Zelle. Dazu gehört auch die seit langem bekannte Tatasche, daß die Proteine sehr unterschiedliche biologische Halblebenszeiten aufweisen. Es gibt intrazellulär langlebige Proteine, deren Halblebenszeit länger ist als die Zeitspanne zwischen zwei Zellteilungen und kurzlebige Proteine, die innerhalb von weniger als einem Hundertstel der Zeitdauer eines Zellcyclus umgesetzt werden.

In den letzten Jahren hat man erkannt, daß die *Geschwindigkeit* des *intrazellulären nicht-lysosomalen Proteinabbaues* und seine *Selektivität* durch folgende drei Faktoren beeinflußt werden:

1. die Bereitstellung von *Energie* in Form von ATP,
2. die Anwesenheit eines relativ kurzkettigen, aus 76 Aminosäuren bestehenden Polypeptides, das als *Ubiquitin* bezeichnet wird,
3. die chemische Natur derjenigen Aminosäure, die den N-Terminus des abzubauenden Proteins bildet.

In tierischen Zellen, auch in Bakterien, ist ein Teil des Eiweißabbaues ATP-abhängig. Dieser energiebedürftige Anteil der intrazellulären Proteolyse kommt in den tierischen Zellen vor allem in den Mitochondrien, möglicherweise aber auch im Cytosol, vor. In tierischen Zellen und Bakterien hat man Proteasen gefunden, die für ihre Aktivität ATP benötigen.

Bei der Hydrolyse eines Proteinsubstrates durch derartige ATP-abhängige Proteasen kommt es zu einer *ATP-Hydrolyse* und zur Bildung von ADP. Dieser Prozeß geht mit einer *Inaktivierung* der Protease einher. Zur erneuten Aktivierung der Protease ist wiederum ATP erforderlich. Besonders intensiv wurde in dieser Hinsicht die ATP-abhängige Protease La aus *E. coli* untersucht. Ein weiterer ATP-abhängiger Anteil des intrazellulären Eiweißabbaues, der die kurzlebigen Proteine betrifft, ist mit dem *Ubiquitin* verbunden. Die zum Abbau im Cytosol und in den Mitochondrien bestimmten Proteine werden nämlich in einer ATP-bedürftigen Reaktion, bei der es ebenfalls zu einer ATP-Hydrolyse kommt, mit dem *Ubiquitin* kovalent über ihre N-terminale Aminosäure verbunden und dadurch gleichsam zum Abbau freigegeben. Die Bindung von *Ubiquitin* an ein Eiweiß stellt also das Signal für dessen selektiven Abbau dar.

Woran werden nun aber die intrazellulären Proteine vom proteolytischen System der Zelle selektiv als zum Abbau anstehend erkannt? Offenbar hängt die biologische Halblebenszeit eines Proteins von einer bestimmten Aminosäure oder Aminosäuresequenz an dessen *N-Terminus* ab. Von dieser hängt ab, ob die Proteine des Cytosols *langlebig* oder *kurzlebig* sind. Proteine mit einem Arginyl-, Lysyl-, Leucyl- oder Aspartylrest am N-Terminus sind sehr kurzlebig ($t_{1/2}$ etwa 2—10 Minuten), während solche mit einem Methionyl-, Seryl-, Threonyl- oder Valylrest am N-Terminus eine Halblebenszeit von 20 Stunden und mehr aufweisen. Diese *N-Terminus-Regel* des selektiven intrazellulären Eiweißabbaues wurde durch Nutzung der Methoden der Gentechnik entdeckt.

5.1.6. Natürliche Inhibitoren von Proteinasen

In der belebten Natur gibt es eine große Zahl von reversibel und irreversibel wirkenden Inhibitoren extra- und intrazellulärer Proteinasen, die selbst Peptid- oder Proteinnatur besitzen und deshalb als *Inhibitorpeptide* bzw. als *Inhibitorproteine* bezeichnet werden.

Im *Blutplasma* kommen eine Reihe von *Proteasehemmstoffen* vor, die zu den *α-Globulinen* gehören. Dazu zählen der *α_1-Proteinase-Inhibitor* (*α_1-Antitrypsin*), *α_1-Antichymotrypsin*, *Inter-α_1-Trypsin-Inhibitor*, *Antithrombin III*, *α_2-Makroglobulin* und *C_1-Inaktivator*.

Neben einer Schutzfunktion gegen Infektionen, Entzündungen und Selbstverdauungsprozessen spielen diese Inhibitoren eine regulatorische Rolle in den Blutgerinnungs-, Fibrinolyse- und Komplementkaskaden (FB 1). Chemisch sind es *Glykoproteine* mit wesentlich höheren Molekulargewichten als der Trypsininhibitor (S. 150): z. B. α_1-Proteinase-Inhibitor (MG 54000), α_1-Antichymotrypsin (MG 68000), α_2-Makroglobulin (MG 82000). Im Serum stellen diese Inhibitoren etwa 10% des gesamten Proteins. Der größte Teil (93% der inhibitorischen Kapazität) entfällt auf den α_1-Proteinase-Inhibitor und das α_2-Makroglobulin.

Der Wirkungsmechanismus dieser beiden Hemmstoffe ist unterschiedlich. Bei der Bildung des α_1-Proteinase-Inhibitor-Protease-Komplexes wird eine Peptidbindung des Inhibitors gespalten, an der entweder ein Lysin- oder ein Arginin-Rest beteiligt ist und dabei die Protease (Trypsin, Chymotrypsin, Elastase u. a.) inaktiviert. Dagegen bindet α_2-Makroglobulin unter Beteiligung von Zn^{++}-Ionen verschiedene Proteasen in der Weise, daß die Spaltung von Polypeptidketten gehemmt, die Spaltung niedermolekularer Substrate durch die Protease aber noch möglich ist. Die α_1-Makroglobulin-Protease-Komplexe werden sehr schnell durch Makrophagen aufgenommen und intrazellulär abgebaut.

Für die Bedeutung der Inhibitoren sprechen die bei einem Mangel einzelner Inhibitoren auftretenden Störungen im Organismus. Ein *hereditärer α_1-Proteinase-Inhibitor-Mangel* führt zu Lebererkrankungen und zur Ausbildung eines Lungenemphysems (s. auch FB 1).

Zunehmende klinische und wissenschaftliche Bedeutung erlangten in den letzten Jahren *niedermolekulare Inhibitorpeptide*, die aus den Kulturmedien von *Actinomyceten* isoliert wurden. Zu diesen Peptiden zählen u. a. *Leupeptin* (hemmt Plasmin, Trypsin, Papain und Kathepsin B), *Antipain* (hemmt Papain, Trypsin und die Kathepsine A und B), das die Chymotrypsine hemmende *Chymostatin* sowie das *Pepstatin* (hemmt z. B. Pepsin und Kathepsin D).

Nahezu alle diese Peptide zeigen strukturelle Besonderheiten. Vorhandene Hydroxyl- und Aminogruppen sind häufig verestert oder acetyliert. Bei einigen Verbindungen (Leupeptin, Elastinal, Antipain) liegen an den C-terminalen Enden statt der gewöhnlichen Aminosäuren Aminoaldehyde vor (z. B. *Argininal, Alaninal*). Typisch ist auch das Auftreten nichtproteinogener Aminosäuren, wie des Statins (4-Amino-3-hydroxy-6-methylheptansäure) im Falle des Pepstatins.

Alle diese kompetitiv wirkenden Inhibitoren werden in tierischen Organismen nicht metabolisiert und weisen bei sehr günstigen Hemmkonstanten (für das System Pepsin-Pepstatin z. B. 10^{-10} l/mol) eine sehr *geringe Toxizität* auf. Eine *klinische Anwendung* dieser Peptide erscheint daher bei Erkrankungen, an deren Pathogenese oder Manifestation proteolytische Enzyme beteiligt sind, besonders *günstig*.

5.2. *Allgemeiner Stoffwechsel der Aminosäuren*

5.2.1. *Aufnahme der Aminosäuren in die Zellen*

Dem intrazellulären Stoffwechsel der Aminosäuren geht ihr *Transport* in das Innere der Zellen voraus. Über die Aufnahme der Aminosäuren und ihre Gesetzmäßigkeiten liegen Untersuchungen an Darmpräparaten, Gewebsschnitten, Erythrozyten und Tumorzellen sowie Bakteriensuspensionen vor. Es handelt sich um einen trägervermittelten Transport, der bei manchen Zelltypen (Darmmucosa, Tubuluszellen der Niere, Muskulatur) gegen ein Konzentrationsgefälle erfolgt.

In den meisten Zellen sind Aminosäuren auf das Fünf- bis Zehnfache gegenüber der extrazellulären Flüssigkeit konzentriert. Nicht alle Aminosäuren werden im gleichen Ausmaß und mit gleicher Geschwindigkeit aufgenommen. Das ist auch für verschiedene Zellen und Gewebe unterschiedlich. Zum Beispiel absorbieren *Hirnzellen* von Meerschweinchen *Glutamin* schneller als *Glutaminsäure*. *Ehrlich-Ascitestumorzellen* haben von allen bisher untersuchten tierischen Zellen die größte Aufnahmegeschwindigkeit für Aminosäuren.

Der aktive Transport der meisten Aminosäuren ist dem aktiven Glucosetransport, wie er in der Darmschleimhaut und in den Nierentubuli vorliegt, ähnlich. Ihre Ähnlichkeit besteht darin, daß diese Transportsysteme mit einem Transport von Na^+ gekoppelt sind, wobei ein Na^+-Gradient die Voraussetzung für den Transport der Glucose bzw. der Aminosäuren gegen ein Konzentrationsgefälle ist, also die treibende Kraft für deren aktiven Transport darstellt (Co-transport von Na^+-Ionen und dem betreffenden Substrat). Die Vorstellung ist die, daß sich das Substrat (eine bestimmte Aminosäure oder Glucose) und das Na^+-Ion mit einem Trägermolekül in der Zellmembran auf deren äußeren Oberfläche verbindet, der so entstehende ternäre Komplex von außen durch die Membran nach innen wandert und der Träger dort das Substrat und die Na^+-Ionen in das Zellinnere abgibt (DB IV, FB 2).

Für neutrale Aminosäuren gibt es drei in der Zellmembran lokalisierte Transportsysteme, die sich in ihrer Spezifität teilweise überlappen: das System A, das System L und das System ASC.

Die Systeme A (für neutrale Aminosäuren mit kurzen, polaren oder unverzweigten Seitenketten) und ASC (für Alanin, Serin und Cystein) sind Na^+-abhängig, das System L (für verzweigte und aromatische Aminosäuren, z. B. Leucin, Valin, Phenylalanin, Tyrosin und Tryptophan) jedoch ist nicht Na^+-abhängig.

Außerdem hat man in Zellmembranen je ein Transportsystem für basische Aminosäuren (System N, Na^+-abhängig), für saure Aminosäuren (Na^+-abhängig) und für die Iminosäure Prolin identifiziert.

5.2.2. Der γ-Glutaminsäurecyclus für den Aminosäuretransport

Es wurde weiterhin die Vorstellung entwickelt, daß manche Aminosäuren durch tierische Zellmembranen mittels Gruppentranslokation transportiert werden könnten, bei der die Aminosäure im Innern der Zelle zunächst in einer abgewandelten Form erscheint. Nach A. Meister wird dieser Prozeß als γ-Glutaminsäurecyclus bezeichnet. Bei ihm spielt die membrangebundene γ-Glutaminsäuretransferase eine Schlüsselrolle, außerdem sind an ihm fünf, im Cytosol lokalisierte, Enzyme beteiligt. Weiterhin ist das Tripeptid Glutathion unentbehrlich. Inwieweit dieser Cyclus wirklich für die Aminosäureaufnahme einer Zelle bedeutsam ist, ist gegenwärtig noch nicht geklärt (s. u.).

Die γ-Glutaminsäuretransferase katalysiert die Reaktion auf S. 160.

Das Enzym ist *Na^+-abhängig* (s. o.) und überträgt einen Glutaminsäurerest vom Glutathion auf die zu transportierende Aminosäure. Die Aminosäure kommt aus dem Außenmedium, das Glutathion aus dem Zellinneren. Alle Aminosäuren, nur nicht das Prolin, können auf den Glutamylrest übertragen werden.

Die γ-Glutamyl-Aminosäure wird vom Enzym ebenso wie das Cysteinylglycin auf der cytoplasmatischen Seite der Zellmembran freigesetzt. Der nächste Schritt stellt die Spaltung der γ-Glutamyl-

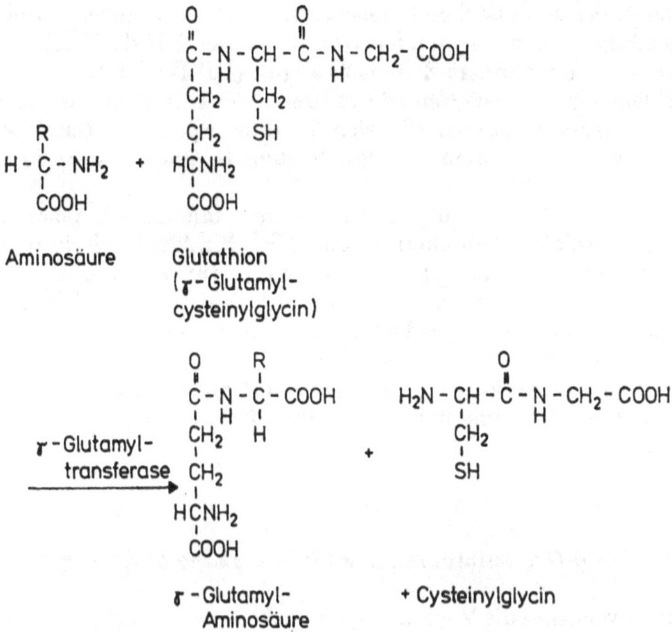

Aminosäure in die freie Aminosäure und 5-Oxoprolin dar, die im Cytosol durch die γ-Glutamyl-Cyclotransferase katalysiert wird:

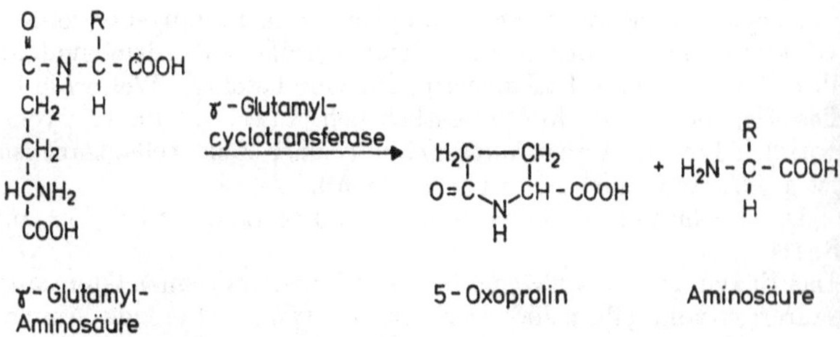

Das Cysteinylglycin wird durch eine Peptidase zu Cystein und Glycin hydrolysiert.

Pro Molekül gespaltenes Glutathion wird im Endeffekt ein Molekül einer Aminosäure von außen in das Innere der Zelle transportiert (Abb. 47).

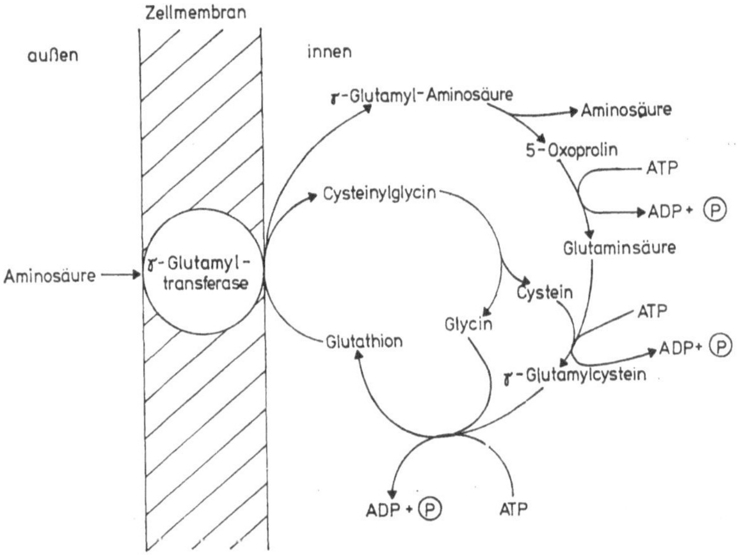

Abb. 47. Der γ-Glutaminsäurecyclus

Zur Vervollständigung muß das Glutathion aus Cystein, Glycin und 5-Oxoprolin resynthetisiert werden. Der Ring des 5-Oxoprolins wird durch die 5-Oxoprolinase unter Verbrauch von ATP zu L-Glutaminsäure gespalten; danach reagiert L-Glutaminsäure mit L-Cystein zu γ-Glutamylcystein (γ-Glutamylcysteinsynthetase) und dieses weiter mit Glycin zum Glutathion, welches erneut in das Cyclusgeschehen einmündet. Das für die letzte Reaktion verantwortliche Enzym heißt *Glutathionsynthase*.
Pro Molekül aufgenommene Aminosäure werden drei Moleküle ATP verbraucht.

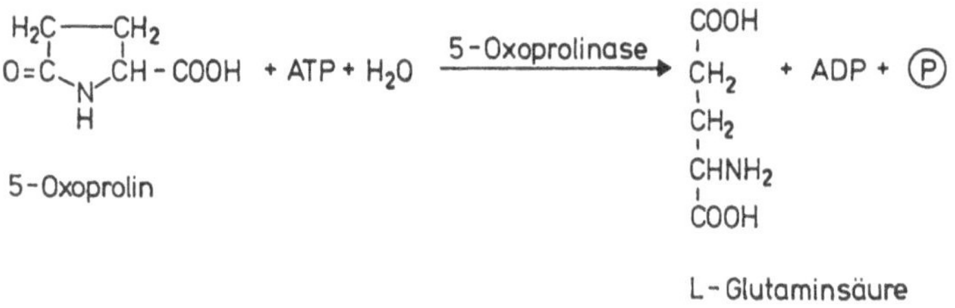

$$\text{L-Glutaminsäure} + \text{L-Cystein} + \text{ATP} \xrightarrow{\gamma\text{-Glutamylcystein-synthase}} \gamma\text{-Glutamylcystein} + \text{ADP} + \text{Ⓟ}$$

$$\gamma\text{-Glutamylcystein} + \text{Glycin} + \text{ATP} \xrightarrow{\text{Glutathion-synthase}} \text{Glutathion} + \text{ADP} + \text{Ⓟ}$$

Es wurde ein genetischer Defekt beobachtet, bei denen die Patienten 5-Oxoprolin im Harn ausscheiden und Abweichungen im Aminosäuretransport und im Aminosäurestoffwechsel aufweisen. Wahrscheinlich fehlt bei ihnen das Enzym 5-Oxoprolinase.

Wie einleitend bereits erwähnt, kann die Frage nach der Funktion des γ-Glutaminsäurecyclus noch nicht eindeutig beantwortet werden. Die γ-Glutaminsäuretransferase findet man vor allem in den Membranen von Leber- und Nierentubuluszellen. Außer seiner Beteiligung am Aminosäuretransport könnte dieser Cyclus der Spaltung extrazellulär auftretenden Glutathions, der Bildung und Spaltung von anderen γ-Glutamylverbindungen, der Oligopeptidtranslokation und anderen Zwecken dienen. Die renale γ-Glutaminsäuretransferase ist mit einer bestimmten Form der Glutaminase identisch, so daß die Vorstellung begründet ist, daß das Enzym auch an der Regulation des Säure-Basen-Haushaltes mitwirkt.

5.2.3. *Dynamischer Zustand der Aminosäuren und Proteine — Aminosäurepool*

Der Aminosäurepool ist Bestandteil der sogenannten „*labilen Mischphase*" („metabolic pool"). Diese enthält niedrigmolekulare Stoffe des Intermediärstoffwechsels, die Knotenpunkte mehrerer Stoffwechselwege darstellen und deshalb eine hohe Umsatzgeschwindigkeit aufweisen, z. B. Acetyl-Coenzym A, α-Ketoglutarat, Pyruvat, Succinat, Oxalacetat, Glutamat, Aspartat, Alanin, Glycin, Glucose-6-phosphat, Dioxyacetonphosphat und eine große Anzahl anderer Zwischenprodukte des sogenannten *zentralen* Stoffwechsels (Citratcyclus, Atmungskettenphosphorylierung, Pyruvat $\rightleftharpoons$ Triosephosphat, Transaminierungen). Die labile Mischphase umfaßt demnach alle jene Intermediate des degradativen Zellstoffwechsels (*katabole* Prozesse), die gleichzeitig Ausgangspunkte von Synthesen sein können (*anabole* Prozesse). Die Konzentration ihrer Metabolite ist zumeist ein regulierender Faktor dieser dynamischen Prozesse.

Die Vorstellung von der Existenz eines solchen intrazellulären Pools gründet sich auf Versuche mit ^{15}N-markierten Aminosäuren

(SCHÖNHEIMER). Weißen Ratten wurde mit der üblichen Nahrung ^{15}N-markiertes Leucin zugeführt. Das Isotop ließ sich proteingebunden sowohl in der gleichen Aminosäure als auch in fast allen anderen Aminosäuren wiederfinden, auch in den freien Aminosäuren (nicht markiert waren aber Threonin und Lysin). Diese und andere Befunde berechtigen zur Annahme, daß ein intrazelluläres „Sammelbecken“ von Aminosäuren existiert, das durch vier Quellen gespeist wird: von der extrazellulären Flüssigkeit, der Umwandlung einer Aminosäure in andere, aus dem Proteinabbau und von Aminosäuren, die über andere Stoffwechselwege synthetisiert werden. Durch Proteinsynthese sowie durch andere Reaktionen (Bildung von Harnstoff, Purinen, Pyrimidinen, Kreatin, Peptiden, Porphyrinen, Gluconeogenese usw.) werden ihm ständig Aminosäuren entzogen.

Die erwähnten Versuche mit markierten Aminosäuren zeigten eine schnelle Verteilung des N-Isotops in der Protein- und Nichtproteinfraktion und sein rasches Erscheinen in Stoffwechselendprodukten. Dies beweist die *Gleichzeitigkeit von Synthese und Abbau*. Die einzelnen freien Aminosäuren besitzen nach ^{15}N-Leucin-Zufuhr eine hohe spezifische Markierung, unter ihnen besonders Glutaminsäure und Asparaginsäure. Der hohe Markierungsgrad dieser Aminosäuren weist auf ihre zentrale Stellung im Aminosäurestoffwechsel hin.

Für jede Aminosäure ist das Durchlaufen dieses Sammelbeckens („Pool“) ein notwendiger Schritt für ihren Einbau in die Proteine.

5.2.4. *Stoffwechsel der Aminogruppe*

Entsprechend der Struktur der Aminosäuren kann man ihren Stoffwechsel in den Stoffwechsel der Aminogruppe und den des Kohlenstoffskeletts unterteilen.

Wir besprechen zuerst den Stoffwechsel der Aminogruppe von Aminosäuren und dann den ihres Kohlenstoffskeletts.

5.2.4.1. *Desaminierung und reduktive Aminierung*

Die ersten Studien über die Desaminierung der Aminosäuren stammen von H. A. KREBS. Er beobachtete an Leberpräparaten die Oxidation von L- und D-Aminosäuren zu Ketosäuren und konnte für diese Reaktionen zwei Enzymsysteme nachweisen, die man hinsichtlich ihrer Spezifität in *L*- und *D-Aminosäureoxidasen* unterteilt. Sie sind zumeist Flavinenzyme. Die Desaminierung erfolgt in zwei Reaktionsschritten, wobei nur der erste ein enzymatischer ist. Die intermediär entstehende labile Iminosäure hydrolysiert spontan unter Freisetzung von Ammoniak (vgl. mit DB II).

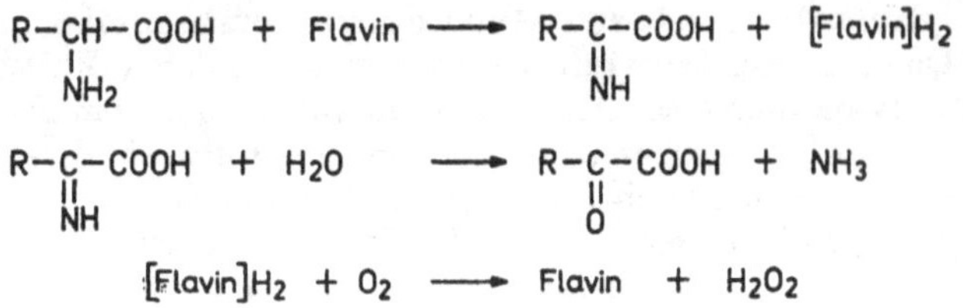

Die Reaktion ist irreversibel. Die prosthetische Gruppe des Enzyms kann den Wasserstoff auf molekularen Sauerstoff übertragen. Dabei entsteht Wasserstoffperoxid. Die prosthetische Gruppe der D-Aminosäureoxidasen ist FAD, bei vielen L-Aminosäureoxidasen ist es FMN. Eine Ausnahme macht die für aromatische Aminosäuren hochaktive L-Aminosäureoxidase im Gift und Gewebe der Klapperschlange: die prosthetische Gruppe dieses Enzyms ist FAD.

Merkwürdigerweise besitzen tierische Gewebe (Niere, Leber) eine sehr aktive D-Aminosäureoxidase, während die Aktivität der L-Aminosäureoxidase vergleichsweise niedrig ist. Über die Funktion der D-Aminosäureoxidase ist nichts Sicheres bekannt; ihr wird eine Schutzfunktion zugeschrieben, die in einer Zerstörung der unphysiologischen D-Aminosäuren bestehen könnte.

In Darmbakterien ermöglichen Racemasen die Verwertung von D-Aminosäuren.

Bedeutungsvollstes desaminierendes Enzym ist die *L-Glutamatdehydrogenase*. Sie braucht NAD^+ oder $NADP^+$. Das Gleichgewicht liegt auf der Seite der reduktiven Aminierung. Zwischenprodukt ist α-Iminoglutarsäure.

$$\text{L-Glutamat} + \text{NAD(P)}^+ + H_2O \rightleftharpoons \alpha\text{-Ketoglutarat} + \text{NAD(P)H} + NH_4^+$$

Die Bedeutung der Glutamatdehydrogenasereaktion besteht in ihrer Reversibilität. Durch sie wird

1. der Glutamatstoffwechsel mit dem Citratcyclus verbunden und
2. eine Fixierung oder Bildung von freiem Ammoniak möglich;

3. die Spezifität der Glutamatdehydrogenase für beide Pyridinnucleotide läßt dieses Ferment als Transhydrogenase wirksam werden (DB II).

Von Interesse sind noch einige spezielle desaminierende Enzymsysteme, die für bestimmte Aminosäuren, wie Cystein, Serin, Threonin, Homocystein, Homoserin, Histidin, Asparaginsäure und Tryptophan existieren und nicht oxidativ wirken. Es handelt sich dabei meist um *Dehydratasen*, deren Aktivität von Pyridoxalphosphat und zum Teil von ATP, Mg^{++} und reduziertem Glutathion abhängig ist. Die Desaminierung verläuft über eine α-, β- oder β-, γ-ungesättigte Aminosäure zur Iminosäure, die dann spontan hydrolysiert:

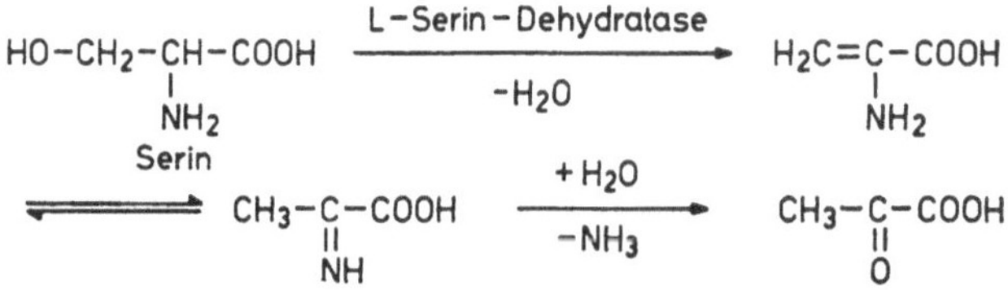

5.2.4.2 *Amidierung und Desamidierung*

Die Bildung des Ammonium-Ions aus Aminosäuren geht nicht nur durch Desaminierung vor sich. Auch die Säureamidgruppe des L-Glutamins und L-Asparagins kann hydrolytisch abgespalten werden. Diese Desamidierung katalysiert die *Glutaminase* bzw. *Asparaginase*.

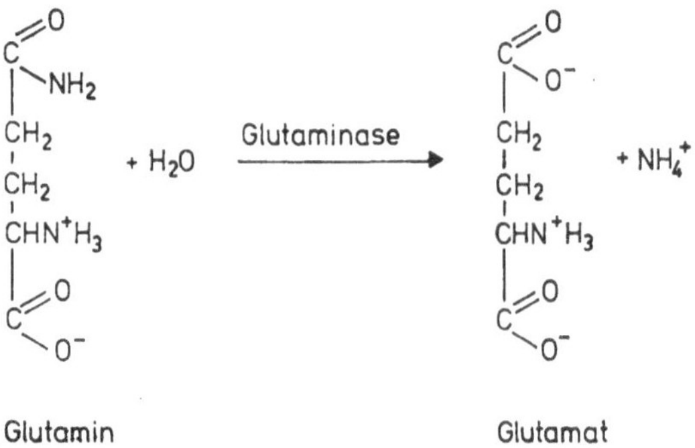

Als hydrolytische Reaktion ist die Desamidierung praktisch irreversibel.

Die Glutamin- und Asparagin-Synthese wird von spezifischen Enzymen katalysiert und verbraucht ATP:

$$\text{L-Glutaminsäure} + NH_3 + \text{ATP} \xrightarrow{Mg^{++} \text{ oder } Mn^{++}} \text{L-Glutamin} + \text{ADP} + \text{Ⓟ}$$

Glutaminsynthetase wurde in Hirn, Leber und anderen Geweben verschiedener Tierarten sowie in Bakterien und Pflanzen gefunden.

In *E. coli* unterliegt dieses Enzym einer wirkungsvollen Kontrolle durch eine enzymatische Modifizierung des Enzymproteins (S. **186ff.**).

Bei Säugetieren ist die Glutaminsynthese von großer Bedeutung für die Fixierung und den Transport von NH_3, das als Reserve für Synthesen von Aminosäuren und daraus hervorgehenden N-haltigen Verbindungen sowie für Regulationsvorgänge im Säure-Basen-Haushalt und Mineralhaushalt dient. Von Vorteil ist die leichte Permeabilität des Glutamins. Im Säugetierblut macht es ein Fünftel des Aminostickstoffs aus.

In den Nieren erfüllt die Glutaminase eine wichtige Funktion: das von ihr aus dem Glutamin freigesetzte Ammonium wird im Austausch gegen reabsorbierte Kationen (Na^+, Ca^{++}, Mg^{++}) in das Tubuluslumen abgegeben und dient so der Kationeneinsparung (FB 1 und 2).

5.2.4.3. *Transaminierung*

Die Übertragung der Aminogruppen von einer Aminosäure auf eine α-Ketosäure, ohne daß dabei freies Ammonium intermediär in Erscheinung tritt, wird von *Transaminasen* (*Aminotransferasen*) katalysiert. Solche Enzymsysteme wurden von Braunstein und Kritzmann (1937) erstmals beschrieben. Die Transaminierung erfolgt nach der allgemeinen Gleichung:

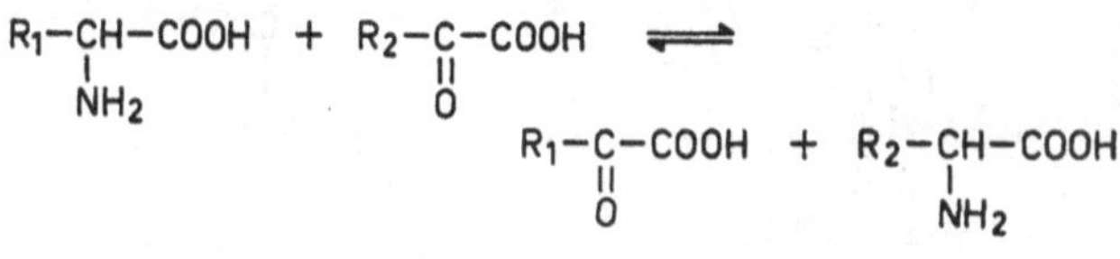

Coenzym der Transaminasen ist das *Pyridoxalphosphat*.

Der Mechanismus der Transaminierung wurde in DB II ausführlich dargestellt.

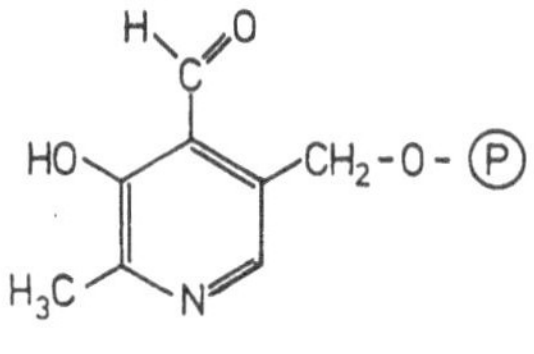

Pyridoxalphosphat
(PLP)

Es gibt eine große Vielfalt von Transaminierungssystemen in der belebten Natur. Sie besitzen eine überragende Bedeutung im Stoffwechsel der Aminogruppe. An ihr sind die meisten Aminosäuren beteiligt. Ausnahmen bilden Lysin, Threonin und die α-Aminogruppe des Arginins. Dies wurde durch Verfütterung von ^{15}N-markiertem Ammoniumcitrat an junge Ratten nachgewiesen. ^{15}N befand sich nach einiger Zeit in den Aminogruppen der meisten Aminosäuren, nicht aber in denen der drei genannten. Glutaminsäure und Asparaginsäure wiesen die größte spezifische Markierung auf. Dies wird erklärt durch den hohen Gehalt tierischer Gewebe an zwei spezifischen Transaminasen. Es sind dies die *Glutamat-Oxalacetat-Transaminase* (*Aspartataminotransferase*) und *Glutamat-Pyruvat-Transaminase* (*Alaninaminotransferase*). Das ^{15}N-haltige Ammonium gelangte bei diesem Versuch durch reduktive Aminierung der α-Ketoglutarsäure in die Glutaminsäure und dann durch Transaminierung zunächst in Asparaginsäure und schließlich in die anderen Aminosäuren. Wachstumsversuche ergaben, daß eine Anzahl von Aminosäuren durch die ihnen entsprechenden Ketosäuren ersetzbar sind. Auch dies läßt sich durch Transaminierung erklären.

Die Bestimmung der Aminotransferasen im menschlichen Blutserum ist in der klinischen Diagnostik und Verlaufskontrolle von Leber- und Herzerkrankungen wichtiges Hilfsmittel (FB 2).

5.2.4.4. *Endprodukte des Stickstoff-Stoffwechsels*

Der Abbau der Aminosäuren verläuft unter Trennung der Aminogruppe vom Kohlenstoffskelett. Letzteres wird in Stoffe umgewandelt, die auch Produkte des Kohlenhydrat- und Fettstoffwechsels darstellen und vollständig oxidiert werden können. Der Aminostickstoff erscheint vor allem im Harnstoff aber auch im Ammoniak. Dies sind die wichtigsten Endprodukte des Aminogruppenstoffwechsels.

Die Entfernung des Ammoniaks aus dem Organismus ist lebensnotwendig, da dieses eine hochtoxische Substanz ist. Neben Harnstoff und Ammoniak werden noch andere N-haltige Verbindungen ausgeschieden: Harnsäure, Kreatinin, Indikan und Aminosäuren (FB 2).

Der Mensch scheidet im Harn durchschnittlich 10 bis 20 g Gesamtstickstoff pro Tag aus, der sich wie folgt verteilt (Tab. 7):

Tabelle 7
N-haltige Verbindungen im durchschnittlichen 24-Stunden-Harn eines erwachsenen Menschen

Verbindung	gN/Tag
Harnstoff	6–18
Harnsäure	0,08–0,2
Ammonium	0,4–1,0
Aminosäuren	0,08–0,15
Hippursäure	0,04–0,08
Kreatinin	0,3–0,8
Peptide	0,3–0,7

Die Gesamt-N-Ausscheidung ist von der Ernährung abhängig. Eine eiweißreiche Kost erhöht die N-Ausscheidung; es nimmt dabei vor allem die Harnstoff-, anfangs auch die Aminosäureausscheidung zu.

5.2.4.5. *Harnstoff-Synthese; Ornithin-Cyclus*

Die Umwandlung des Aminosäurestickstoffs geht für die meisten Aminosäuren zwei Wege: über *Transaminierungen* zur *Glutaminsäure*, die ihrerseits oxidativ desaminiert wird; und über Transaminierungen zur *Asparaginsäure*. Die Glutamat-Oxalacetat-Transaminase liefert Aspartat für die Synthese von Arginin, die Glutaminsäuredehydrogenase liefert Ammoniak für die Synthese von Carbamylphosphat.

Ammoniak wird also zur Harnstoffsynthese zunächst in zwei Formen fixiert: in Asparaginsäure und Carbamylphosphat. Die

Synthese erfolgt in einem Reaktionscyclus, dessen Zwischenprodukte Ornithin, Citrullin und Arginin sind (Harnstoff- oder Ornithin-Cyclus) (KREBS und HENSELEIT, 1932):

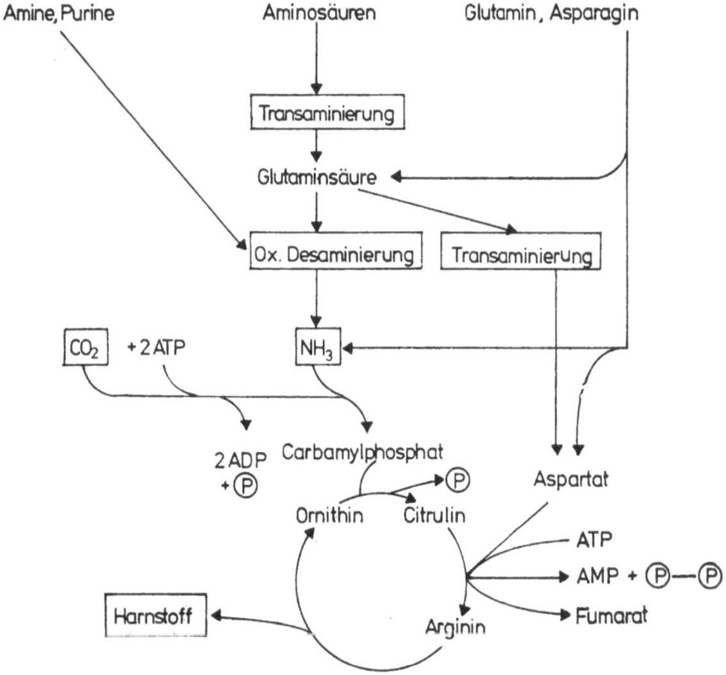

Das Kohlenstoffatom des Harnstoffs stammt aus dem CO_2, das hauptsächlich im Citratcyclus gebildet wird.

Als Endprodukt des N-Stoffwechsels ist Harnstoff eine ideale Substanz. Er ist gut wasserlöslich, leicht diffusibel und wirkt in einem weiten Konzentrationsbereich nicht toxisch. Im Blut macht Harnstoff etwa die Hälfte des Reststickstoffs aus (ca. 30 mg-% beim Menschen).

5.2.4.6. *Reaktionen und Enzyme des Ornithin-Cyclus der Leber*

Die Synthese des Carbamylphosphates wird von dem Enzym *Carbamylphosphatsynthase I* katalysiert. Diese Reaktion läuft intramitochondrial ab (S. 224) und ist irreversibel. Als Cofaktor ist N-Acetylglutaminsäure notwendig:

Carbamylphosphat wird dann durch eine Carbamyltransferase, die *Ornithin-Transcarbamylase,* auf die δ-Aminogruppe des *Ornithins* übertragen.

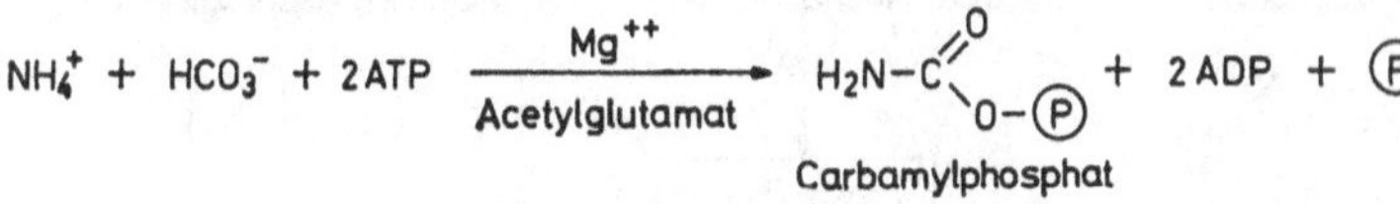

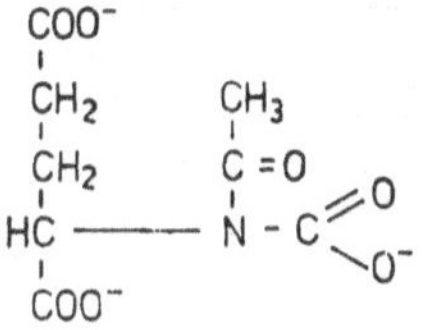

N-acetylglutamat-aktivierte Kohlensäure

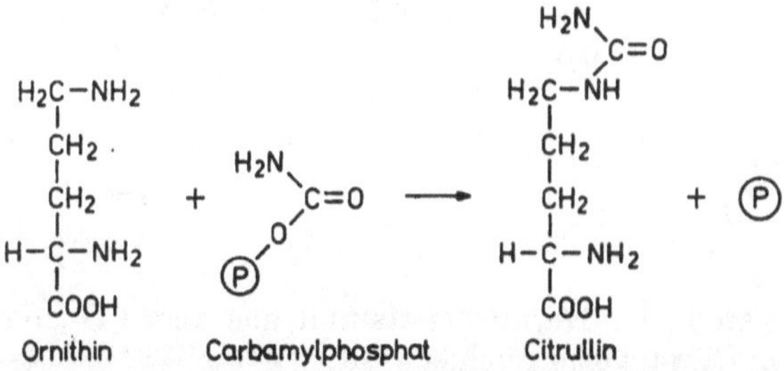

Aus *Citrullin* entsteht *Arginin* nicht durch eine einfache Ammoniakanlagerung, sondern mit Hilfe von Asparaginsäure als Aminogruppendonator. Die Synthese von Arginin aus Citrullin wird durch zwei Enzyme katalysiert: durch die *Argininosuccinatsynthase* und durch ein spaltendes Enzym, die *Argininosuccinatlyase.* Zuerst kondensiert Asparaginsäure mit Citrullin zu *Succinylarginin* (Argininosuccinat). Die Reaktion ist stark endergonisch. Es wird dabei aus ATP Pyrophosphat freigesetzt.

Succinylarginin wird zu Arginin und Fumarsäure gespalten.

Arginin ist die „Muttersubstanz" des Harnstoffs. Dieser wird durch die *Arginase* freigesetzt.

Die *Arginase* ist überwiegend im Cytoplasma der Leber lokalisiert. Sie ist sehr substratspezifisch und wird durch Mg^{++}, Ca^{++} und Mn^{++} aktiviert.

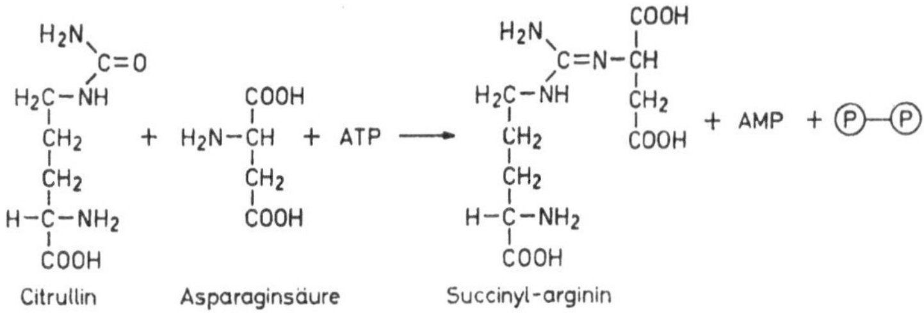

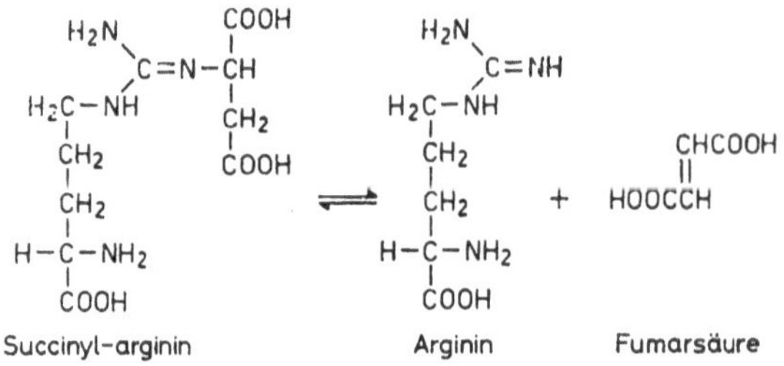

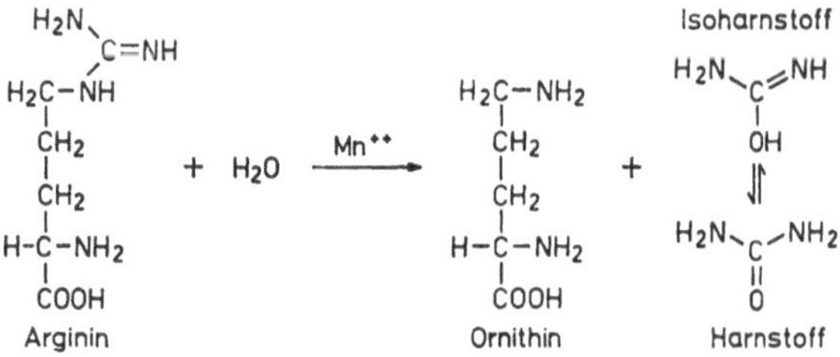

5.2.4.7. *Metabolische Beziehungen des Ornithin-Cyclus*

Die Beziehungen des Ornithincyclus zum Aminosäurestoffwechsel wurden einleitend bereits erwähnt. Glutaminsäure ist in mehrfacher Hinsicht für die Harnstoffsynthese von Bedeutung. Sie liefert nicht nur Asparaginsäure und Ammoniak, sondern nimmt auch teil an der Citrullinsynthese, indem sie als N-acetyliertes Derivat Cofaktor der Carbamylphosphatbildung ist.

Der Harnstoff-N stammt zur einen Hälfte aus freiem Ammoniak, zur anderen aus Transaminierungen über α-Ketoglutarat und Oxalacetat. Das aus der Spaltung des Succinylarginins hervorgehende Fumarat wird im Citratcyclus zu Oxalacetat umgewandelt, das seinerseits wieder durch Transaminierung Aspartat für die Kondensation mit Citrullin zu Succinylarginin liefert. Von besonderer Bedeutung ist dabei die Glutamat-Oxalacetat-Transaminase, die nicht nur das Aspartat regeneriert, sondern auch genügend α-Ketoglutarat für Aminotransferase-Reaktionen mit solchen Aminosäuren bereitstellt, deren Aminostickstoff in den Ornithincyclus eingeschleust werden soll.

Die Beziehungen des Ornithincyclus zum *Citratcyclus* sind also offensichtlich. Die Endoxidation der Metabolite über den Citratcyclus und die Atmungskette liefert CO_2 und ATP, die beide für die Harnstoffsynthese nötig sind. Der hohe ATP-Verbrauch (3 ATP pro Mol Harnstoff) bei dem relativ stark endergonischen Reaktionsverlauf bei Säugetieren ist die Ursache der Irreversibilität dieser Synthese und garantiert eine wirksame Entgiftung des Ammoniaks.

5.2.4.8. Das Zusammenwirken von Mitochondrien und Cytosol bei der Harnstoffsynthese

Die Synthese von *Carbamylphosphat* und die Bildung von *Citrullin* erfolgt *innerhalb* der *Mitochondrien*, während der *Aufbau* von *Arginin* aus Citrullin und Asparaginsäure ebenso wie dessen *Spaltung* zu Ornithin und Harnstoff im *Cytoplasma* vor sich geht.

Die Bildung von Harnstoff im Cytosol erfordert zur Regenerierung von Aspartat den Eintritt von Malat in die Mitochondrien. Die Ursache hierfür ist, daß das freie Ammoniak nur durch die in der Matrix der Mitochondrien lokalisierte Glutamatdehydrogenase über das Glutamat in das Aspartat gelangen kann.

Daraus ergeben sich *Substratbewegungen*, wie sie in der Abb. 48 wiedergegeben sind. Durch das Zusammenwirken verschiedener *Translokationssysteme* kommt es zu einem Einwärtstransport von Malat in die Mitochondrien und einer Ausschleusung von Aspartat aus den Mitochondrien, wodurch die Harnstoffbildung in der Leberzelle aufrechterhalten wird (über die mitochondrialen Anionentranslokationssysteme s. DB II).

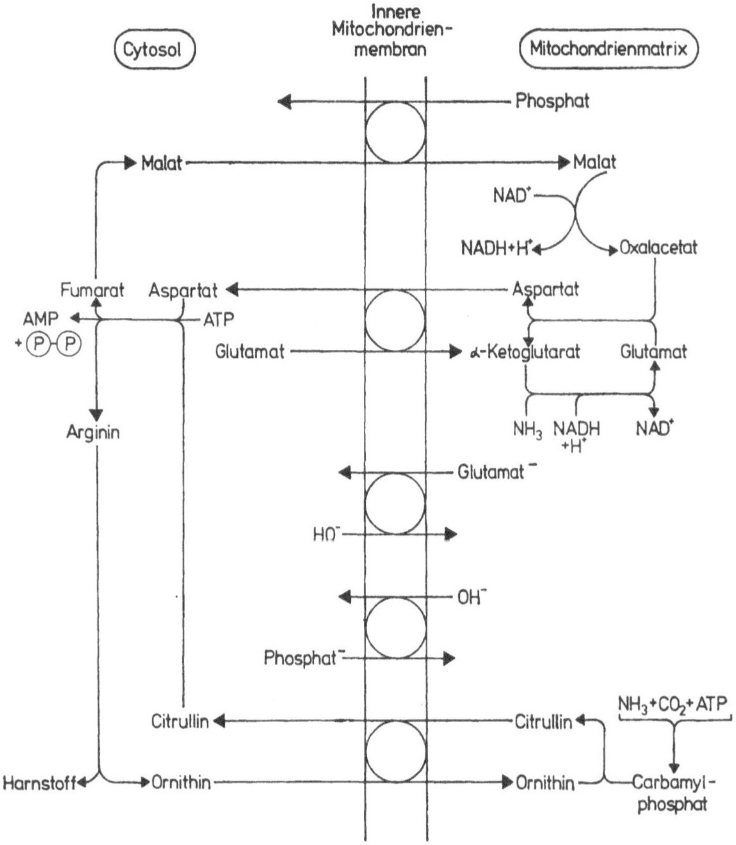

Abb. 48. Das Zusammenwirken von Mitochondrien und Cytoplasma bei der Harnstoffbildung in der Leber

5.2.5. *Schicksal des Kohlenstoffskeletts der Aminosäuren*

Aus den Aminosäuren entstehen nach Abtrennung der Aminogruppe durch Transaminierung und Desaminierung Mono- und Dicarbonsäuren, die Bestandteile der labilen Mischphase sind und als solche entweder dem oxidativen Abbau zu CO_2 und H_2O unterliegen oder für Biosynthesen Verwendung finden.

Wie Experimente an diabetischen und fastenden Tieren zeigen, führt die Verfütterung bestimmter Aminosäuren zu einer erhöhten Gluconeogenese und Vermehrung des Leberglykogens, während andere Aminosäuren Ketonämie und Ketonurie hervorrufen oder diese verstärken. Auf Grund dieser Beobachtungen sind die Aminosäuren in *glucoplastische* (glucogene) und *ketoplastische* (ketogene) eingeteilt worden.

Glucoplastisch sind Glycin, Alanin, Serin, Threonin, Valin, Glutaminsäure, Asparaginsäure, Histidin, Arginin, Prolin, Methionin und Cystein. Ketoplastisch sind Leucin, Phenylalanin und Tyrosin. Gluco- und ketoplastisch wirkt Isoleucin.

Die typischen glucoplastischen Aminosäuren (Alanin, Asparaginsäure und Glutaminsäure) liefern Brenztraubensäure, Oxalessigsäure und α-Ketoglutarsäure, aus denen über Phosphoenolbrenztraubensäure Glucose und Glykogen aufgebaut werden können.

Über die Stoffwechselschicksale der einzelnen Aminosäuren im Organismus s. S. 190 bis 217.

5.2.6. *Decarboxylierung von Aminosäuren*

Aus Bakterienkulturen wurden Cadaverin, Putrescin, Tyramin und γ-Aminobuttersäure isoliert, die sich als Decarboxylierungsprodukte von Lysin, Ornithin, Tyrosin und Glutaminsäure erwiesen. Die Decarboxylierung erfolgt nach der allgemeinen Gleichung:

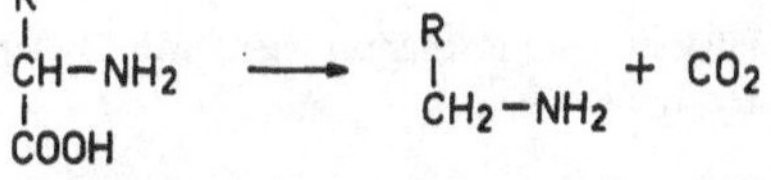

Neben CO_2 entsteht ein primäres Amin. Obwohl die primäre Decarboxylierung von Aminosäuren in tierischen Geweben einen Nebenweg darstellt, haben doch viele Amine pharmakologische Wirkungen und sind Vorstufen von Hormonen oder Bausteine von Cofermenten. Nach GUGGENHEIM nennt man sie „biogene Amine“. Im Bakterienreich sind sie weit verbreitet. Die im Darm entstehenden Amine hat man auch Aporrhegmen genannt. Einige Amine sind in Tab. 8 aufgeführt.

Tabelle 8
Einige biogene Amine

Aminosäure	Decarboxylierungsprodukt
Cystein	Cysteamin
Cysteinsäure	Taurin
Histidin	Histamin
Lysin	Cadaverin
Ornithin	Putrescin
Dihydroxyphenylalanin (DOPA)	Dihydroxyphenyläthylamin
Serin	Äthanolamin
Tryptophan	Tryptamin
Tyrosin	Tyramin

Die Decarboxylierung wird enzymatisch katalysiert. In den letzten Jahren konnten eine Reihe von *Aminosäuredecarboxylasen* gereinigt werden. Sie sind von relativ strenger Substratspezifität — eine Eigenschaft, die man sich für die Bestimmung einzelner Aminosäuren zunutze gemacht hat. Coenzym der Aminosäuredecarboxylasen ist das Pyridoxalphosphat.

Der Abbau der primären Amine vollzieht sich durch ihre oxidative Desaminierung zu Aldehyden, die zu Säuren weiter oxidiert werden:

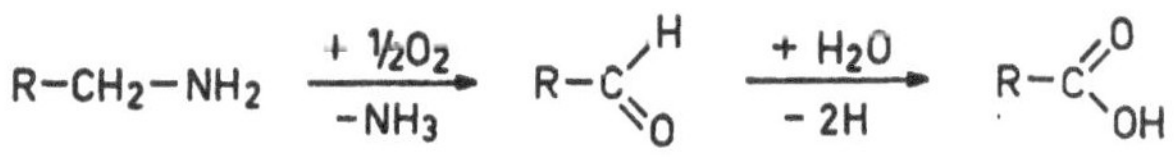

Nach der Anzahl der Aminogruppen in den Aminen, die angegriffen werden, unterscheidet man Monoamino- und Diaminooxidasen. Ihr Wirkungsmechanismus entspricht dem der Aminosäureoxidase. Coenzym der Diaminooxidasen ist das Pyridoxalphosphat. Sie bauen Verbindungen wie Cadaverin, Putrescin und Histamin ab (Mechanismus in DB II).

Die Aminooxidasen sind ebenso weit verbreitet wie die Aminosäuredecarboxylasen. Bei Mensch und Tier besitzen Aminooxidasen in Leber, Darm, Niere und Plazenta hohe Aktivitäten und erfüllen hier eine wichtige Entgiftungsfunktion. Darüber hinaus sind sie durch Aufrechterhaltung der intrazellulären Konzentration und von Konzentrationsgradienten bestimmter biogener Amine an

Prozessen der Neurotransmission beteiligt. Inhibitoren dieser Enzyme werden in der Therapie verschiedener neurologischer, psychiatrischer und allergischer Erkrankungen angewandt.

5.2.7. Essentielle und nichtessentielle Aminosäuren

Im menschlichen und tierischen Organismus muß man *zwei Gruppen von Aminosäuren* unterscheiden. Die eine Gruppe kann der Körper selbst aufbauen, während er die Vertreter der zweiten Gruppe nicht zu synthetisieren vermag. Diese Aminosäuren müssen ihm durch die Nahrung zugeführt werden. Sie sind für den Organismus *unentbehrlich* (*essentiell*); die erstgenannte Gruppe von Aminosäuren werden als die *entbehrlichen* (*nichtessentiellen*) *Aminosäuren* bezeichnet.

Mikroorganismen und Pflanzen verfügen über die Fähigkeit, alle Aminosäuren synthetisieren zu können; der Mensch und die Tiere hingegen können nur einen Teil der von ihnen benötigten Aminosäuren selbst bilden.

Ob eine Aminosäure entbehrlich oder unentbehrlich ist, untersuchte man bei Tieren mit Hilfe von Wachstumsversuchen und beim Menschen durch Messung der Stickstoffbilanz. Fehlt dem Nahrungsgemisch in derartigen Versuchen eine wesentliche Aminosäure, so tritt bei dem betreffenden Tier ein Wachstumsstillstand oder ein Gewichtsverlust auf, während in der entsprechenden Versuchsanordnung beim Menschen eine Vergrößerung der Stickstoffausscheidung mit negativer N-Bilanz zu beobachten ist (s. FB 2).

Für den *Menschen* sind die folgenden *Aminosäuren essentiell*: *Lysin*, *Methionin*, *Threonin*, *Isoleucin*, *Valin*, *Leucin*, *Phenylalanin* und *Tryptophan*. Histidin ist im Kindesalter essentiell, nicht jedoch für den Erwachsenen. Da das Tyrosin im menschlichen Organismus nur aus dem essentiellen Phenylalanin und Cystein nur aus dem Methionin gebildet werden können, sind *Tyrosin* und *Cystein* eigentlich auch zu den *essentiellen Aminosäuren* zu rechnen.

Nichtessentiell sind Glycin, Alanin, Serin, Asparaginsäure, Glutaminsäure, Prolin, Hydroxyprolin und Arginin.

Die durch Mikroorganismen synthetisierten und für den menschlichen sowie für den tierischen Organismus essentiellen Aminosäuren faßt man in drei Familien zusammen:

1. die *Aspartatfamilie*: Lysin, Methionin, Threonin und Isoleucin;
2. die *Pyruvatfamilie*: Valin und Leucin;
3. die *Shikimisäurefamilie*: Phenylalanin und Tryptophan.

Die Aminosäure *Histidin* besitzt einen eigenen Biosyntheseweg. Die *Verwandtschaft* der Aminosäuren untereinander innerhalb dieser drei Familien ergibt sich aus der *Gemeinsamkeit* ihrer *Synthesewege.*

5.2.8. Die Biosynthese der Aminosäuren der Aspartatfamilie

Ausgangsprodukt der mikrobiellen Synthese von L-Threonin, L-Lysin, L-Methionin und L-Isoleucin ist das Aspartat. Die „rechenartig" verzweigten Synthesewege dieser vier Aminosäuren sind in Abb. 49a und b (Faltblatt) dargestellt.

Das *Aspartat* wird durch die in drei Isoenzymen vorkommende *Aspartatkinase* unter ATP-Verbrauch zum *β-Aspartylphosphat* phosphoryliert. Dieses wird durch die NADPH-abhängige *Aspartatsemialdehyddehydrogenase* unter Phosphatabspaltung zum *Aspartatsemialdehyd* reduziert, der danach durch die NAD(P)H-abhängige *Homoserindehydrogenase* zum *Homoserin* reduziert wird (zwei Isoenzyme). Das Homoserin wird durch die ATP-abhängige *Homoserinkinase* zu *Homoserinphosphat* phosphoryliert, das dann durch die *Threoninsynthase* unter Phosphatabspaltung und Verschiebung der Hydroxylgruppe vom γ- zum β-Atom in das *Threonin* umgewandelt wird.

Das Threonin selbst ist Ausgangspunkt für die Isoleucinsynthese, die über vier Zwischenstufen erfolgt.

Die auf dem Wege zum Threonin durchlaufene Stufe des Aspartatsemialdehydes ist ihrerseits Ausgangspunkt für die über mehrere Zwischenprodukte erfolgende Biosynthese von L-Lysin, während aus dem Homoserin das Methionin über drei Zwischenstufen gebildet wird.

Diese Darlegungen verdeutlichen die Zusammenschaltung und gegenseitige Abhängigkeit der Synthese der vier zur Aspartatfamilie gehörenden Aminosäuren. Die Struktur dieses „Syntheserechens" macht die Herausbildung hocheffektiver *Kontroll-* und *Regulationsmechanismen* erforderlich.

5.2.9. Die Biosynthese der Aminosäuren der Pyruvatfamilie

Ausgangsprodukt für die Synthese von Valin und Leucin ist das *Pyruvat*. Zunächst wird Pyruvat durch Reaktion mit dem *aktiven Acetaldehyd* (DB II) in *2-Acetolactat* umgewandelt, das danach über *2,3-Dihydroxyisovaleriansäure* in *2-Ketoisovaleriansäure* übergeht (Abb. 50). Letztere wird durch eine Transaminase mit Glutamat als Aminogruppendonator in *Valin* übergeführt.

Die Biosynthese von *Leucin* geht von *2-Ketoisovaleriansäure* aus, indem diese mit *Acetyl-CoA* reagiert und dabei *3-Carboxy-3-hydroxyisocapronat* gebildet wird. Über zwei weitere Zwischenstufen wird letzteres in Leucin umgewandelt.

Im Prinzip besteht der Weg von 2-Ketoisovaleriansäure zum Leucin darin, daß ein Acetyl-CoA-Molekül an dieses Substrat angekoppelt wird und sich daran eine oxidative Decarboxylierung anschließt.

An diesem Beispiel wird das bei Biosynthesevorgängen verwirklichte Prinzip deutlich, das bei der *Überführung* einer *α-Ketocarbonsäure* in ihr nächst *höheres Homologes* angewendet wird: Reaktion mit *Acetyl-CoA* und anschließende *oxidative Decarboxylierung.*

Der letzte Schritt der Leucinsynthese besteht in der Einführung einer Aminogruppe in das Molekül durch Transaminierung mit Glutamat als Aminogruppendonator.

5.2.10. Die Biosynthese der Aminosäuren der Shikimisäurefamilie (aromatische Aminosäuren)

Wie bei den vorangegangenen Synthesewegen fungieren auch in den Biosynthesewegen von *Phenylalanin* und *Tryptophan* einfach gebaute Substrate der *labilen Mischphase* als Ausgangsprodukte; es sind dies das *D-Erythrose-4-phosphat* (über dessen Bildung s. S. 27) und das *Phosphoenolpyruvat.* Diese lagern sich in einer ersten Reaktion zu *3-Desoxy-D-arabinoheptulosonat-7-phosphat* zusammen (Enzym: *Phospho-2-keto-3-desoxyheptantaldolase*). Über die Stufe der *Shikimisäure* und einige ihrer Derivate entsteht *Chorisminsäure* (deren Salze heißen Chorismate) (S. Abb. 51 auf Faltblatt).

Bis zur Chorisminsäure verlaufen die Synthesewege von Phenylalanin (sowie Tyrosin) und Tryptophan zusammen.

Zur Bildung von *Phenylalanin* wird *Chorisminsäure* in *Prephensäure* überführt, die dann unter Decarboxylierung und Dehydratisierung zum *Phenylpyruvat* umgewandelt wird; aus diesem entsteht dann unter Transaminierung mit Glutamat als NH_2-Donator das *Phenylalanin.*

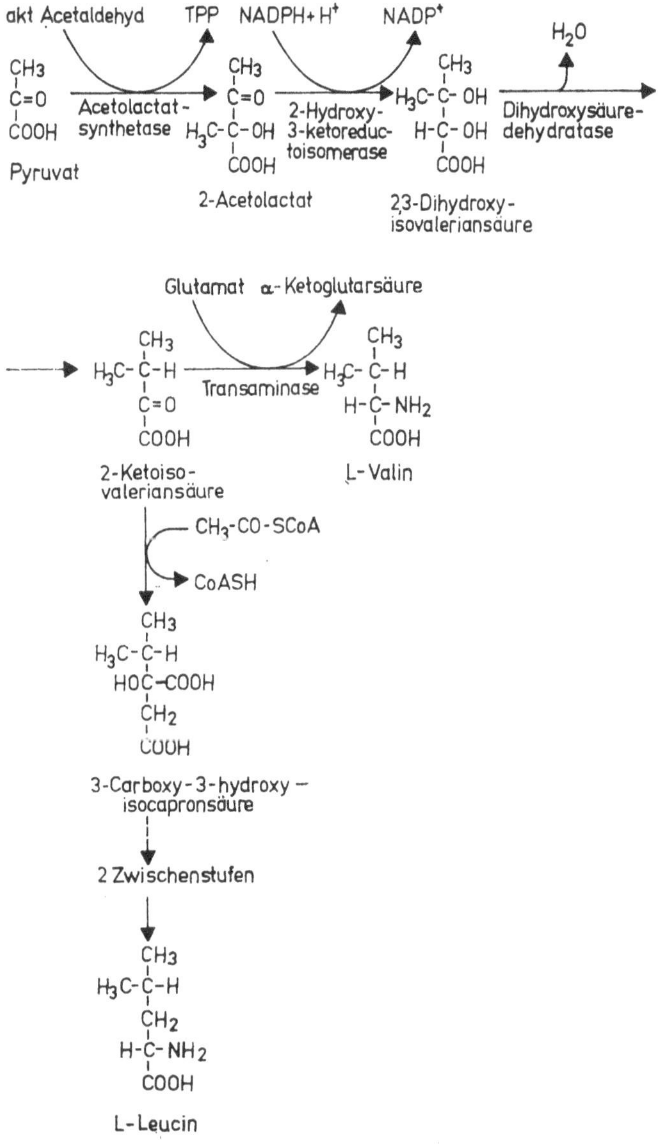

Abb. 50. Die Biosynthese der zur Pyruvatfamilie gehörenden Aminosäuren

Prephensäure kann auch durch Decarboxylierung und Dehydrierung zu *γ-Hydroxyphenylpyruvat* und dieses dann weiter durch Transaminierung zu *Tyrosin* umgewandelt werden (über die Hydroxylierung von Phenylalanin zu Tyrosin im tierischen Organismus s. S. 201 f.).

Zur Synthese von *Tryptophan* wird *Chorisminsäure* durch die *Anthranilatsynthetase* unter Aufnahme einer Aminogruppe (NH_2-Donor: Glutamin) und Abspaltung von Pyruvat in *Anthranilsäure* umgewandelt. Diese reagiert mit *5-Phosphoribosylpyrophosphat* weiter unter der Katalyse der *Anthranilatphosphoribosyltransferase*, wobei unter Abspaltung von Pyrophosphat die *N-(5'-Phosphoribosyl)-anthranilsäure* gebildet wird. Diese wird über eine Zwischenstufe in *Indol-3-glycerinphosphat* übergeführt, das unter Abspaltung von *D-Glycerinaldehyd-3-phosphat* in enzymgebundenes Indol umgewandelt wird, welches danach unter Verbrauch von *L-Serin* zu *Tryptophan* sofort weiterreagiert. Die unter intermediärer Bildung von Indol erfolgende Reaktion des Indol-3-glycerinphosphates mit Serin zu Tryptophan wird durch die *Tryptophansynthetase* katalysiert.

5.2.11. Die Biosynthese des Histidins

Die Synthese von *Histidin* geht vom *D-Ribose-5-phosphat* aus und führt zunächst unter ATP-Verbrauch und ADP-Bildung zum Aufbau von *α-D-5-Phosphoribosylpyrophosphat* (Enzym: *Ribose-5-phosphatpyrophosphokinase*).

Dieses wird unter Katalyse der *ATP-Phosphoribosyltransferase* unter ATP-Verbrauch und Freisetzung von Pyrophosphat zu *Phosphoribosyl-ATP* umgewandelt, das dann unter Pyrophosphatabspaltung zu Phosphoribosyl-AMP und unter Aufspaltung des Purinringes seines AMP-Anteiles in *Phosphoribulosylformimino-amino-1-(5-phosphoribosyl)-4-imidazolcarboxamid* übergeht. Über vier weitere Zwischenstufen entsteht dann daraus das *Histidin* (Abb. 52, s. Faltblatt).

5.3. Regulation der Aminosäurebiosynthese in Mikroorganismen

5.3.1. Allgemeines

Wie aus den vorhergehenden Abschnitten hervorgeht, vollzieht sich in Mikroorganismen die Biosynthese von Aminosäuren innerhalb ihrer Familien in der Form von *Stoffwechselketten*. Die eingeschlagenen Stoffwechselwege können *unverzweigt* oder *verzweigt* sein; im letzteren Fall werden aus einer einzigen Ausgangssubstanz verschiedene Produkte gebildet.

Für die Regulation der Biosynthese der Aminosäuren gelten prinzipiell alle die Gesetzmäßigkeiten, die für die Kontrolle von Stoffwechselketten im Kapitel 2 abgehandelt wurden.

Im folgenden wollen wir uns mit der Anwendung dieser allgemeinen Gesetzmäßigkeiten auf die Synthese von Aminosäuren befassen und dabei einige besondere *Typen* von *Regulationsmechanismen* kennenlernen. Die mikrobielle Biosynthese der Aminosäuren ist einer genauen Regulation unterworfen. Es läßt sich die allgemeine Regel aufstellen, daß Aminosäuren ebenso wie Purine, Pyrimidine, Lipide u. a. lebensnotwendige Stoffe in der Zelle eines Prokaryonten aus ihren Vorläufern nur dann synthetisiert werden, wenn ein Bedarf für sie vorliegt.

Wächst ein Bakterium auf einer anorganischen N-Quelle, so synthetisiert es alle für sein Wachstum, d. h. für seine Proteinbiosynthese notwendigen Aminosäuren in dem erforderlichen Ausmaß selbst; setzt man seinem Wachstumsmedium aber eine bestimmte Aminosäure zu, z. B. Histidin oder Tryptophan, so synthetisiert der Mikroorganismus alle Aminosäuren mit Ausnahme derjenigen, die dem Medium zugesetzt wurden. Dies zeigt, daß in der Bakterienzelle hocheffektive Regulationsmechanismen existieren, die von großer ökonomischer Bedeutung für den Zellstoffwechsel sind.

Prokaryonten eignen sich besonders gut zum Studium der Stoffwechselregulation, da sie 1. leicht gezüchtet werden können und eine hohe Zellteilungsgeschwindigkeit besitzen, 2. die Zusammensetzung ihres Mediums experimentell schnell und gezielt verändert werden kann, 3. ihre intrazelluläre strukturelle Organisation im Vergleich zur Eukaryontenzelle relativ einfach ist, 4. ihr Stoffwechsel leicht verändert, d. h. an bestimmte Umweltbedingungen angepaßt werden kann und 5. ihr Stoffwechsel durch Mutationen im genetischen System variierbar ist (Näheres hierüber lese man in DB IV nach).

Man hat erkannt, daß die Regulation der Biosynthese von Aminosäuren und anderer Bausteine von Makromolekülen, z. B. von Purinen und Pyrimidinen, auf verschiedenen Ebenen erfolgt, von denen das *epigenetische* und das *metabolische Regulationssystem* im Vordergrund stehen. Unter dem Gesichtspunkt, daß Mutationen in der DNS als Träger der Erbanlagen vererbbare Veränderungen im Enzymbestand und in der Enzymstruktur hervorrufen können, hat für die Regulation des Stoffwechsels natürlich auch das *genetische System* Bedeutung. Eine mutationsbedingte Störung in der Regulation der Synthese einer Aminosäure kann beispielsweise dazu führen, daß die Aminosäure ungezügelt produziert und an das Medium abgegeben wird („rückkopplungsresistente" Mutanten). Dies macht man sich bei der großtechnischen Gewinnung von L-Aminosäuren zunutze, die für verschiedene Zwecke, z. B. für die Aufwertung von Proteinen oder für die Herstellung bestimmter Diätformen, verwendet wurden.

Das *epigenetische Regulationssystem* entscheidet über den Enzymbestand einer Zelle (S. 72). Es bestimmt darüber, ob ein einzelnes Enzym oder die Enzyme einer ganzen Biosynthesekette, z. B. die Enzyme des Histidinbiosyntheseweges, synthetisiert werden oder nicht. Bei Anwesenheit von Histidin im Wachstumsmedium werden die histidinsynthetisierenden Enzyme nicht gebildet, so daß sie in der Zelle nicht nachweisbar sind. Die Unterdrückung (Repression) der Biosynthese von Enzymen ist das Ergebnis von Regulationsmechanismen im epigenetischen System (Näheres in DB IV).

Wir wollen uns hier auf die Regulation der Aminosäurebiosynthese auf *metabolischer Ebene*, d. h. bei *konstanter Enzymausstattung* der Zelle konzentrieren.

Im Vordergrund dieses Systems steht die Regulation der Aktivitäten solcher Enzyme, die sich an *strategisch wichtigen Stellen* einer *Stoffwechselkette* befinden, z. B. an ihrem *Anfang* oder, im Falle von verzweigten Stoffwechselwegen, an den *Verzweigungspunkten*. Es gilt die allgemeine Regel, daß an derartigen, für die Durchflußkontrolle und (im Falle von Verzweigungen) für die Regulation der Substratverteilung bedeutungsvollen Orten *allosterische Enzyme* sitzen, deren Aktivitäten durch die Endprodukte der Kette reguliert werden und die auf diese Weise ihre Schrittmacherfunktion für den gesamten Stoffwechselweg erfüllen (S. 80). Man spricht von einer „Endproduktmodulation" des Schrittmacherenzyms, die meist in dessen *allosterischer Hemmung* besteht. In einer Biosynthesekette ist als *Endprodukt* diejenige Substanz definiert, die unmittelbar als *Baustein* für die *Biosynthese* von *Makromolekülen* dient, z. B. Aminosäuren für die Proteinsynthese oder Nucleosidphosphate für die Synthese von Nucleinsäuren.

In einer unverzweigten Biosynthesekette einer Aminosäure, z. B. in dem Weg, der zur Synthese von Histidin führt, wird infolge Rückkopplungshemmung ihres ersten Enzyms durch das Endprodukt Histidin, eine Erniedrigung der Biosynthesegeschwindigkeit bewirkt (Abb. 52). Komplizierter ist es aber in einer verzweigten

Kette, die verschiedene Endprodukte hat, z. B. bei der Aspartatfamilie (Abb. 49). In einem solchen Falle würde die Hemmung des ersten Enzyms durch eines der Endprodukte zur Unterbindung der Synthese auch der anderen Endprodukte führen. Zur Vermeidung einer dadurch notwendigerweise eintretenden metabolischen Unordnung produziert die Zelle mehrere Isoenzyme für die erste Reaktion einer solchen verzweigten Stoffwechselkette, in unserem Falle also mehrere Aspartatkinasen (*E. coli*) (S. 184 ff.). Diese unterscheiden sich in ihrer allosterischen Beeinflußbarkeit, indem jedes von ihnen nur durch eines der verschiedenen Endprodukte hemmbar ist. Man bezeichnet dieses Phänomen als *Isoenzymregulation* (*Regulationstyp 1*).

Anstelle einer solchen Isoenzymregulation kann eine verzweigte Stoffwechselkette auch durch die sog. *konzertierte* oder *multiple Rückkopplungshemmung* reguliert werden (*Regulationstyp 2*). So produzieren zum Unterschied von *E. coli* andere Mikroorganismen (z. B. *Rhodopseudomonas capsulatus*) nur eine Aspartatkinase. Diese wird aber weder durch Threonin noch durch Lysin allein gehemmt, sondern nur wenn beide Aminosäuren gemeinsam vorhanden sind.

Ein weiteres Prinzip der Regulation einer Stoffwechselkette ist die *kooperative Modulation* der Aktivität des Schrittmacherenzyms (*Regulationstyp 3*). Dieser Regulationstyp wurde vor allem im Purinsyntheseweg studiert (vgl. mit S. 221 und 227). Die kooperative Modulation besteht darin, daß das erste Enzym einer verzweigten Kette durch deren Endprodukte zwar einzeln gehemmt wird, die Hemmung bei gleichzeitiger Anwesenheit beider Endprodukte aber größer als die Summe der Einzelhemmungen ist. So hemmen GMP und AMP jeweils einzeln in einem bestimmten Ausmaß das erste Enzym der Purinbiosynthese, die Glutamin-PRPP-amidotransferase; gemeinsam ist aber die ausgelöste Hemmung größer als die Summe der Einzelhemmungen.

Bei der sog. *kumulativen Endprodukthemmung* (*Regulationstyp 4*) gibt es keine Kooperation und keinen Antagonismus zwischen den einzelnen Hemmstoffen eines Enzyms. Jeder Produktinhibitor trägt zur Gesamthemmung des Enzyms in einem bestimmten Ausmaß unabhängig von der Anwesenheit anderer Inhibitoren bei. Wenn zwei Inhibitoren gleichzeitig in sättigenden Konzentrationen vorhanden sind, so ergibt sich die Restaktivität des Enzyms aus dem Produkt derjenigen Restaktivitäten, die bei Anwesenheit von jeweils nur einem Inhibitor gemessen werden.

Der *Regulationstyp 5* der Endprodukthemmung ist die sog. *sequentielle Modulation* der Enzymaktivität. Eine derartige Rückkopplungshemmung wurde im Syntheseweg der Shikimisäurefamilie (Tryptophan, Phenylalanin und Tyrosin) beobachtet (Abb. 51). Sie besteht darin, daß das erste Enzym nach der Verzweigung der Stoffwechselkette durch Rückkopplungskontrolle des Endproduktes der Kettenverzweigung beeinflußt wird, also die Chorisminsäuremutase unter der Endprodukthemmung des Phenylalanins und die Anthranilsäuresynthetase unter der Endprodukthemmung des Tryptophans stehen (vgl. mit S. 178 ff.). Die Aminosäuren an den Verzweigungsstellen jedoch, nämlich die Chorisminsäure und die Prephensäure, regulieren ihrerseits das Enzym des für alle drei Aminosäuren gemeinsamen Kettenabschnittes, also die Phospho-2-keto-3-desoxyheptanataldolase.

Neben den verschiedenen Formen allosterischer Kontrolle gibt es im Aminosäurestoffwechsel von Mikroorganismen auch die Möglichkeit *kovalenter Modifizierung* von Enzymen, wie wir sie im Glykogenstoffwechsel der Leber und der Muskulatur kennengelernt haben (S. 49 ff.). Als wichtiges Beispiel eines Enzyms des Aminosäurestoffwechsels, das in zwei reversibel ineinander umwandelbaren, kovalent modifizierten Formen vorliegen kann, werden wir auf S. 186 die *Glutaminsynthetase* kennenlernen.

5.3.2. Rückkopplungsmechanismen in der Aspartatfamilie als Beispiel einer verzweigten Biosynthesekette

Im folgenden wollen wir uns die Prinzipien der Regulation einer verzweigten Biosynthesekette am Beispiel der Aspartatfamilie etwas näher ansehen. Asparaginsäure ist die gemeinsame Quelle für die Biosynthese von Threonin, Lysin, Methionin und Isoleucin (S. 177). Der für alle vier Aminosäuren gemeinsame, also vor der ersten Verzweigung liegende Kettenabschnitt, wird durch die *Aspartatkinase* eingeleitet (Abb. 49). Dieses Enzym katalysiert die erste Reaktion in der sich später verzweigenden Biosynthesekette. In *E. coli* erfolgt die *Regulation* dieses Schrittes durch die Existenz von *drei Isoenzymen* der *Aspartatkinase*:

a) die *Aspartatkinase I* steht unter der Rückkopplungshemmung durch Threonin; b) die *Aspartatkinase II* befindet sich unter der Kontrolle des Methionins (Methionin ist Repressor, nicht aber Inhibitor) c) die *Aspartatkinase III* wird durch Lysin gehemmt.

Darin kommt das Prinzip der Isoenzymregulation (Regulationstyp 1 auf S. 183) zum Ausdruck.

Durch diese unterschiedliche Rückkopplungshemmung der drei Isoenzyme ist eine unabhängige Regulation des ersten Schrittes der Biosynthesekette durch die jeweiligen Aminosäureendprodukte möglich.

Weiterhin besitzt *E. coli zwei* verschiedene *Homoserindehydrogenasen*: die durch Threonin hemmbare *Homoserindehydrogenase I* und die durch Methionin reprimierbare, nicht aber durch diese Aminosäure hemmbare *Homoserindehydrogenase II*. Durch die Existenz dieser beiden Isoenzyme wird bei Überschuß von Threonin dessen Bildung gehemmt, die Biosynthese des Methionins aber nicht beeinflußt. Auffallend ist, daß die Isoenzyme I und II der Aspartatkinase und der Homoserindehydrogenase jeweils die gleichen Inhibitoren bzw. Repressoren haben.

Eingehende Untersuchungen haben nun ergeben, daß *Aspartatkinase I* und *Homoserindehydrogenase I* durch *ein und dasselbe Enzymmolekül* sowie *Aspartatkinase II* und *Homoserindehydrogenase II* ebenfalls durch ein *einziges Enzymmolekül* repräsentiert werden. Ein und dasselbe Enzymmolekül katalysiert also jeweils zwei ihrem Wesen nach völlig verschiedene Reaktionen, nämlich eine Phosphatübertragung vom ATP auf Asparaginsäure und eine Wasserstoffübertragung von hydriertem Pyridinnucleotid (NADPH) auf L-Aspartyl-β-semialdehyd (COHEN, TRUFFA-BACHI).

Der *Aspartatkinase-I-Homoserindehydrogenase-I-Komplex* besitzt ein Molekulargewicht von 360000 und ist aus vier identischen Untereinheiten zu je etwa 90000 Dalton aufgebaut. Eine kluge Experimentierstrategie (limitierte Proteolyse des Enzymproteins und Verwendung einer geeigneten Mutante von *E. coli*) führte zu der Einsicht, daß die beiden Aktivitäten in verschiedenen Regionen der Untereinheiten lokalisiert sind. Die *Aspartatkinaseaktivität* befindet sich in dem Abschnitt der Polypeptidkette, der die *endständige Aminogruppe* trägt, während sich die *Homoserindehydrogenaseaktivität* in dem Teil auffinden läßt, der mit der *freien Carboxylgruppe* endet. Möglicherweise ist das Auftreten dieses bifunktionellen Enzyms auf eine Genfusion im Verlauf der Evolution zurückzuführen.

Zwischen den beiden Aktivitäten des Enzymproteins bestehen reziproke Beziehungen: die Substrate der Aspartatkinase, Asparaginsäure und ATP, hemmen die Homoserindehydrogenaseaktivität, während Homoserin und NADP Inhibitoren der Aspartatkinase sind. Diese Wechselwirkungen machen deutlich, wie fein die

Abstimmungen zwischen den beiden Enzymaktivitäten in diesem Protein und damit in der Biosynthese von Methionin, Threonin und Isoleucin sind.

Da es nicht möglich ist, alle Regulationsmechanismen innerhalb der Aspartatfamilie zu besprechen, sei nur noch die Regulation der Isoleucinbildung aus Threonin kurz analysiert.

Das erste Enzym in dieser Kette, die *Threonindehydratase* (*Threonindesaminase*), wird äußerst empfindlich durch das Endprodukt *Isoleucin* gehemmt. Dieser Regelmechanismus ist für die Bakterienzelle von großer ökonomischer Bedeutung. Nimmt die Isoleucin-Konzentration infolge gesteigerter Eiweißsynthese ab, wird ihre Hemmwirkung auf die Threonindehydratase geringer. Dies verursacht eine Steigerung der Isoleucinsynthese. Dadurch wird für den notwendigen Nachschub dieser Aminosäure für die Proteinsynthese und für das Wachstum des betreffenden Mikroorganismus gesorgt (UMBARGER).

Für Hefe hat HOLZER eine weitere interessante Beziehung in diesem System aufgedeckt: das bei der Threonindehydratasereaktion freiwerdende NH_4^+ beeinflußt ebenfalls dieses Enzym, jedoch auf indirekte Weise. NH_4^+ reprimiert nämlich seine Synthese, wenn es sich im Kulturmedium anhäuft. Wir haben hier folglich die beiden Möglichkeiten der Beeinflussung einer enzymatischen Reaktion vor uns: *Rückkopplung* und *Repression*.

Auch *Methionin* und *Lysin* wirken auf die *ersten Enzyme* ihrer individuellen Biosyntheseketten, d. h. nach den jeweiligen Verzweigungsstellen, negativ rückkoppelnd. So hemmen Methionin die Homoserintranssuccinylase und L-Lysin die Dihydropicolinatsynthetase, wodurch sie, ähnlich wie das L-Isoleucin, jeweils eine spezifische Kontrolle auf ihre Synthese ausüben.

5.3.3. *Die Regulation der Glutaminsynthetase durch kovalente Modifizierung*

Glutaminsynthetase katalysiert die Bildung von Glutamin aus Glutaminsäure und Ammoniak unter Verbrauch von ATP (S. 166):

$$\text{Glutaminsäure} + NH_3 + ATP \rightarrow \text{Glutamin} + ADP + \text{Ⓟ}$$

Das Enzym hat eine große zellphysiologische Bedeutung, da die *Amidgruppe* des *Glutamins* als Stickstoffquelle für die *Synthese* von *Tryptophan* und *Histidin* sowie von *Purinen*, *Pyrimidinen*, *Aminozuckern* und anderen Verbindungen dient. Es ist deshalb nicht verwunderlich, daß die Glutaminsynthetase äußerst wichtigen Kontrollmechanismen unterliegt. Diese wurden besonders in *E. coli* untersucht (Stadtman, Holzer).

Die Synthese der Glutaminsynthetase wird durch hohe Konzentrationen von NH_4^+ reprimiert, während Glutaminsäure eine Derepression bewirkt. Die Enzymaktivität steht weiterhin infolge *kumulativer Hemmung* (Regulationstyp 4 auf S. 183) durch CTP, AMP, Tryptophan, Histidin usw. unter starker *negativer Rückkopplung*.

Von entscheidender Bedeutung aber ist die Tatsache, daß das Enzym in *zwei* enzymatisch *ineinander umwandelbaren Formen* vorliegt, von denen die eine Adenylsäure kovalent gebunden hat (*adenylylierte Form*), die andere adenylsäurefrei ist (*nichtadenylylierte Form*).

Glutaminsynthetase hat ein Molekulargewicht von 600000; sie besteht aus 12, wahrscheinlich identischen, Untereinheiten. Die Enzymaktivität sowie weitere Eigenschaften der Glutaminsynthetase (Kationenspezifität, Hemmbarkeit und pH-Optimum) werden durch die kovalente Modifizierung des Glutaminsynthetaseproteins verändert. Die Modifizierung besteht in einer Adenylylierung je einer Tyrosylgruppe einer Untereinheit. Das volladenylylierte Enzym enthält demnach 12 kovalent gebundene Adenylsäurereste. Der Adenylsäuredonator ist ATP:

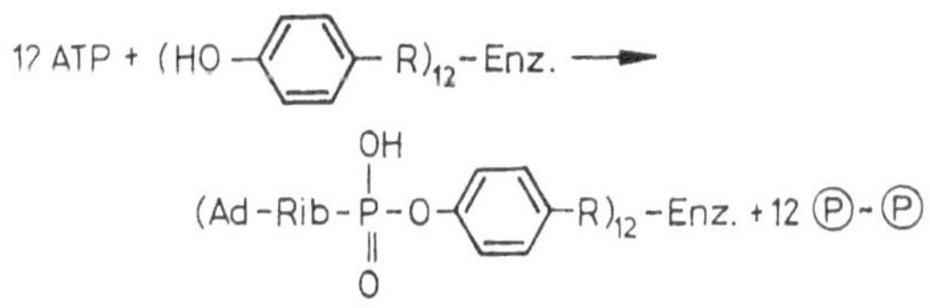

Das adenylylierte Enzym (Form b) besitzt nur etwa 20% der Aktivität des nichtadenylylierten Enzyms (Form a). Das Enzym, welches diese Reaktion katalysiert, ist sehr spezifisch und wird als ATP-Glutaminsynthetaseadenylyltransferase (kurz: *Adenylyltransferase*) bezeichnet. Das adenylylierte Enzym ist im Gegensatz zum nichtadenylylierten hochempfindlich gegenüber Rückkopplungshemmung durch die oben genannten Inhibitoren.

Die Adenylylierung ist ein reversibler Vorgang. Obwohl durch ein und dasselbe Enzym katalysiert, werden Adenylylierung und Desadenylylierung durch Effektoren unterschiedlich beeinflußt.

Der erstgenannte Prozeß wird durch Glutamin stimuliert und durch UTP sowie α-Ketoglutarat gehemmt; die Desadenylylierung hingegen wird durch Glutamin gehemmt und durch α-Ketoglutarat sowie UTP aktiviert. Das hat zur Folge, daß bei Stickstoffüberschuß im Kulturmedium (niedriger α-Ketoglutarat/Glutamin-Quotient) die weniger aktive, adenylylierte Form mit hoher Rückkopplungshemmung begünstigt ist, während bei Stickstoffmangel (hoher α-Ketoglutarat/Glutamin-Quotient) die hochaktive, nur schwach hemmbare Glutaminsynthetase entsteht, wodurch der unter diesen Bedingungen gesteigerte Bedarf an Glutamin gedeckt werden kann (Abb. 53).

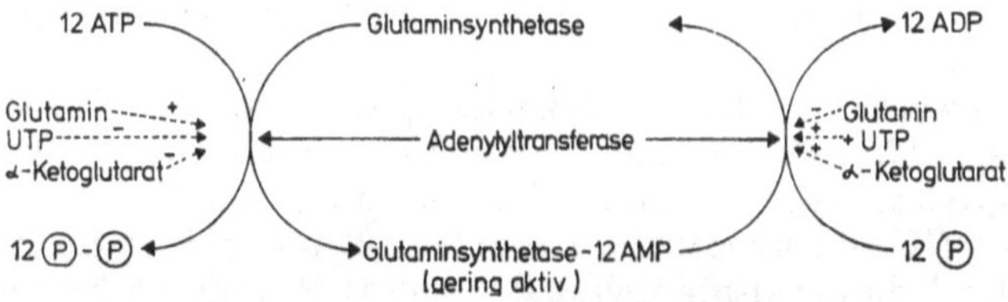

Abb. 53. Der Adenylylierungs- und Desadenylylierungscyclus der Glutamatsynthetase

Die Desadenylylierung der Glutaminsynthetase ist ein phosphorolytischer Vorgang, bei dem die AMP-O-tyrosylverbindung unter Bildung von ADP gespalten wird.

Die Fähigkeit der Adenylyltransferase entweder adenylylierend oder desadenylylierend zu wirken, steht unter dem Einfluß eines Regulatorproteins, das man als P_{II}-Protein bezeichnet. P_{II} kommt ebenfalls in zwei ineinander umwandelbaren Formen vor, einer UMP-enthaltenden und einer UMP-freien Form. Die UMP-freie Form stimuliert allosterisch die Adenylylierungsaktivität der Adenylyltransferase, die UMP-haltige Form dagegen die Desadenylylierungsaktivität der Adenylyltransferase. Die Uridylylierung von P_{II} wird durch die Uridylyltransferase katalysiert.

$$4\,UTP + P_{II} \xrightarrow{\text{Uridylyltransferase}} P_{II}\text{-}(UMP)_4 + 4\text{Ⓟ}-\text{Ⓟ}$$

Die Desuridylylierung von P_{II}-(UMP) erfolgt durch eine Hydrolase:

$$P_{II}\text{-}(UMP)_4 + 4\,H_2O \rightarrow P_{II} + 4\,UMP$$

P_{II} hat ein Molekulargewicht von 44000 und enthält vier Untereinheiten mit je zwei Tyrosylgruppen, von denen jeweils eine pro Untereinheit uridylyliert wird.

Die Abb. 54 gibt die Beziehungen zwischen Adenylyltransferase und P_{II} schematisch wieder und zeigt den so entstehenden Kaskadenmechanismus. Dieser hat eine gewisse Ähnlichkeit mit der Reaktionskaskade der kovalenten Phosphorylaseregulation.

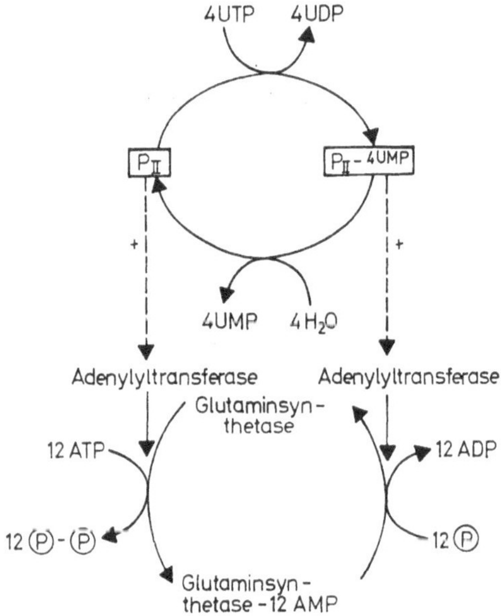

Abb. 54. Der bicyclische Kaskadenmechanismus für die Regulation der Glutaminsynthetaseaktivität

Jedoch hat das bicyclische Kaskadensystem der Glutaminsynthetaseregulation gegenüber dem Phosphorylasesystem die Besonderheit, daß ein und dasselbe Enzym entgegengesetzte Prozesse, nämlich die Adenylylierung und Desadenylylierung, katalysiert und die beiden ineinander umwandelbaren Formen von P_{II} die jeweilige Reaktionsrichtung der Adenylyltransferase bestimmen. Im Phosphorylasesystem hingegen katalysiert jeweils nur die aktive Form eines Enzyms den nächsten Schritt. Die Aktivierung und Inaktivierung eines Enzyms werden bei der Phosphorylase durch jeweils verschiedene Enzyme bewirkt.

5.4. *Der Stoffwechsel der einzelnen Aminosäuren im menschlichen und tierischen Organismus*

5.4.1. *Serin und Glycin*

Diese beiden Aminosäuren sind nichtessentiell. Sie werden deshalb gemeinsam besprochen, da sie im Stoffwechsel sehr eng miteinander verbunden sind und durch Katalyse der *Serinhydroxy-*

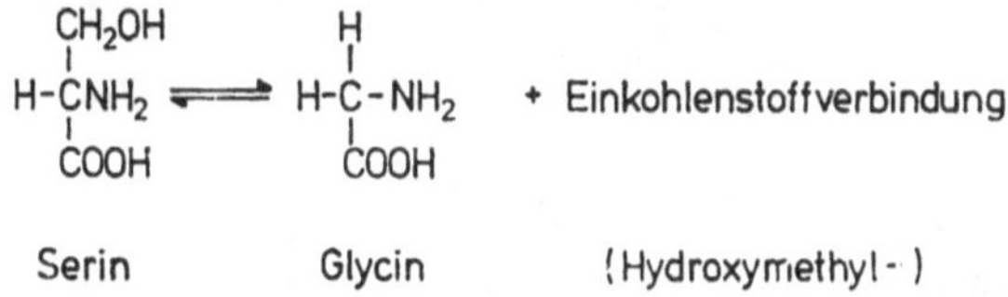

methyltransferase ineinander umgewandelt werden können. Man kann annehmen, daß Serin im Säugetierorganismus durch diese Reaktion auch in gewissem Umfang aus Glycin entsteht. Die Umwandlung ist abhängig von der *Tetrahydrofolsäure*, die als Überträgerin der entstehenden *Einkohlenstoffverbindung* wirkt (Abb. 74).

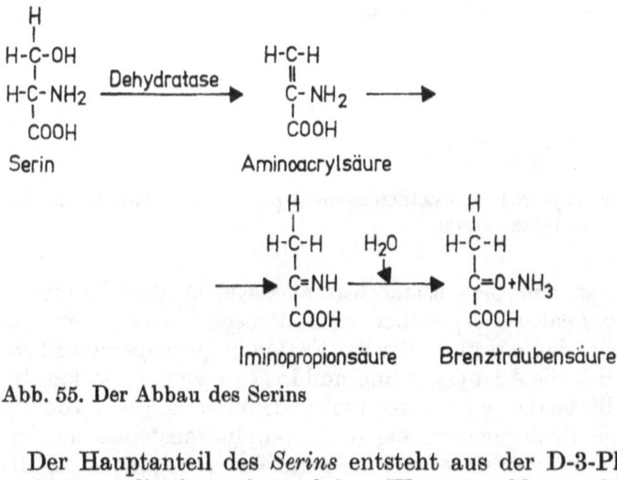

Abb. 55. Der Abbau des Serins

Der Hauptanteil des *Serins* entsteht aus der D-3-Phosphoglycerinsäure, die ihrerseits auf dem Wege des Glucoseabbaues entsteht. Unmittelbare Vorläufer des Serins sind die Hydroxybrenztraubensäure bzw. das Phosphoserin (Abb. 56).

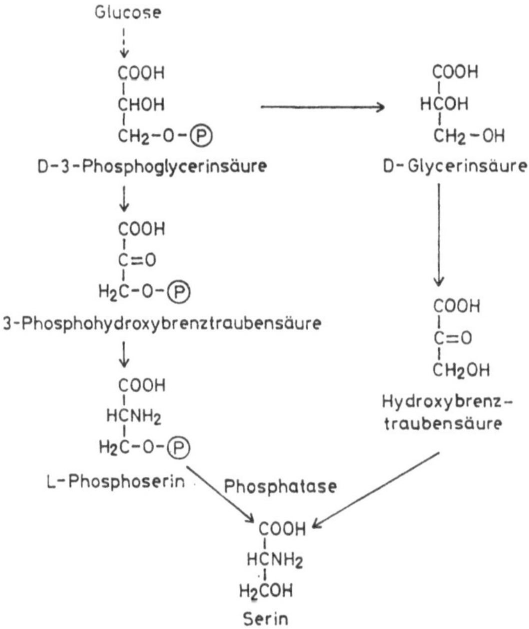

Abb. 56. Die Bildung von Serin aus Glucose und Glycerinsäure

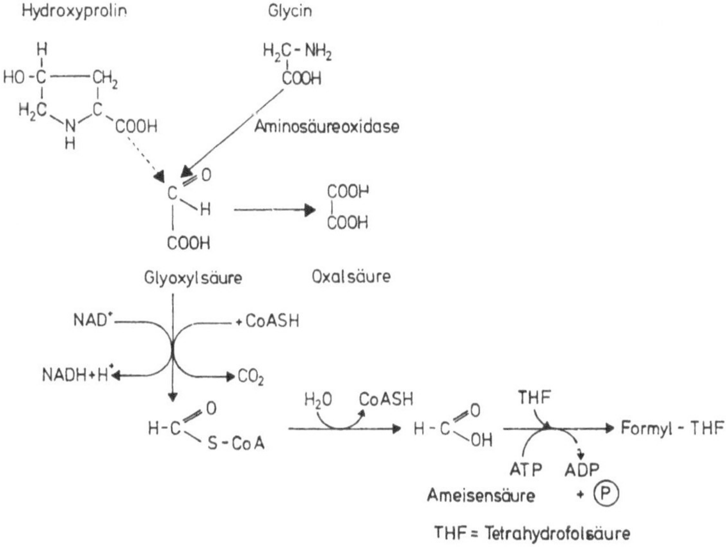

Abb. 57. Der Abbau von Glycin und (Hydroxyprolin)

Der Abbau des *Serins* wird durch eine *pyridoxalphosphatabhängige Dehydratase* eingeleitet, die aus dieser Aminosäure Wasser abspaltet und sie dabei in *Aminoacrylsäure* umwandelt; diese geht in die Iminoform über, die dann unter Abspaltung von NH_3 *Brenztraubensäure* bildet (s. Abb. 55).

Der *Glycinabbau* bzw. die weitere Verwertung des Glycins vollzieht sich auf folgenden Wegen: 1. Abbau über Glyoxylsäure zu *Oxalsäure* bzw. *Ameisensäure* (Abb. 57); 2. Verwertung für die *Porphyrinsynthese* durch Kondensation mit Succinyl-CoA (S. 134); 3. Verwertung für die Biosynthese der *Purine* (S. 221); 4. Verwertung für die Biosynthese des *Kreatins* (S. 215); 5. Kopplung mit *Gallensäuren* (S. 125).

5.4.2. *Cystein und Cystin*

Cystein und *Cystin* können durch Hydrierung und Dehydrierung ineinander übergehen. Cystin besteht aus zwei Cysteinresten und entsteht durch Dehydrierung aus dem Cystein.

Die *Biosynthese* des Cysteins im Organismus geht vom *Methionin* aus. Dieses wird über *Homocystein* zu Cystein umgewandelt (Abb. 60, 61).

Bei seinem Abbau geht das *Cystein* in *Pyruvat* über. Hierzu werden zwei Wege beschritten (Abb. 58).

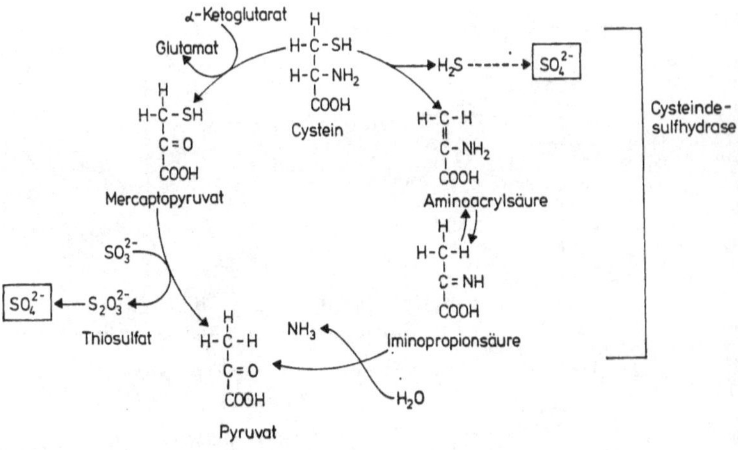

Abb. 58. Der Abbau des Cysteins

a) durch eine pyridoxalphosphatabhängige Desulfhydrase wird von dem β-C-Atom des Cysteins H_2S abgespalten und dabei *Aminoacrylsäure* gebildet; wie beim Abbau des Serins (S. 190) geht diese in die *Iminopropionsäure* über, aus der dann durch NH_3-Abspaltung *Brenztraubensäure* entsteht. Der *Schwefelwasserstoff* wird durch Oxidation in *Sulfat* übergeführt. Letzteres wird entweder im Harn ausgeschieden oder nach Aktivierung zur Biosynthese von sulfathaltigen Mucopolysacchariden (Glykosaminoglykane) oder zur Entgiftung von Phenolen, Indol und Steroidhormonen benutzt.

   Die Aktivierung von Sulfat erfolgt in einer zweistufigen Reaktion mittels ATP: im ersten Schritt entsteht *Adenylylsulfat* und danach das *3'-Phosphoadenylylsulfat* (PAPS); von diesem wird dann das Sulfat auf die entsprechenden Acceptoren übertragen (Abb. 59);

b) die zweite Möglichkeit des Cysteinabbaues wird durch eine Transaminierung mit α-Ketoglutarat als Aminoacceptor eingeleitet. Das dabei entstehende *Mercaptopyruvat* wird durch eine Sulfurtransferase in Pyruvat umgewandelt; Sulfit fungiert dabei als Schwefelacceptor unter Bildung von Thiosulfat, das danach weiter zum Sulfat oxidiert wird (Abb. 58).

5.4.3. Methionin

Methionin ist eine *essentielle Aminosäure*, die eine wichtige Rolle im Zwischenstoffwechsel spielt. Seine *Methylgruppe* dient zur Biosynthese einer großen Zahl von Verbindungen. Die im Ergebnis der *Methylübertragung* auf einen Acceptor entstehende SH-Gruppe im Methioninmolekül wird zur Bildung von Cystein verwendet. Die Methylgruppe des Methionins wird zur Synthese von Cholin, Adrenalin und Kreatin sowie von methylierten Basen in RNS und DNS und anderen biologisch bedeutungsvollen Verbindungen benutzt. Die Methylübertragung wird *Transmethylierung* genannt.

Die Transmethylierung wird eingeleitet durch eine *Aktivierung* des Methionins, wobei ATP verbraucht wird und *S-Adenosylmethionin* entsteht. Dabei kommt es zu einer Übertragung des Adenosylrestes des ATP auf das Methionin, wodurch die Methylgruppe ein höheres Gruppenübertragungspotential erhält. Die Methylgruppe wird also aktiviert und kann somit leicht auf entsprechende Acceptoren übertragen werden. *S-Adenosylmethionin*

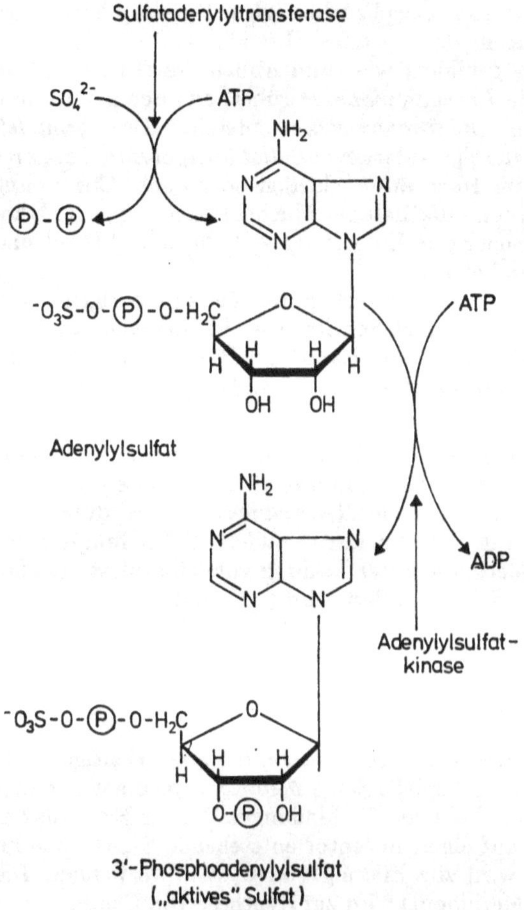

Abb. 59. Die Bildung von „aktivem Sulfat" aus Sulfat und ATP

ist der bedeutungsvollste *Methyldonor* im Stoffwechsel. Bei Methylabgabe geht das S-Adenosylmethionin in S-Adenosylhomocystein über, was danach hydrolytisch in Homocystein und Adenosin zerlegt wird (Abb. 60).

Homocystein wird entweder zum Methionin remethyliert oder abgebaut.

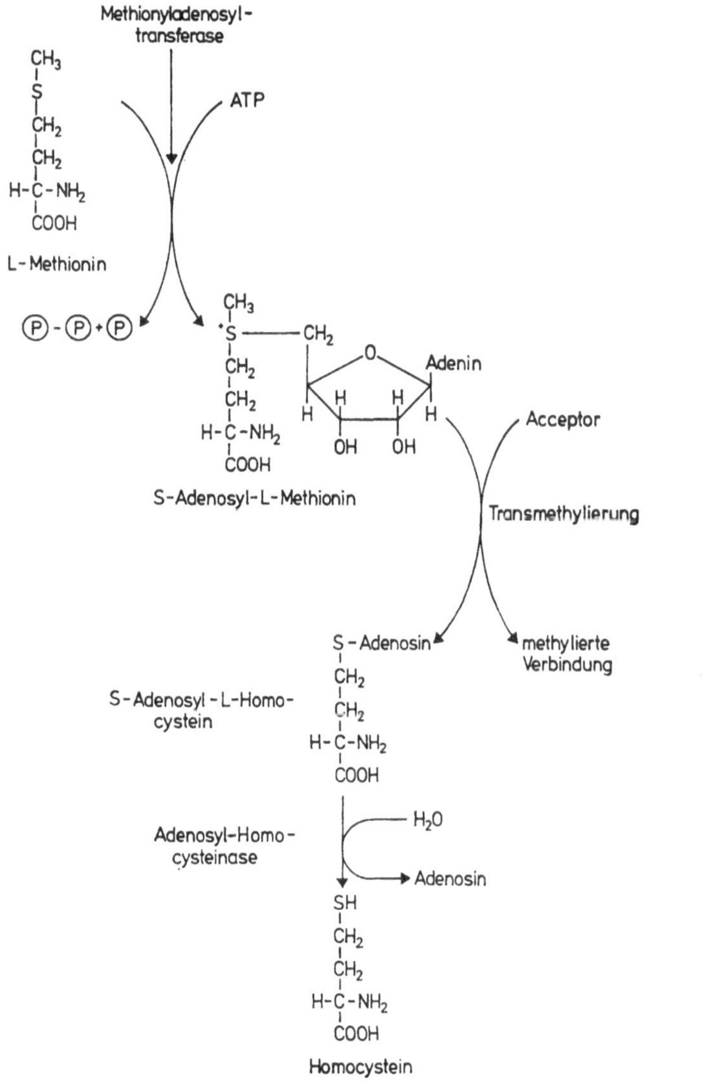

Abb. 60. Aktivierung von L-Methionin und Bildung von Homocystein

Die *Remethylierung* wird durch die Vitamin B_{12}-abhängige *Methioninsynthase* katalysiert. Methyldonor ist dabei die *Methyltetrahydrofolsäure* (Methyl-THF, S. 209 ff.). Man beachte, daß bei dieser Reaktion zwei Vitamine des B-Komplexes nötig sind: Vitamin B_{12} und Folsäure.

Beim Abbau des Homocysteins kommt es zu einer Schwefelübertragung (*Transsulfurierung*). Diese wird eingeleitet, indem Homocystein mit Serin unter *Cystathioninbildung* reagiert. Letzteres wird danach durch die Cystathionase hydrolytisch zu L-Cystein und L-Homoserin gespalten. Das Kohlenstoffskelett des gebildeten

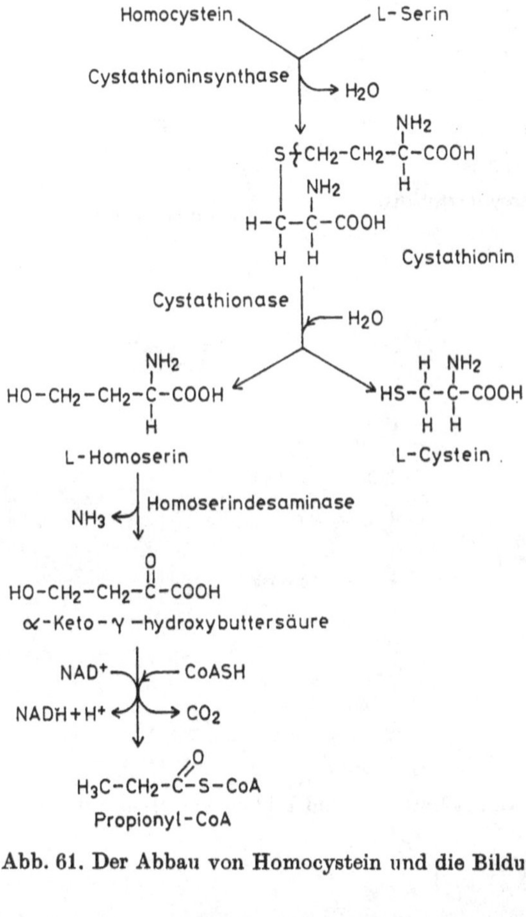

Abb. 61. Der Abbau von Homocystein und die Bildung von Cystein

Cysteins stammt demzufolge vom Serin und das des entstandenen Homoserins aus dem Homocystein (Abb. 61).

Auf diesem Wege wird aus dem Methionin Cystein gebildet. Es ist demzufolge berechtigt, auch *Cystein* zu den *essentiellen Aminosäuren* zu zählen (S. 176). Ein Mangel an Methionin führt zu einer Beeinträchtigung in der Bereitstellung von Cystein.

Das *Homoserin* geht im weiteren Abbau durch oxidative Desaminierung in *α-Keto-γ-hydroxybuttersäure* über, die dann in einer NAD- und Coenzym A-abhängigen Reaktion zu Propionyl-CoA oxidativ decarboxyliert wird (*α-Ketohydroxybuttersäuredehydrogenase*). Das Propionyl-CoA geht unter Zwischenschaltung von Methylmalonyl-CoA in Succinyl-CoA über, wodurch der Anschluß an den Citronensäurecyclus gefunden wird.

5.4.4. *Threonin*

Threonin ist eine *essentielle Aminosäure*. Es wird in seinem Abbau entweder durch die pyridoxalphosphatabhängige *Threoninaldolase* zu Glycin und Acetaldehyd gespalten oder durch die ebenfalls pyridoxalphosphatabhängige *Threonindehydratase* unter Abspaltung von NH_3 in α-Ketobuttersäure umgewandelt, die dann über Propionyl-CoA und Succinyl-CoA in den Citronensäurecyclus einmündet (s. o.) (Abb. 62). Das entstehende Glycin kann in Serin umgewandelt und dieses über Pyruvat zu Acetyl-CoA abgebaut werden. Letzteres entsteht auch aus dem Acetyldehyd, der FAD-abhängig zu Acetat als Zwischenprodukt oxidiert wird.

5.4.5. *Die verzweigtkettigen Aminosäuren (Valin, Leucin und Isoleucin)*

Diese werden nicht wie die anderen Aminosäuren vorwiegend in der Leber, sondern in den Nieren sowie wenigstens teilweise auch in der *Herz-* und *Skelettmuskulatur* abgebaut.

Der erste Schritt des Abbaues besteht in einer *Transaminierung* mit α-Ketoglutarat als Aminogruppenacceptor, das dabei in das Glutamat übergeht. Die aus der betreffenden verzweigtkettigen Aminosäure entstehende α-Ketosäure, im Falle des Leucins ist es die α-Ketoisocapronsäure, unterliegt einer *dehydrierenden Decarboxylierung*. Diese Reaktion entspricht in ihrem Mechanismus der oxidativen Decarboxylierung anderer α-Ketosäuren, z. B. der des Pyruvates oder des α-Ketoglutarates. Dabei entstehen die ent-

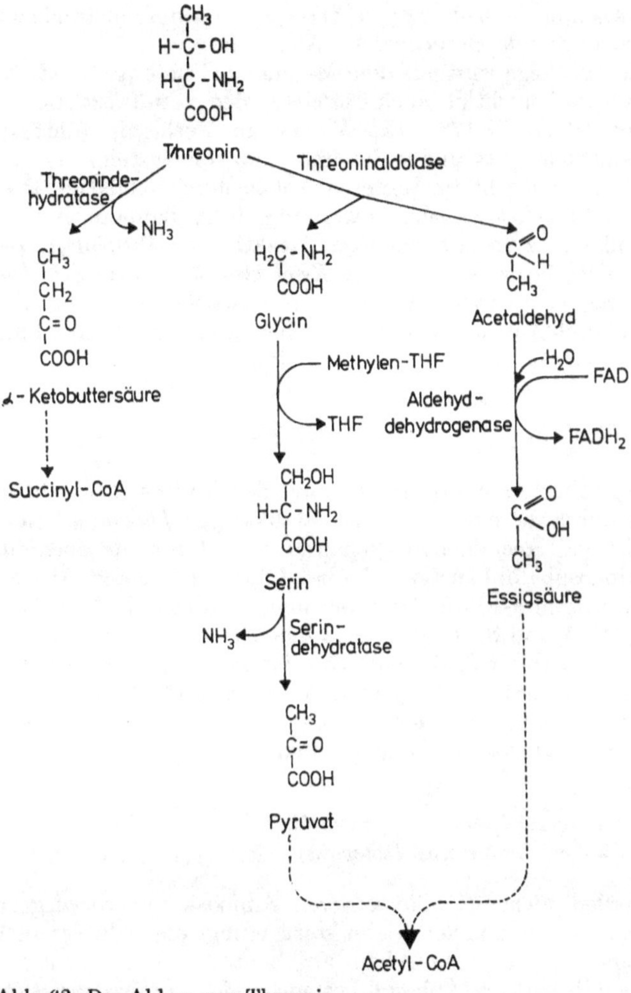

Abb. 62. Der Abbau von Threonin

sprechenden Fettsäure-CoA-Thioester, die nach dem Prinzip der *β-Oxidation* weiter abgebaut werden. Wir wollen im folgenden das Schicksal des C-Skelettes des *Leucins* verfolgen (Abb. 63):

Das durch die dehydrierende Decarboxylierung aus der α-Ketoisocapronsäure entstehende Isovaleryl-CoA, wird durch eine FAD-abhängige Dehydrierung mittels der Isovaleryl-CoA-Dehydroge-

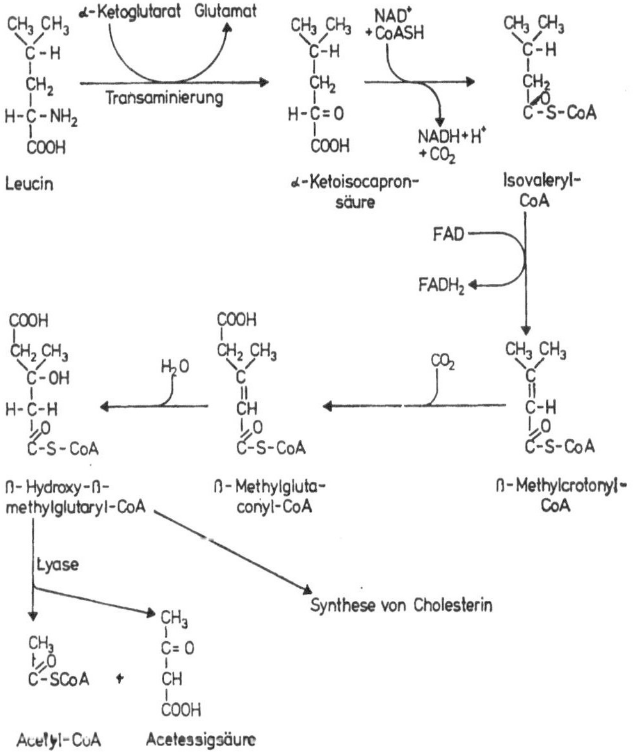

Abb. 63. Der Abbau von Leucin zu Acetyl-CoA und Acetessigsäure

nase in β-Methylcrotonyl-CoA umgewandelt. Letztere wird — analog zur Acetyl-CoA-Carboxylierung (S. **104**) — durch eine biotin- und ATP-abhängige Carboxylase in β-Methylglutaconyl-CoA und diese unter Wasseranlagerung zu β-Hydroxy-β-methylglutaryl-CoA (HMG-CoA) umgewandelt. Letztere wird entweder durch die mitochondriale HMG-CoA-Lyase in Acetessigsäure und Acetyl-CoA gespalten oder zu Mevalonsäure reduziert und zum Aufbau von Cholesterin verwendet. Leucin ist demzufolge eine ketoplastische Aminosäure (Abb. 63).

Einen besonders hohen Umsatz zeigt das Leucin außer in der Niere auch in der lactierenden Milchdrüse (Umwandlung des Leucins in Fettsäuren!) während seine Abbaugeschwindigkeit im Myocard und in der Darmschleimhaut vergleichsweise gering ist.

5.4.6. Lysin

Lysin ist *essentiell*; im Gegensatz zu den anderen essentiellen Aminosäuren kann Lysin nicht durch die entsprechende α-Ketosäure ersetzt werden. Daraus wird deutlich, daß der Organismus für Lysin *keine Transaminierungsmöglichkeit* besitzt. Demzufolge wird der Lysinabbau auch nicht, wie der anderer Aminosäuren, durch Transaminierung eingeleitet. Vielmehr beginnt der Lysinabbau mit

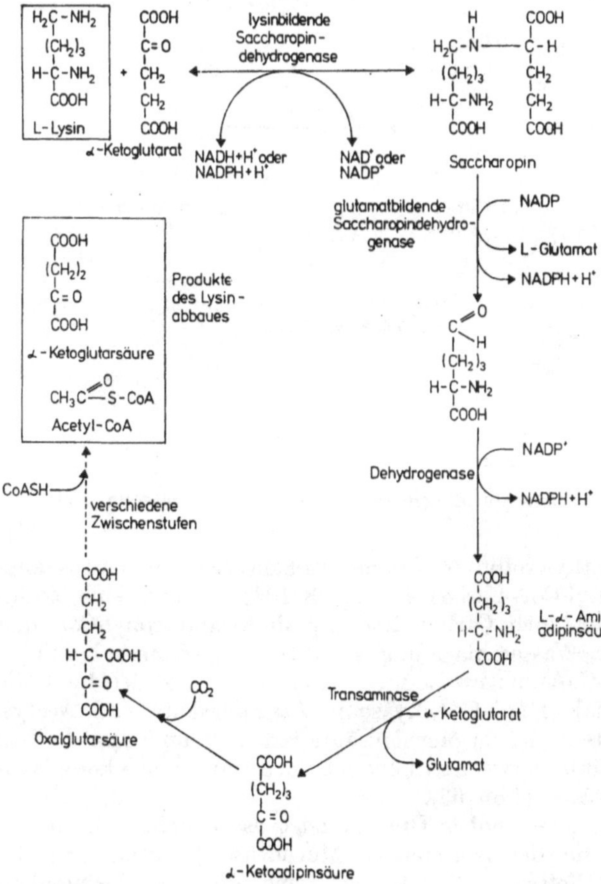

Abb. 64. Der Abbau von Lysin

der Kondensation dieser Aminosäure mit α-Ketoglutarsäure unter Reduktion durch NADH oder NADPH. Das gebildete Produkt heißt *Saccharopin*. Diese wird durch die glutamatbildende Saccharopindehydrogenase oxidiert und in L-Glutamat und α-Aminoadipinsäuresemialdehyd gespalten. Dieser wird weiter zu L-α-Aminoadipinsäure oxidiert, welches danach durch Transaminierung mit α-Ketoglutarat als NH_2-Acceptor zu α-Ketoadipinsäure umgewandelt wird. Über Oxalglutarsäure, Homoisocitronensäure, Homo-cis-Aconitsäure und Homocitronensäure entstehen schließlich *α-Ketoglutarsäure* und *Acetyl-CoA*, wodurch der Anschluß an den allgemeinen Stoffwechsel erreicht ist (Abb. 64).

5.4.7. Phenylalanin und Tyrosin

Der Säugetierorganismus ist nicht in der Lage, *Phenylalanin* zu synthetisieren, wohl aber kann er Phenylalanin zu *Tyrosin* oxidieren. Dies erfolgt unter Aufnahme von molekularem Sauerstoff und durch Oxidation von NADPH. Das Enzymsystem ist der *Phenylalanin-4-hydroxylasekomplex* und gehört zu den Oxygenasen, d. h. zu der Enzymgruppe, die ein O-Atom des Sauerstoffmoleküls in das Substrat einbauen, das andere aber mit Wasserstoff zu Wasser umsetzen. Als Wasserstoffüberträger fungiert das *Tetrahydrobiopterin*, das ähnlich wie die Folsäure ein Derivat des Pterins ist. Der Reaktionsmechanismus ist in Abb. 65 wiedergegeben. Das für die Phenylalaninhydroxylierung erforderliche *Tetrahydrobiopterin* entsteht aus der benzoiden Form des 7,8-Dihydrobiopterins als inaktive Vorstufe. Als Produkt entsteht aus dem Tetrahydrobiopterin die chinoide Form des Dihydrobiopterins, das durch die NADPH-abhängige Dihydrobiopterinreductase wieder zum Tetrahydrobiopterin zurückverwandelt wird.

Der Abbau des *Tyrosins* wird durch *Transaminierung* entweder mit α-Ketoglutarat oder Pyruvat als NH_2-Acceptoren eingeleitet. Das hierfür verantwortliche Enzym heißt *Tyrosinaminotransferase* oder *Tyrosintransaminase*. Die gebildete *p-Hydroxyphenylbrenztraubensäure* wird durch einen Cu-haltigen Oxygenasekomplex zu *Homogentisinsäure* hydroxyliert. Bei dieser Reaktion ist *Ascorbinsäure* als Reduktionsmittel nötig. Es treten *vier Veränderungen* im Molekül ein: 1. *Hydroxylierung* des Benzolringes in Parastellung, 2. *Wanderung* der Seitenkette, 3. *Dehydrierung* in der Seitenkette und 4. *Decarboxylierung*.

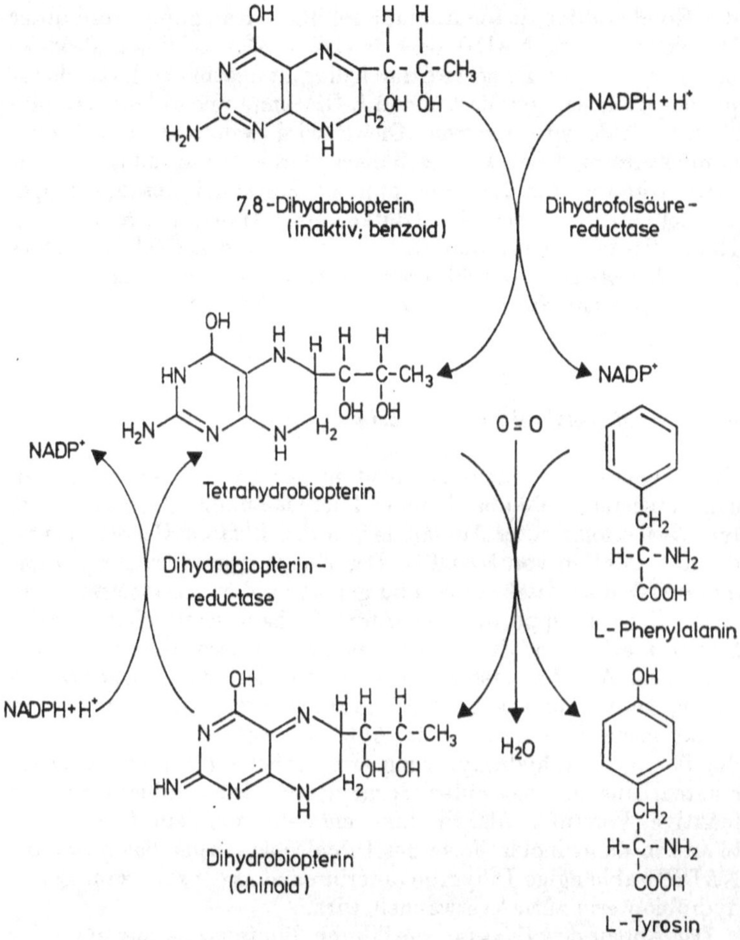

Abb. 65. Die Wirkungsweise des Phenylalanin-4-hydroxylasekomplexes mit Tetrahydrobiopterin als Wasserstoffüberträger

Durch die *Homogentisinsäureoxidase* und die *Fumarylaceto-acetathydrolase* werden schließlich *Fumarsäure* und *Acetessigsäure* gebildet, wodurch der Anschluß an den allgemeinen Stoffwechsel hergestellt wird (Abb. 66).

In einem weiteren Stoffwechselweg wird das Tyrosin zu *Dihydroxyphenylalanin* (Dopa) durch die *Tyrosin-3-hydroxylase* (*Tyro-*

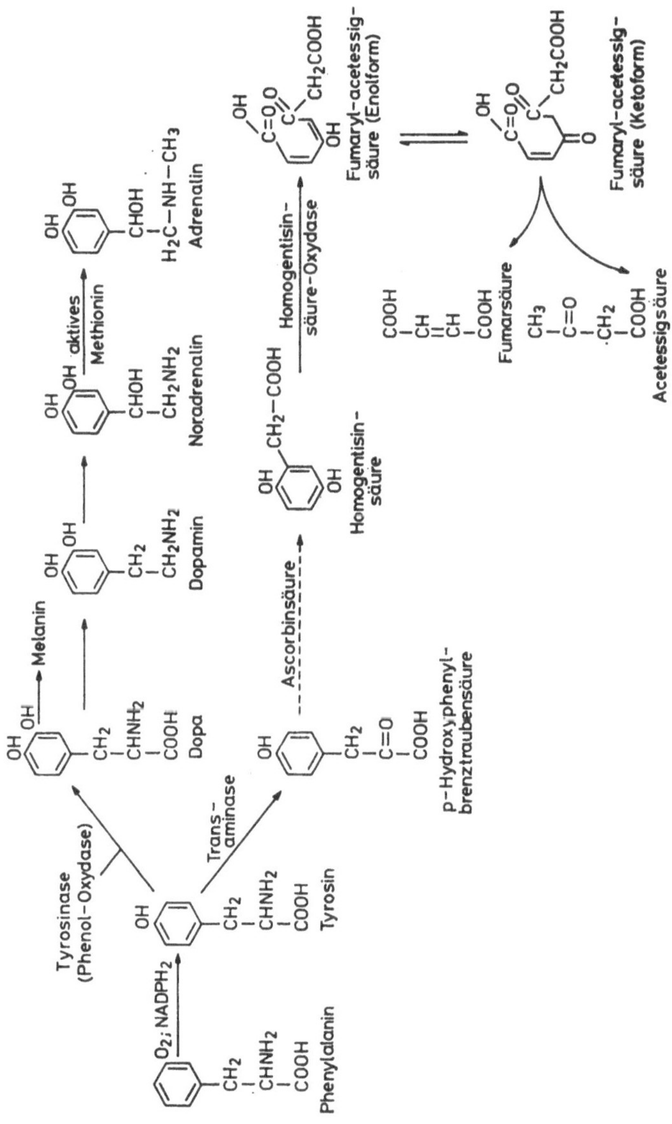

Abb. 66. Der Stoffwechsel von Phenylalanin und Tyrosin

sinase) umgewandelt; an der Reaktion ist ebenfalls *Tetrahydrobiopterin* (s. Phenylalaninhydroxylase) als Wasserstoffträger beteiligt. Das Dopa ist Ausgangspunkt für die Bildung von *Melanin* (braun bis braunschwarz gefärbte Pigmente) und von *Adrenalin*. Als Zwischenprodukte werden dabei die Stufen des *Dopamins* und des *Noradrenalins* durchlaufen (Abb. 67, s. auch FB 2).

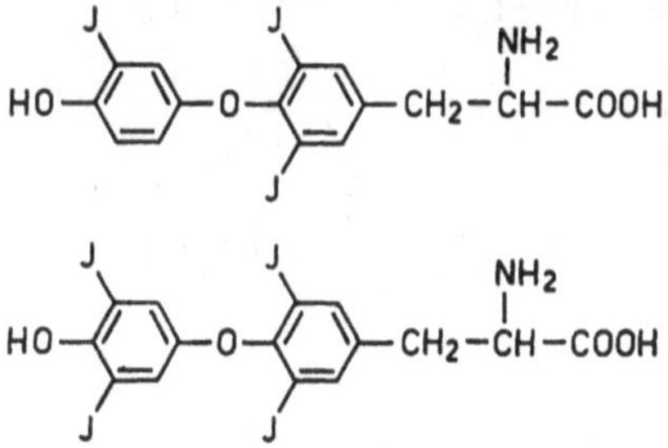

Abb. 67. 3, 5, 3'-Trijodthyronin (oben) und 3, 5, 3', 5'-Tetrajodthyronin (unten)

Schließlich muß noch erwähnt werden, daß Tyrosin die Muttersubstanz der *Schilddrüsenhormone Trijodthyronin* und *Tetrajodthyronin* (Thyroxin) ist (FB 2) (Abb. 67).

5.4.8. Tryptophan

Der Abbau des *Tryptophans* wird durch eine *Spaltung* seines *Pyrrolringes* durch die *Tryptophanpyrrolase* (*Dioxygenase*) eingeleitet. Aus dem dabei entstehenden *N-Formylkynurenin* wird durch eine Formylase Ameisensäure (Formiat) abgespalten und dabei *Kynurenin* gebildet (Abb. 68). Das freigesetzte Formiat kann in einer ATP-abhängigen Reaktion auf *Tetrahydrofolsäure* übertragen werden (S. 213). Das Kynurenin wird durch eine NADPH- und O_2-abhängige Oxygenase zu *3-Hydroxykynurenin* hydroxyliert, welches danach durch die Kynureninase zu *3-Hydroxyanthranilsäure* und *Alanin* gespalten wird. Die 3-Hydroxyanthranilsäure wird durch eine Dioxygenase zu *Acroleyl-β-aminofumarsäure* oxidiert und diese dann über *α-Aminomuconat-δ-semialdehyd* in *Oxalocrotonsäure* übergeführt, aus der sich dann *α-Ketoadipinsäure* bildet; deren weiteres Schicksal wurde beim Lysinabbau schon besprochen (S. 200 f.).

Es ist wesentlich, daß aus dem Tryptophan auch *Nicotinsäure* gebildet werden kann, die ein Vitamin der B-Reihe ist und in den

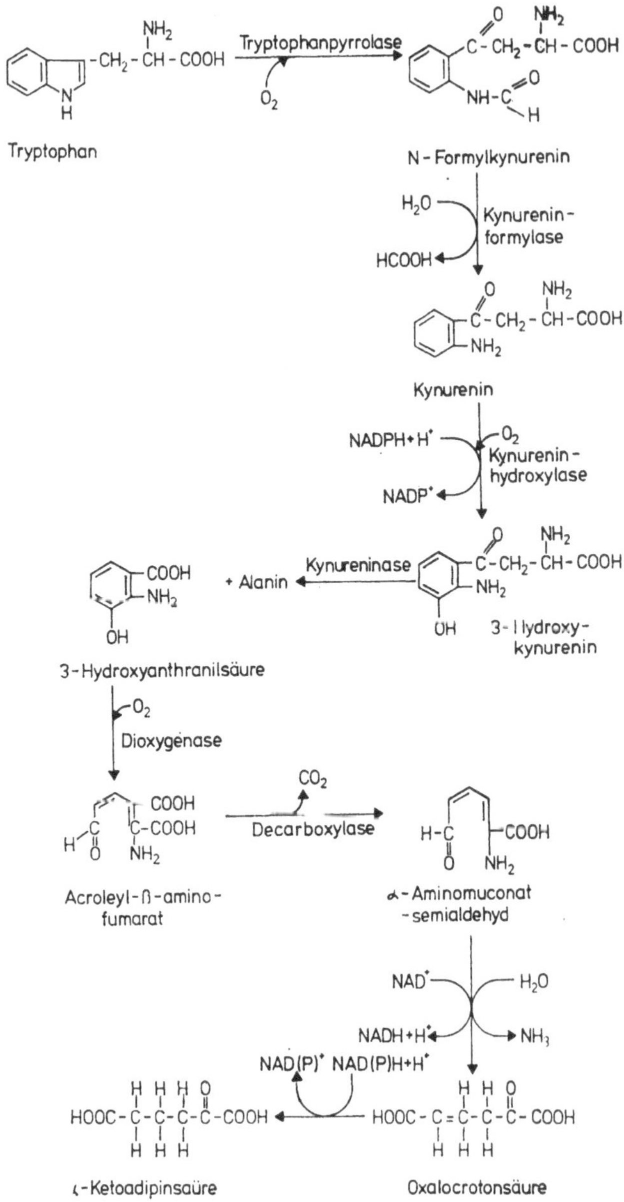

Abb. 68. Der Abbau von Tryptophan

Pyridinnucleotiden NAD+ und NADP+ vorkommt. Die *Nicotinsäurebiosynthese* geht von der *Acroleyl-β-aminofumarsäure* aus. Diese kondensiert spontan unter Wasseraustritt zu *Chinolinsäure*, die unter Verbrauch von *Phosphoribosylpyrophosphat* (S. 227) durch die *Chinolatphosphoribosyltransferase* zu *Nicotinsäuremononucleotid* als Vorläufer für NAD+ und NADP+ aufgebaut wird (Abb. 69). Bei optimaler Tryptophanaufnahme durch die Nahrung reicht dieser Stoffwechselweg aus, um den Bedarf des Organismus an Nicotinsäure zu decken. Mangelzustände an diesem Vitamin gehen meist auf eine unzureichende Zufuhr von Tryptophan, in Verbindung mit mangelhafter Versorgung mit Nicotinsäure bzw. Nicotinsäureamid (Niacin) zurück.

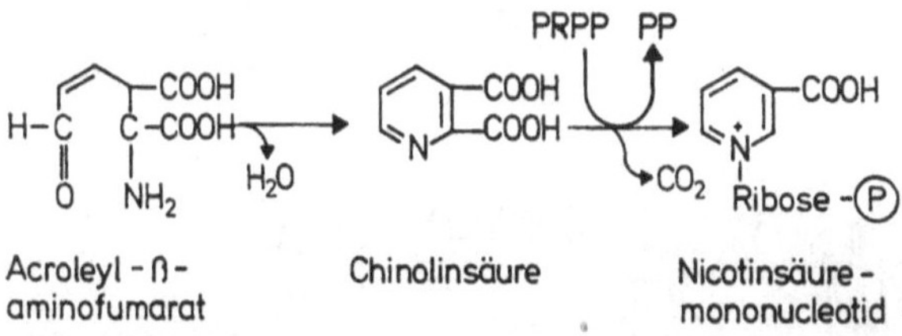

Abb. 69. Die Bildung von Nicotinsäuremononucleotid aus Acroleyl-β-aminofumarat als Zwischenprodukt des Tryptophanabbaues

Es gibt auch andere Wege des Abbaues des Tryptophans in der belebten Natur. Relativ einfach ist die durch die Bakterien im Säugerdarm hervorgerufene Bildung von *Skatol* und *Indol*, die über mehrere Zwischenstufen erfolgt (FB 2). *Indol* kann in Bakterien auch direkt aus Tryptophan durch Abspaltung von Pyruvat und NH_3 gebildet werden (*Tryptophanase*).

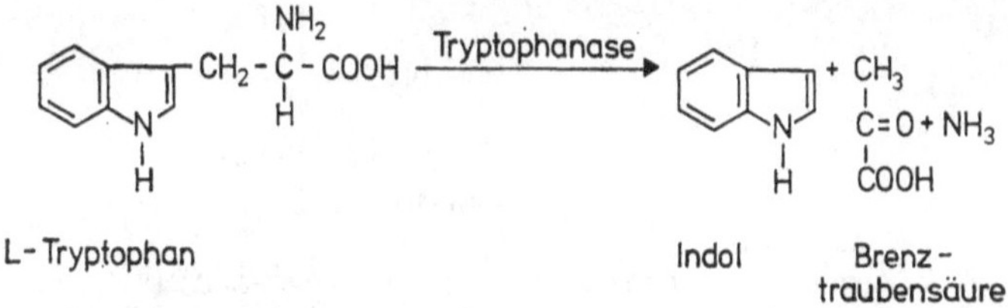

Durch Decarboxylierung, Transaminierung und Hydroxylierung entstehen aus dem Tryptophan Produkte, wie *Tryptamin*, *Indolbrenztraubensäure* und *5-Hydroxytryptamin* (*Serotonin*), die eine beträchtliche biologische Bedeutung besitzen (FB 2).

Aus dem oben erwähnten Kynurenin kann *Kynurensäure* und aus dem 3-Hydroxykynurenin die *Xanthurensäure* entstehen. Diese beiden Substanzen sind bei manchen Tieren Ausscheidungsprodukte des Tryptophanstoffwechsels. Beim Menschen werden diese Substanzen nur dann ausgeschieden, wenn ein *Pyridoxinmangel* vorliegt. Die Ursache hierfür ist, daß die Kynureninase ein pyridoxalphosphatabhängiges Enzym ist.

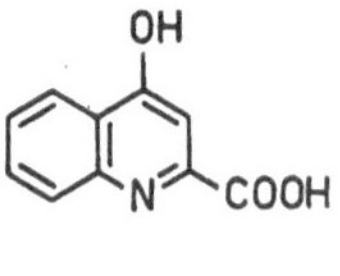

Kynurensäure

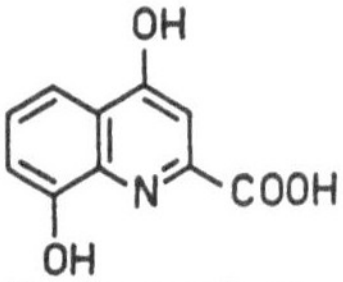

Xanthurensäure

5.4.9. *Histidin*

Der Hauptweg des *Histidinabbaues* führt zur *Glutaminsäure*, die dann in den allgemeinen Stoffwechsel eingeht. Zunächst wird Histidin durch die *Histidin-ammoniak-lyase* (*Histidase*) unter Abspaltung von Ammoniak in die *Urocaninsäure* übergeführt. Letztere wird durch die Urocanase unter Anlagerung von Wasser in die *4-Imidazolon-5-propionsäure* umgewandelt, die danach unter Katalyse der Imidazolonpropionase zu *N-Formimino-L-glutaminsäure* hydrolytisch aufgespalten wird. Diese gibt dann unter Bildung von *Glutaminsäure* ihre *Formiminogruppe* an die *Tetradyhrofolsäure* ab, die dadurch in die N^5*-Formiminotetrahydrofolsäure* übergeht (Enzym: Glutaminsäure-Formiminotransferase). Letztere bildet unter Abspaltung von NH_3 die N^5, N^{10}*-Methenyl-Tetrahydrofolsäure*, die dann weiteren Veränderungen unterliegt (Abb. 70 und 74).

Bei einem *Folsäuremangel* beobachtet man eine Ausscheidung von N-Formiminoglutaminsäure. Dies ist auf Grund des eben besprochenen Abbauweges des Histidins auch verständlich. Darauf hat man einen klinischen Test zum Nachweis eines Folsäuremangels aufgebaut. Es besteht darin, daß man nach einer Histidingabe die im Harn ausgeschiedene Menge an N-Formiminoglutaminsäure mißt (*Histidinbelastungstest*).

5.4.10. *Arginin, Ornithin und Prolin*

Wie das Histidin gehen auch Arginin und Prolin in die Glutaminsäure über, deren Schicksal aus der Besprechung des allgemeinen Stoffwechsels der Aminosäuren hervorgeht.

Das durch Harnstoffabspaltung aus dem Arginin entstehende Ornithin wird durch Transaminierung in Glutaminsäuresemialdehyd übergeführt. Dieser wird entweder zur Glutaminsäure oxidiert oder unter Wasserabspaltung zu Pyrrolincarbonsäure umgewandelt.

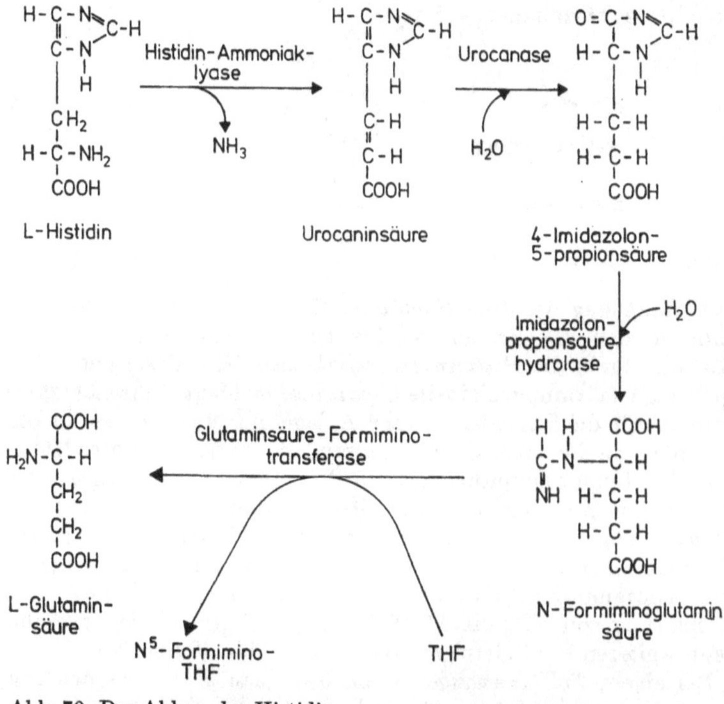

Abb. 70. Der Abbau des Histidins

Aus dieser Verbindung entsteht in reversibler Reaktion unter Wasserstoffanlagerung Prolin. Die Aminosäure Prolin kann durch die gleiche Reaktion über Glutaminsäuresemialdehyd abgebaut werden.

Prolin kommt reichlich im *Kollagen* vor. Aus dem *Prolin* kann *Hydrolyprolin* entstehen (FB 1). Die Hydroxylierung von Prolin erfolgt aber erst im Verband des Proteins.

Arginin dient zur Synthese von *Kreatin* (S. 215). Auch dabei entsteht die Aminosäure *Ornithin*, die man selbst nicht in Proteinen

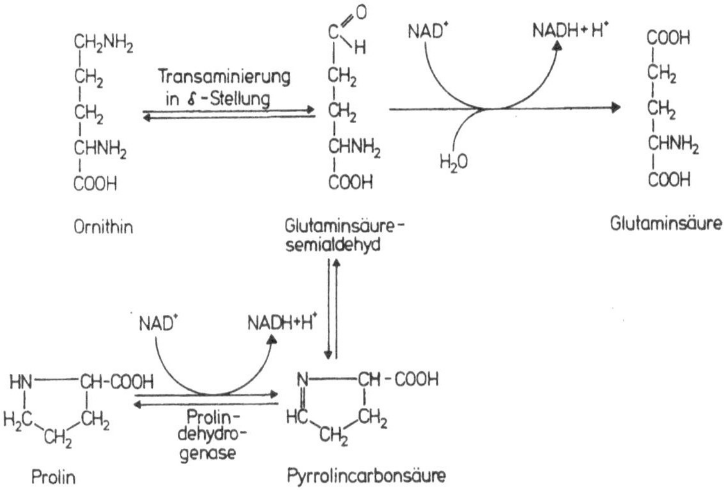

Abb. 71. Abbau von Ornithin; Bildung und Abbau von Prolin

findet. Aus dem Ornithin kann weiterhin durch Decarboxylierung das *Putrescin* entstehen (S. 175). Aus diesem werden die beiden Polyamine *Spermidin* und *Spermin* gebildet. Dabei kommt es zu einer Kondensation von Putrescin mit decarboxyliertem S-Adenosylmethionin, wobei nacheinander ein Propylaminrest übertragen wird (Abb. 72).

Die Funktion dieser beiden Polyamine besteht darin, daß sie mit den Phosphatanionen der DNS Assoziate bilden und dadurch deren Struktur stabilisieren. Spermin ist reichlich in der Samenflüssigkeit enthalten.

5.5. *Die Rolle der Folsäure im Stoffwechsel der Einkohlenstoffverbindungen*

Verbindungen, die nur ein einziges Kohlenstoffatom haben, spielen im Stoffwechsel eine große Rolle. Zur Gruppe der *Einkohlenstoffreste* zählt man die *Methyl*-(CH_3-), *Hydroxymethyl*-(CH_2OH-), *Formyl*-(—CHO), *Formiat*-(—COOH) und die *Formiminogruppe* (HN=CH—). Es ist sinnvoll, den Stoffwechsel dieser Gruppen gemeinsam zu betrachten, da sie alle auf das engste mit

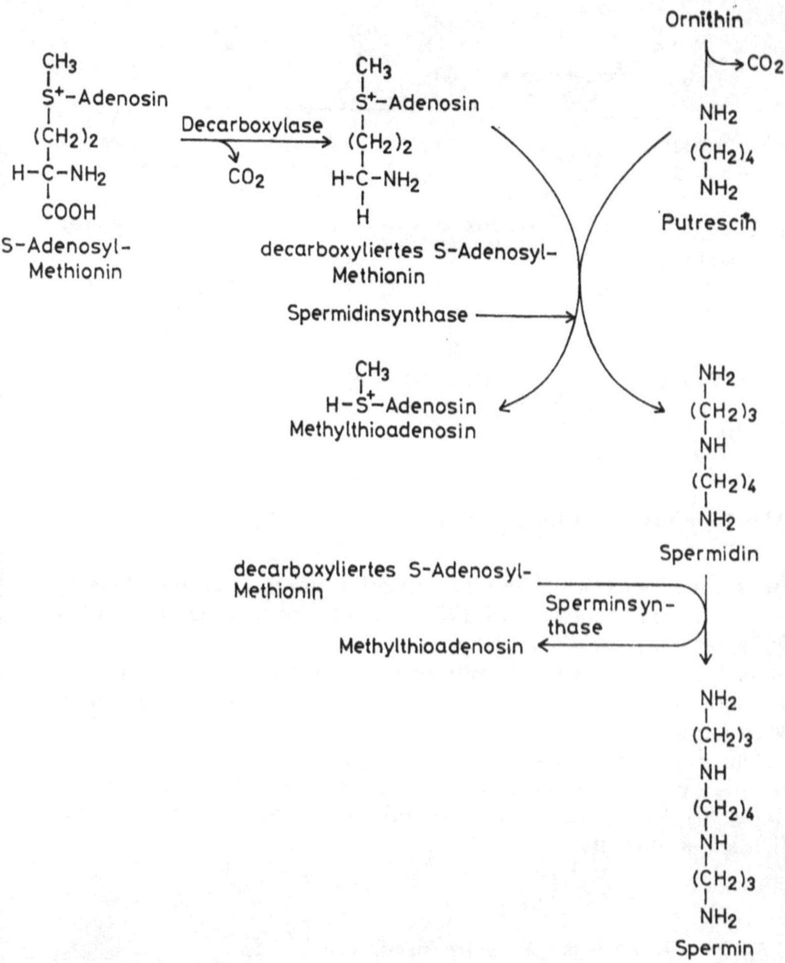

Abb. 72. Die Biosynthese von Spermidin und Spermin

der *Folsäure* zusammenhängen. Letztere ist ein Vitamin, das zum *Vitamin B-Komplex* gehört.

Das Kohlendioxid schließt man nicht in diese Gruppe von Einkohlenstoffresten ein, weil es metabolisch keine Beziehungen zur Folsäure hat. Die unter Aufnahme von CO_2 ablaufenden Carboxylierungsreaktionen hängen im allgemeinen vom Biotin, einem anderen B-Vitamin, ab.

Die *Folsäure* besteht aus drei Bestandteilen, dem Pterin, der *p-Aminobenzoesäure* und der *Glutaminsäure.*

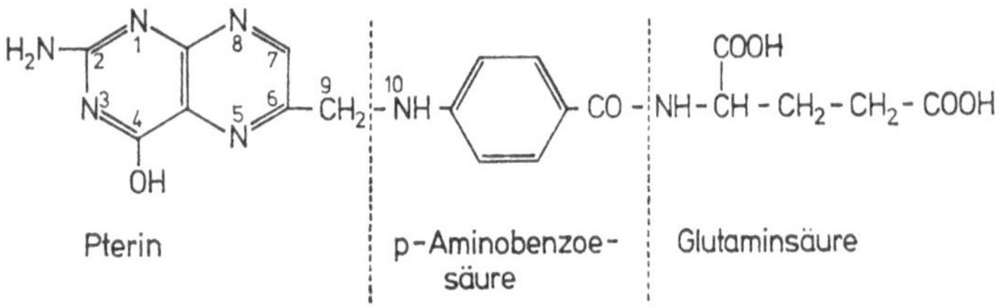

Folsäure

Die Verbindung zwischen Pterin und p-Aminobenzoesäure wird als *Pteroinsäure* bezeichnet. Die Folsäure ist demnach eine *Pteroylglutaminsäure.* Von diesem Grundskelett leiten sich die verschiedenen Folsäurederivate ab, die sich in der Natur der Substituenten sowie den Orten ihrer Anlagerung an das Folsäuremolekül voneinander unterscheiden.

Die Einkohlenstoffreste werden im Folsäuremolekül an das N-Atom 5 (N^5) bzw. das N-Atom 10 (N^{10}) gebunden und können in diesem Zustand durch Dehydrogenase- und Isomerasereaktionen ineinander übergeführt werden. Die reversible Übertragung der Einkohlenstoffreste von der Folsäure auf andere Verbindungen wird durch *Transferasen* katalysiert.

Die biologisch aktive Form der Folsäure ist die *5.6.7.8-Tetrahydrofolsäure* (*THF*). Sie entsteht aus der Folsäure durch stufenweise Oxidation von zwei Molekülen NADPH unter Zwischenschaltung von *7,8-Dihydrofolsäure* (Abb. 73).

Eine wichtige Reaktion im Stoffwechsel der Einkohlenstoffreste ist die Bildung von *N^5,N^{10}-Methylen-THF*. Diese entsteht bei der Umwandlung von Serin in Glycin, indem dabei der Hydroxymethylrest des Serins zunächst an das N^{10} angelagert wird und dann unter Austritt von Wasser das reaktionsfreudigere N^5,N^{10}-Methylenderivat entsteht (*Serinhydroxymethyltransferase*, S. 190). Die N^5,N^{10}-Methylen-THF kann umgekehrt auch zur Synthese von Serin dienen, vermag aber vor allem das Kohlenstoffatom für die Methylgruppe im *Thymin* und für die Hydroxymethylgruppe im *Hydroxymethylcytosin* zur Verfügung zu stellen. Sie kann auch reduziert oder oxidiert werden. Durch die *N^5,N^{10}-Methylen-THF*-

Reductase wird sie unter Verbrauch von NADH zur *N^5-Methyl-THF* reduziert, deren *Methylgruppe* für die Methylierung von Homocystein zu *Methionin* (S. 193) und für die *Cholinbiosynthese* (S. 214) Verwendung findet.

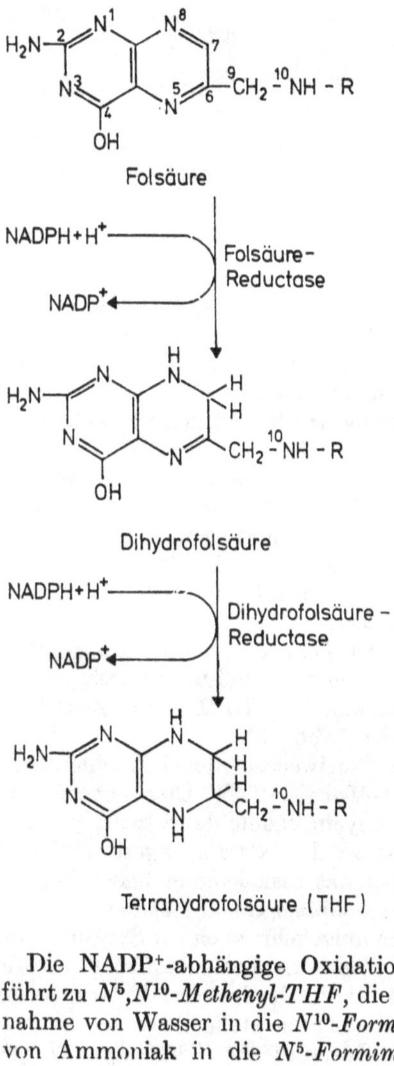

Abb. 73. Die Bildung der Tetrahydrofolsäure durch Reduktion der Folsäure

Die NADP⁺-abhängige Oxidation von N^5,N^{10}-Methylen-THF führt zu *N^5,N^{10}-Methenyl-THF*, die reversibel entweder unter Aufnahme von Wasser in die *N^{10}-Formyl-THF* oder unter Aufnahme von Ammoniak in die *N^5-Formimino-THF* übergeht. Die N^{10}-

Formyl-THF kann hydrolytisch in THF und Ameisensäure gespalten werden; sie entsteht aus Ameisensäure und THF unter ATP-Verbrauch. *N^5-Formimino-THF* entsteht beim *Histidin-*

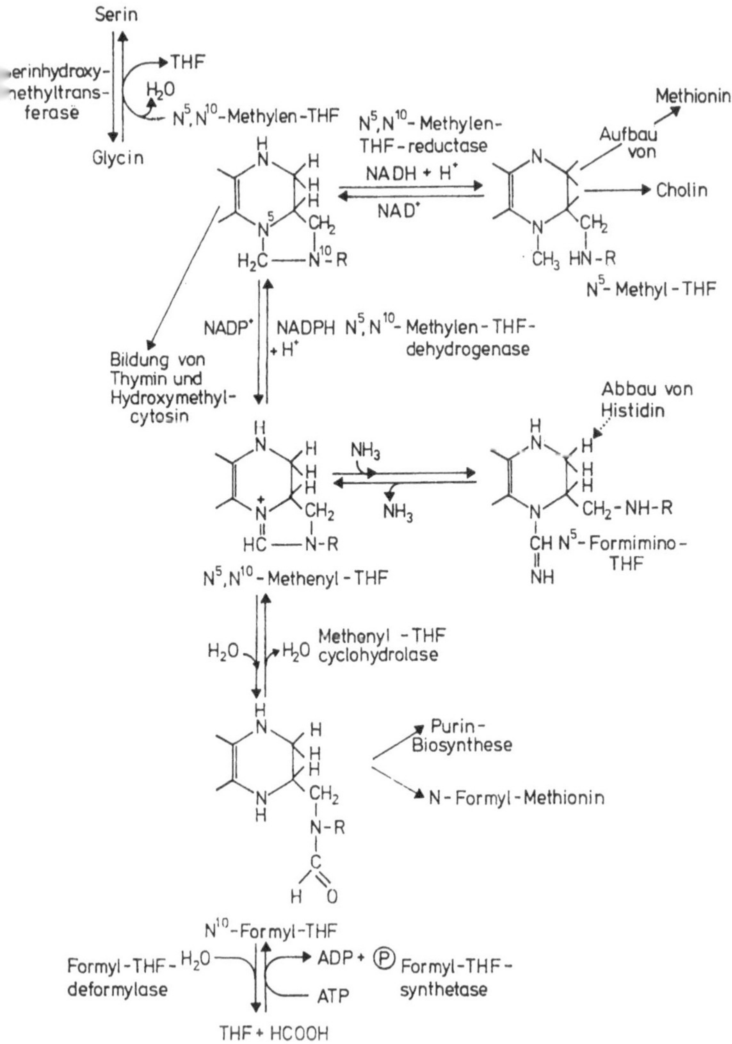

Abb. 74. Der Stoffwechsel der Einkohlenstoffverbindungen

abbau und kann unter Abspaltung von NH_3 in *N^5,N^{10}-Methenyl-THF* übergeführt werden (s. Abb. 74).

Die N^{10}-Formyl-THF liefert den Kohlenstoff für zahlreiche wichtige Substanzen, z. B. die Kohlenstoffatome 2 und 8 für die Biosynthese des *Purinkernes* und die Formylgruppe zur Bildung von *N-Formyl-Methionin,* mit dem die Prokaryonten die Proteinsynthese starten (Abb. 75).

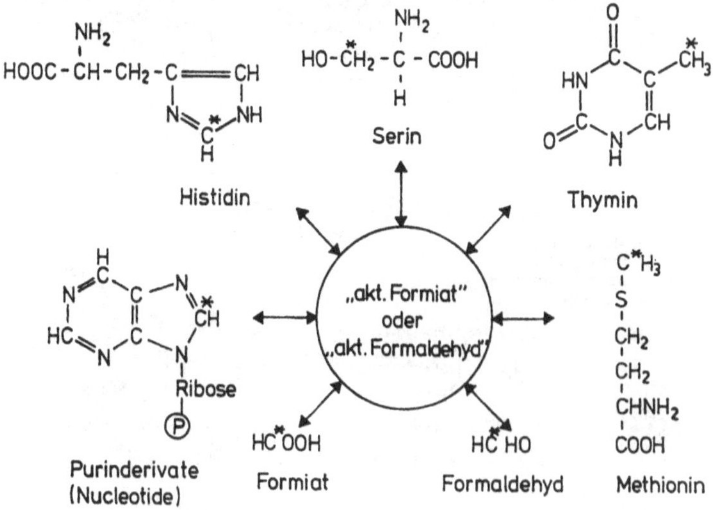

Abb. 75. Die Rolle der aktiven Ameisensäure im Stoffwechsel

5.5.1. *Synthese von Cholin*

Cholin, ein Bestandteil des Lecithins, entsteht durch stufenweise dreifache Methylierung aus *Colamin*. Aus dem Cholin kann weiterhin, katalysiert durch das mitochondrial vorkommende Enzymsystem Cholinoxidase, oxidativ Betain entstehen. Methylgruppendonator bei der Cholinsynthese ist das *Methionin,* welches über das S-Adenosyl-Methionin reagiert. Jedoch kann die Methylgruppe auch direkt von der *N^5-Methyl-THF* übertragen werden.

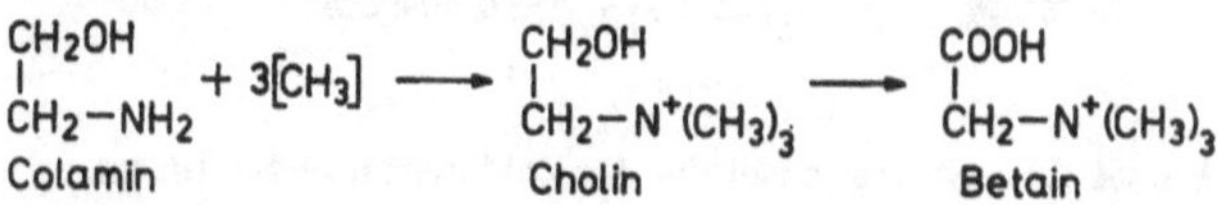

Über die weitere Verwertung des Cholins bei der Synthese der Phosphatide siehe S. 114 f.

5.5.2. *Synthese von Kreatin*

Die Synthese des Arginins ist auf S. 207 dargestellt. Vom Arginin kann die

$$\text{Amidingruppe } -\mathrm{C}\genfrac{}{}{0pt}{}{\diagup\ \mathrm{NH_2}}{\diagdown\!\!\diagdown\ \mathrm{NH}}$$

auf Glycin übertragen werden.

Dabei bildet sich *Guanidinoessigsäure*. Diese Reaktion wird durch das Enzym *Arginin-Glycin-Transamidinase* katalysiert. Die Bildung der Guanidinoessigsäure vollzieht sich vorwiegend in der

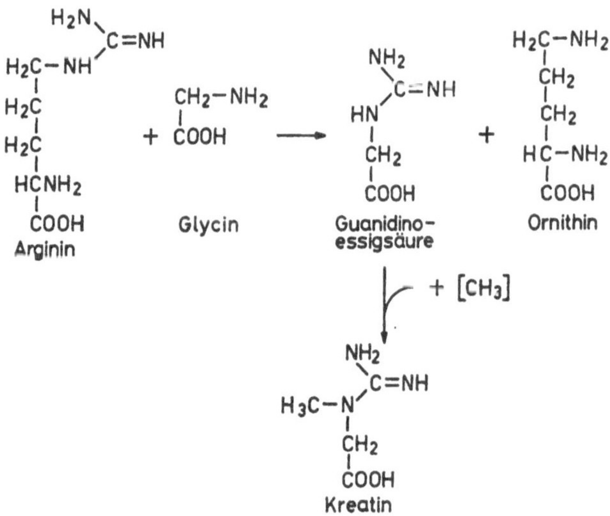

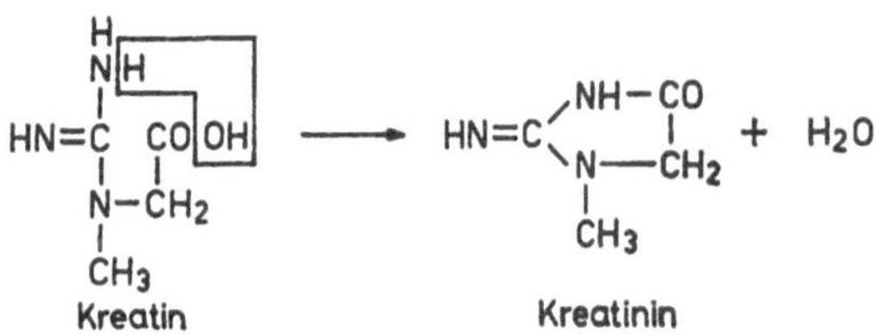

Niere, nicht aber in der Leber. Die Guanidinoessigsäure wird in der Leber und Niere methyliert, dabei wird *Kreatin* (*Methylguanidinoessigsäure*) gebildet. Methyldonor ist dabei S-Adenosyl-Methionin.

Kreatin kann durch ATP zum Kreatinphosphat phosphoryliert werden. Dies kommt vor allem im Muskel, aber auch in anderen Zellen und Geweben vor. Kreatin kann im Muskel zu *Kreatinin* dehydratisiert und so im Harn ausgeschieden werden (FB 1).

5.5.3. Synthese von Thymin

Die Anheftung des Methylrestes an den Pyrimidinring zur Biosynthese des *Thymins* geht auf der Stufe des *Desoxyuridin-5'-phosphates* vor sich. Methylgruppendonator ist die *N^5,N^{10}-Methylen-THF*. Die Reaktionsprodukte sind *Thymidin-5'-phosphat* und *Dihydrofolsäure*.

Desoxyuridin-5'-phosphat + N^5, N^{10} - Methylen - THF

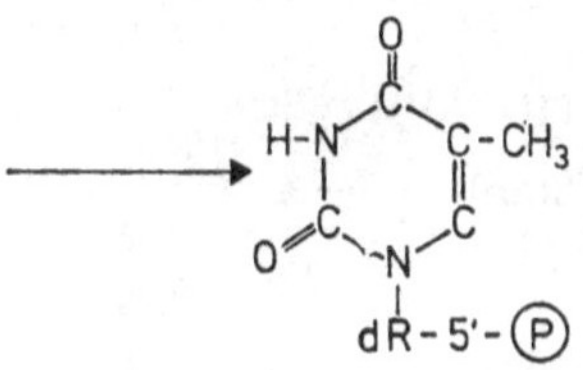

\+ Dihydrofolsäure

Thymidin - 5'- phosphat

5.6. Angeborene Störungen im Aminosäurestoffwechsel

Beim Menschen wurden zahlreiche angeborene Störungen im Stoffwechsel von Aminosäuren nachgewiesen, die durch spezifische Enzymdefekte zustande kommen. Die Folge einer solchen Störung ist der mangelhafte Abbau der betreffenden Aminosäure im Organismus der Patienten, was zu einer Erhöhung der Plasmakonzentration dieser Aminosäure und ihrer Ausscheidung durch die Nieren führt. Je nach der Lage des Enzymdefektes im Abbauweg einer Aminosäure kann es zur Anhäufung von Zwischenprodukten im Blut und ihrer Ausscheidung im Harn kommen. Oft kommt es auch zur Beschreitung von Nebenwegen, so daß unter derartigen pathologischen Bedingungen ungewöhnliche Stoffwechselprodukte ausgeschieden werden. Derartige Enzymdefekte führen oft infolge toxischer Wirkungen der sich anhäufenden Zwischenprodukte zu mangelhafter körperlicher und geistiger Entwicklung und können sogar frühzeitig zum Tode führen. Bei rechtzeitiger Erkennung und gezielter Therapie kann in vielen Fällen ein normales Gedeihen der betroffenen Kinder erreicht werden. In Tab. 9 ist eine Auswahl von solchen Stoffwechselstörungen enthalten.

Tabelle 9
Übersicht über angeborene Störungen im Aminosäurestoffwechsel (Auswahl)

betroffene Aminosäure	Name der Krankheit	fehlendes Enzym	im Blutplasma vermehrt gefundene Metabolite bzw. Ausscheidungsprodukte
Phenylalanin	Phenylketonurie	Phenylalanin-hydroxylase	Phenylpyruvat, Phenyllactat, Phenylacetat
Tyrosin	Alkaptonurie	Homogentisin-säureoxidase	Homogentisin-säure
Tryptophan	HARTNUP-Krankheit	fehlende Tryptophanresorption	Indolderivate
verzweigte Aminosäuren	Ahornsirup-krankheit Verzweigtketten-ketonurie	Decarboxylase für Valin, Leucin, Isoleucin	α-Keto- und α-Hydroxysäuren dieser drei Aminosäuren; L-Allo-Isoleucin
Methionin	Homocystinurie	Cystathionin-synthetase	Homocystin
Histin	Histidinämie	Histidase	Histidin

6. Stoffwechsel der Nucleinsäuren und Nucleotide

6.1. Abbaureaktionen

6.1.1. Abbau der Nucleinsäuren

Der Abbau der Nucleinsäuren zu Poly-, Oligo- oder Mononucleotiden erfolgt durch *Endo-* und *Exonucleasen*. Endonucleasen greifen Phosphodiesterbindungen im Innern der Polynucleotidketten von RNS und DNS an und liefern Spaltprodukte unterschiedlicher Größe, der von Mononucleotiden bis zu längerkettigen, säureunlöslichen Polynucleotiden reichen. *Exonucleasen* greifen Polynucleotide durch schrittweise Abspaltung von Mononucleotiden von ihren Kettenenden her an. Die zuletzt genannten Enzyme werden auch als Phosphodiesterasen im engeren Sinne bezeichnet.

Bei den Endonucleasen unterscheidet man Ribonucleasen (RNasen) und Desoxyribonucleasen (DNasen). Sie konnten in vielen Säugetiergeweben und Mikroorganismen nachgewiesen werden. Die RNase und DNase des Pankreas zeichnen sich durch eine besonders hohe Aktivität aus. Beide Enzyme konnten in kristalliner Form dargestellt werden.

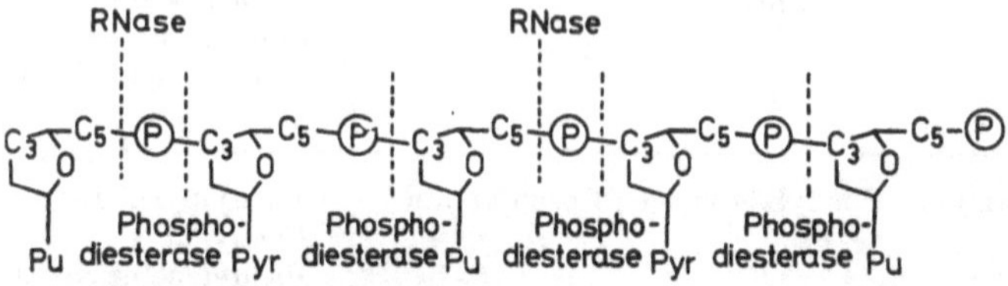

Abb. 76. Abbau der RNS durch RNase aus Pankreas und Phosphodiesterase aus Schlangengift

Der Abbau der DNS durch DNase aus Pankreas (DNase I) führt zu Oligonucleotiden (durchschnittliche Kettenlänge 4 Mononucleotide) mit einer freien Hydroxylgruppe am 3'-Ende und einer Phosphatgruppe am anderen (5'-)Ende. Die DNase I spaltet folglich die 3'-Phosphodiesterbindungen im Innern der Kette. Andere DNasen können DNS bis zu den Mononucleotiden abbauen. DNase aus Thymus und Milz liefert Oligonucleotide mit durchschnittlich sechs Mononucleotiden, die eine freie OH-Gruppe an Position 5' und eine Phosphatgruppe am 3'-Ende tragen (DNase II); DNase aus Mikrokokken liefert 3'-Mononucleotide. Die beiden letztgenannten Enzyme spalten folglich die Phosphodiesterbindungen zwischen dem C-5' der Desoxyribose und der Phosphorsäure.

Bei den RNasen wurde die Spezifität ebenfalls eingehend untersucht. RNase aus Pankreas spaltet spezifisch Phosphodiesterbindungen zwischen dem C-3' eines Pyrimidinnucleotidrestes und dem C-5' des benachbarten Nucleotidrestes auf solche Weise, daß ihre Spaltprodukte Oligo- oder Polynucleotide mit endständigen 3'-Pyrimidinnucleotiden bzw. freie 3'-Pyrimidinmononucleotide sind (Abb. 76). Als Zwischenprodukte wurden cyclische 2', 3'-

Phosphate nachgewiesen (DB I). Aus Bakterien konnten RNasen isoliert werden, die spezifisch Bindungen spalten, die von Guanylsäure geliefert werden.

Für Strukturaufklärung von Nucleinsäuren ist es bedeutungsvoll, daß verschiedene Exonucleasen an den Kettenenden von Polynucleotiden und Polydesoxynucleotiden angreifen und zur schrittweisen Freisetzung von Mononucleotiden bzw. Monodesoxynucleotiden führen. Phosphodiesterase aus Schlangengift oder *E. coli* liefert dabei 5′-Nucleotide, eine Exonuclease aus *Lactobacillus acidophilus* 3′-Nucleotide.

Über Restriktionsendonucleasen s. DB IV.

6.1.2. *Abbau der Nucleotide und Nucleoside*

Die Phosphatgruppen der Nucleotide und nucleotidähnlichen Verbindungen können durch unspezifische Phosphomonoesterasen oder spezifische Enzyme hydrolytisch abgespalten werden.

$$\text{A—R—Ⓟ}\sim\text{Ⓟ}\sim\text{Ⓟ} + H_2O \xrightarrow{\text{ATPase}} \text{A—R—Ⓟ}\sim\text{Ⓟ} + \text{Ⓟ}$$

$$\text{A—R—Ⓟ}\sim\text{Ⓟ}\sim\text{Ⓟ} + H_2O \xrightarrow[\text{phatase, Apyrase}]{\text{Nucleotidpyrophos-}} \text{A—R—Ⓟ} + \text{Ⓟ}\sim\text{Ⓟ}$$

$$\text{A—R—Ⓟ}\sim\text{Ⓟ} + H_2O \xrightarrow[\text{phosphatase}]{\text{Nucleotiddi-}} \text{A—R—Ⓟ} + \text{Ⓟ}$$

$$\text{A—R—Ⓟ} + H_2O \xrightarrow{\text{5-Nucleotidase}} \text{A—R} + \text{Ⓟ}$$

Der Abbau der Nucleoside und Desoxynucleoside erfolgt durch die entsprechenden *Nucleosidphosphorylasen* oder hydrolytisch durch *Nucleosidasen*.

$$\text{Base—R} + \text{Ⓟ} \xrightleftharpoons{\text{Nucleosidphosphorylase}} \text{Base} + \text{R-1-Ⓟ}$$

$$\text{Base—R} + H_2O \xrightarrow{\text{Nucleosidase}} \text{Base} + \text{R}$$

Durch Nucleosidasen kann die Spaltung der glykosidischen Bindung auch auf der Stufe der Nucleotide erfolgen.

$$\text{Base—R—Ⓟ} + H_2O \rightarrow \text{Base} + \text{R-5-Ⓟ}$$

Die Nicotinsäureamidnucleotide NAD^+ und $NADP^+$ werden durch Pyrophosphatasen und Nucleosidasen abgebaut.

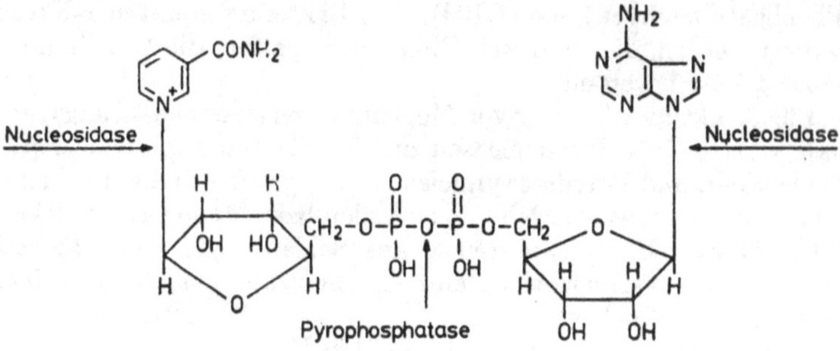

Die Aminogruppen des Adenins, Guanins und Cytosins werden durch verschiedene spezifische Desaminasen auf der Stufe der Nucleotide, der Nucleoside und der freien Basen hydrolytisch entfernt.

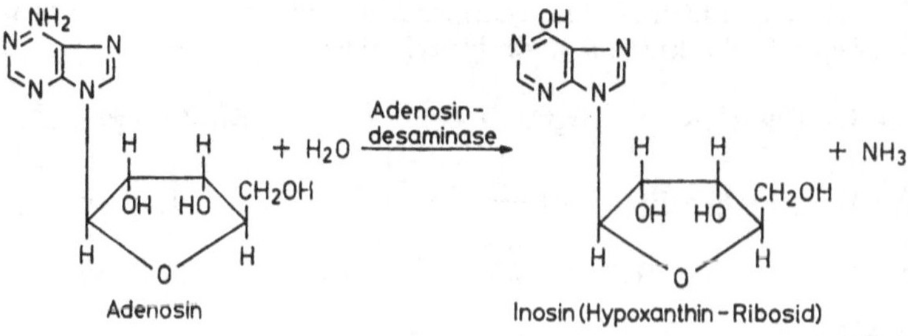

6.1.3. *Abbau der Purin- und Pyrimidinbasen*

Durch die im vorigen Abschnitt beschriebenen Abbaumechanismen entsteht aus ATP und seinen Verwandten durch schrittweisen Abbau schließlich Hypoxanthin und aus dem GTP Xanthin. Durch ein spezifisches Enzym, die Xanthinoxidase, werden Hypoxanthin und Xanthin zu Harnsäure oxidiert (DB II).

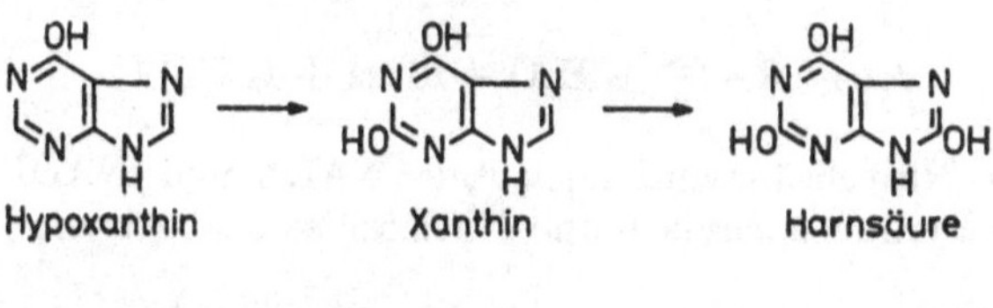

Die Xanthinoxidase ist ein molybdänhaltiges Flavoproteid. Bei Landreptilien und Vögeln ist das Hauptabbauprodukt des N-Stoffwechsels die Harnsäure, beim Menschen und den Menschenaffen ist die Harnsäure das Endprodukt des Purinabbaues. Die übrigen Säuger oxidieren Harnsäure, die auch bei ihnen aus den Purinen entsteht, zu Allantoin.

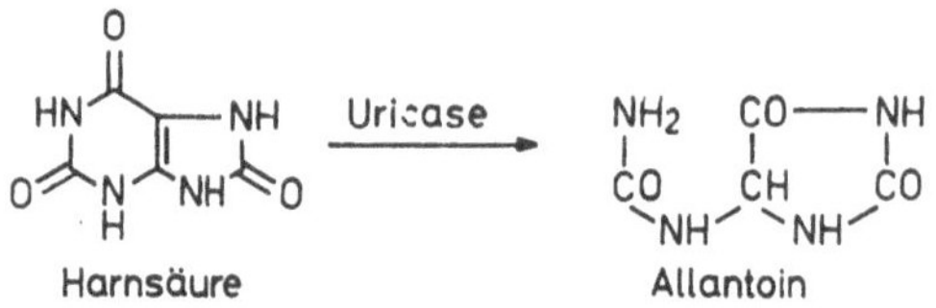

In der Rattenleber wurde der Abbauweg für Pyrimidinbasen eingehend verfolgt. Uracil wird hier über Dihydrouracil und β-Ureidopropionat zum β-Alanin abgebaut.

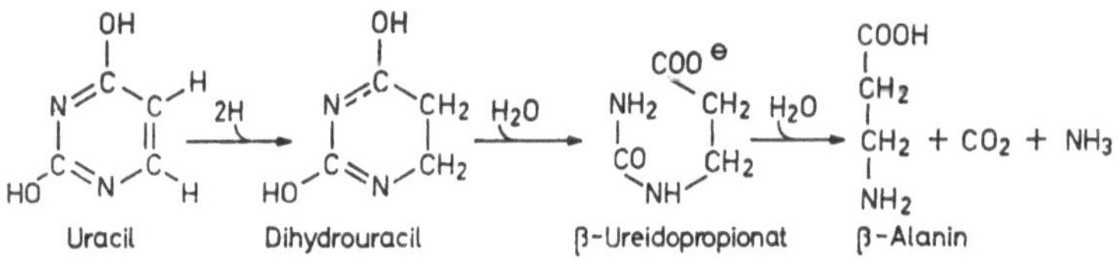

6.2. *Synthesereaktionen*

6.2.1. *Purinsynthese*

Es konnte gezeigt werden, daß die Synthese des Puringerüstes aus kleinen Molekülen erfolgt. So wurde nachgewiesen, daß der Purinstickstoff aus Aminosäuren stammt (Abb. 77). In dem Formelbild sind die Quellen der einzelnen N- und C-Atome des Purinskelettes angegeben. Später gelang es, in Extrakten aus Tauben- und Kükenleber die Biosynthese der Inosinsäure aufzuklären. Die Synthese geht vom Ribose-5-phosphat aus (Abb. 78, s. Anhang) Durch Übertragung des Pyrophosphatrestes vom ATP bildet sich 5-Phosphoribosyl-1-pyrophosphat. Das Produkt reagiert mit Glutamin unter Bildung von 5-Phosphoribosylamin. Der nächste Schritt ist eine Reaktion mit Glycin, wobei unter Knüpfung einer Säureamidbindung Glycinamidribotid entsteht. Bei dieser Reak-

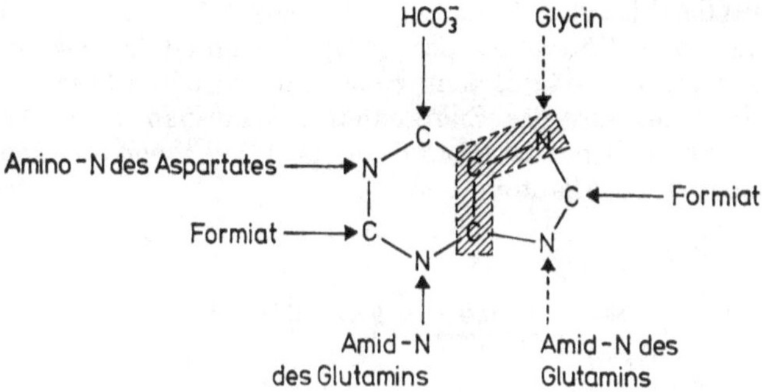

Abb. 77. Die Herkunft der C- und N-Atome im Puringerüst

tion wird ATP verbraucht. Auf die Aminogruppe des Glycins wird ein Formylrest übertragen. Der Donator ist Formyl-Tetrahydrofolsäure („aktive Ameisensäure"). Es folgt wieder eine Reaktion mit Glutamin unter ATP-Verbrauch, wobei das entsprechende Amidin gebildet wird. In einer weiteren ATP-verbrauchenden Reaktion kommt es zum Ringschluß, es entsteht 5-Aminoimidazolribotid. An den Imidazolring wird CO_2 angelagert, das aus Bicarbonat stammt. Unter ATP-Verbrauch wird an die Carboxylgruppe säureamidartig Aspartat gebunden. Durch Abspaltung von Fumarat entsteht 5-Amino-4-imidazol-carbonsäureamidribotid. Das C-2-Atom des Purinringes wird durch Übertragung des Formylrestes auf die 5-Aminogruppe geliefert. Durch Wasserabspaltung wird der Purinring geschlossen, es entsteht Inosinsäure.

Die Inosinsäure ist das Ausgangsmaterial für die Synthese anderer Purinderivate. In GTP-abhängiger Reaktion bildet sich durch Anlagerung von Aspartat das Adenylosuccinat. Unter Abspaltung von Fumarat entsteht daraus Adenosinmonophosphat.

Ein anderer Weg führt in NAD^+-abhängiger Reaktion zum Xanthosinphosphat. Unter Verbrauch von ATP und Glutamin entsteht daraus Guanylsäure (Abb. 79).

6.2.2. Pyrimidinsynthese

Die Biosynthese des Pyrimidinringsystems konnte in Versuchen an Rattenleber geklärt werden (s. Abb. 80 am Schluß dieses Bandes).

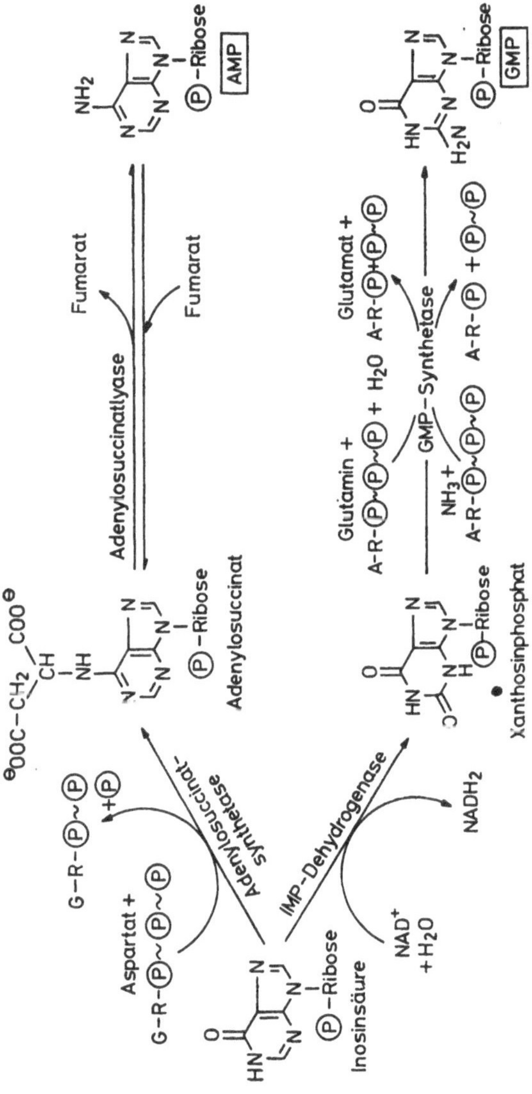

Abb. 79. Die Bildung von Adenin- und Guaninnucleotiden aus Inosinsäure

Das Ausgangsmaterial ist das Carbamylphosphat, eine Substanz, die auch für die Citrullinsynthese benötigt wird. Die für die Citrullinsynthese (Harnstoffcyclus) verantwortliche Carbamylphosphatsynthase I ist ein mitochondriales Enzym (S. 169), während die für die Pyrimidinsynthese zuständige Carbamylphosphatsynthase II im Cytosol vorkommt (S. 230 f.).

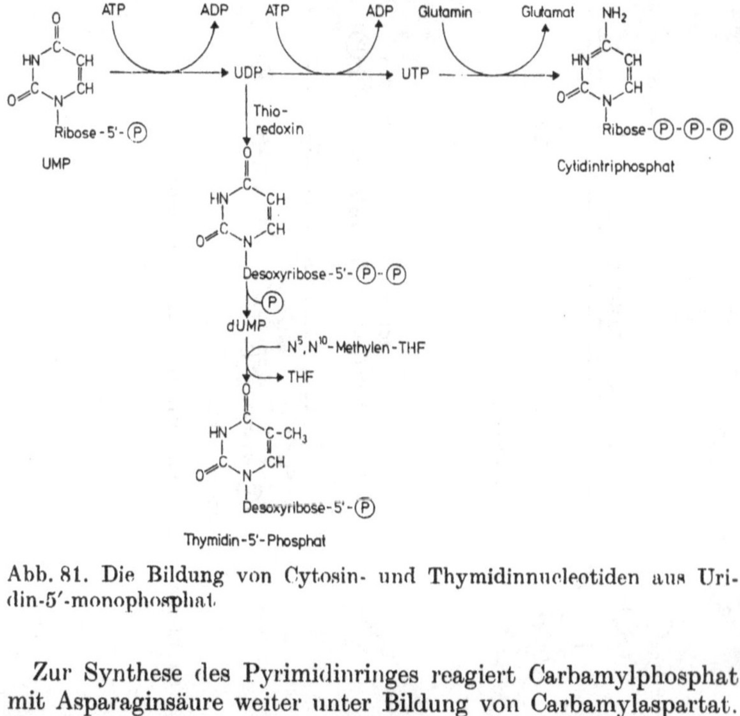

Abb. 81. Die Bildung von Cytosin- und Thymidinnucleotiden aus Uridin-5'-monophosphat.

Zur Synthese des Pyrimidinringes reagiert Carbamylphosphat mit Asparaginsäure weiter unter Bildung von Carbamylaspartat. Das hierfür verantwortliche Enzym heißt Aspartatcarbamyltransferase oder Aspartat-Transcarbamylase. Danach erfolgt Ringschluß zum Dihydroorotat. Durch Dehydrierung mit NAD entsteht Orotat. Orotat liefert durch Reaktion mit Phosphoribosylpyrophosphat Orotidin-5'-phosphat. Letzteres geht durch enzymatische Decarboxylierung in Uridin-5'-phosphat über. Cytosinderivate können in Bakterien aus Uracilderivaten durch Reaktion mit Ammoniak, in Säugetiergeweben durch Reaktion mit Glutamin entstehen. In jedem Fall handelt es sich um ATP-verbrauchende Reaktionen (Abb. 81).

6.2.3. Weitere Wege der Synthese von Nucleosiden und Nucleotiden

Außer den schon beschriebenen Wegen kann eine Synthese der Purin- und Pyrimidinnucleotide auch über die Stufe der Nucleoside erfolgen, die ihrerseits aus Ribose-1-phosphat und den freien Basen gebildet werden können.

$$\text{Base} + \text{R-1-Ⓟ} \xrightleftharpoons{\text{Nucleosidphosphorylase}} \text{Base} - \text{R} + \text{Ⓟ}$$

Das Gleichgewicht der Reaktion liegt auf der Seite des Nucleosids. In Anwesenheit von Desoxyribose-1-phosphat und Desoxynucleosidphosphorylase entstehen Desoxynucleoside. Ribose-1-phosphat entsteht dann aus Ribose-5-phosphat, wobei Ribose-1,5-diphosphat als Cosubstrakt wirkt.

$$\text{R-5-Ⓟ} \xrightleftharpoons{\text{Phosphoribomutase}} \text{R-1-Ⓟ}$$

Das Gleichgewicht liegt zugunsten des Ribose-5-phosphates. Analog erfolgt auch die Umwandlung von Desoxyribose-5-phosphat in Desoxyribose-1-phosphat durch das Enzym Phosphodesoxyribomutase.

6.2.4. Synthese von Coenzymen

Die Pyridinnucleotidsynthese geht von der freien Nicotinsäure (Abb. 82) oder von der aus dem Tryptophanabbau stammenden Chinolinsäure aus. Bei der Nicotinsäure als Substrat wird die Amidgruppe erst auf der Stufe der Nucleotide eingeführt. Mit Hilfe einer Kinase kann aus dem NAD^+ das $NADP^+$ gebildet werden.

$$NAD^+ + \text{A}-\text{R}-\text{Ⓟ}\sim\text{Ⓟ}\sim\text{Ⓟ} \xrightarrow{NAD^+\text{-Kinase}} NADP^+ + \text{A}-\text{R}-\text{Ⓟ}\sim\text{Ⓟ}$$

Die Bildung von FMN und FAD erfolgt analog:

$$\text{Riboflavin} + \text{A}-\text{R}-\text{Ⓟ}\sim\text{Ⓟ}\sim\text{Ⓟ} \xrightarrow{\text{Riboflavinkinase}} \text{Riboflavin}-\text{Ⓟ} + \text{A}-\text{R}-\text{Ⓟ}\sim\text{Ⓟ}$$

$$\text{Riboflavin}-\text{Ⓟ} + \text{A}-\text{R}-\text{Ⓟ}\sim\text{Ⓟ}\sim\text{Ⓟ} \xrightleftharpoons{\text{FAD-Pyrophosphorylase}} \text{Riboflavin}-\text{Ⓟ}\sim\text{Ⓟ}-\text{R}-\text{A} + \text{Ⓟ}\sim\text{Ⓟ}$$

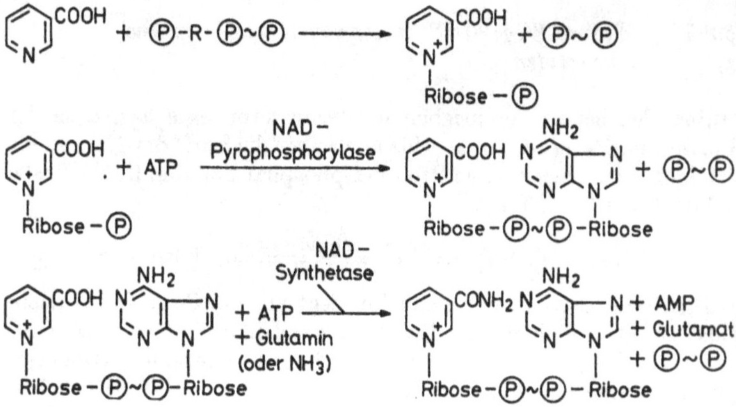

Abb. 82. Die Biosynthese von NAD^+

6.2.5. *Synthese von Desoxynucleotiden*

In vitro konnte in verschiedenen Zellen und Geweben eine Bildung von Desoxynucleotiden durch Reduktion von Ribonucleotiden beobachtet werden. Durch Versuche mit Bakterien wurde bestätigt, daß Desoxyribose aus Ribose entsteht.

Die Bildung der Desoxynucleotide erfolgt vorwiegend auf der Stufe der entsprechenden Nucleosiddiphosphate unter Verbrauch von NADPH als Reduktionsmittel. Als Elektronenüberträger zwischen dem NADPH und dem Nucleosiddiphosphat fungiert das niedrigmolekulare Eiweiß *Thioredoxin*. Der Vorgang wird durch die *Thioredoxinreductase* und *Nucleotidreductase* katalysiert.

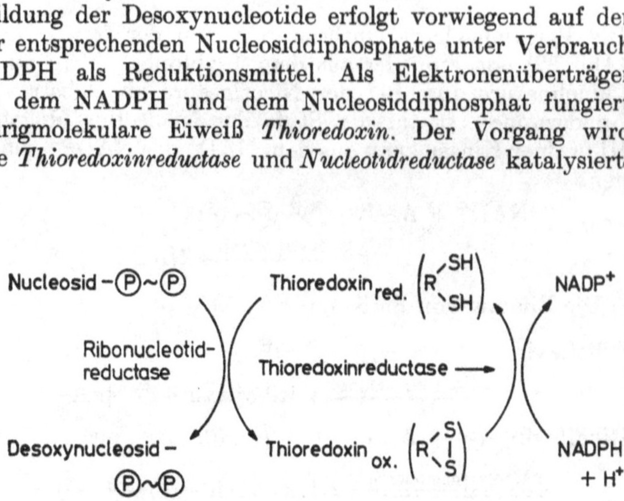

Die Bildung der Desoxyribonucleotide steht unter strenger Rückkopplungskontrolle durch dATP, dGTP und TTP, wodurch die Biosynthese einer effektiven Selbstregulation unterworfen ist.

6.3. *Zusammenfassender Überblick über die Biosynthese und die gegenseitigen Umwandlungen der Purin- und Pyrimidinnucleotide*

In den Abbildungen 83 und 84 sind die Projektionen dreidimensionaler Schemata dargestellt, die die Biosynthese der Purin- und Pyrimidinverbindungen sowie ihre Umwandlungen ineinander wiedergeben. Die einzelnen Etagen der beiden „Gebäude" repräsentieren jeweils unterschiedliche Strukturebenen, nämlich die freien Basen, die Nucleoside, Nucleotide sowie die Di- und Triphosphate.

Es ist erkennbar, daß die Biosyntheseketten beider Klassen jeweils auf der Etage der Nucleotide in das betreffende „Stoffwechselgebäude" einmünden. Die erforderlichen Umwandlungen treten innerhalb der „Gebäude" sowohl auf gleichem „Stockwerk" als auch zwischen verschiedenen „Stockwerken" auf.

6.3.1. *Die Regulation der Purinbiosynthese*

Die *Biosynthese* der *Purine* unterliegt, ähnlich wie die Synthese-ketten von Aminosäuren u. a. Verbindungen, einer *effektiven Selbstregulation* durch *negative Rückkopplung*. Hier wird ein regulatorisches Prinzip deutlich, das schon an mehreren Stellen dieses Bandes diskutiert wurde. Die erste, für die Purinbiosynthese spezifische Reaktion (die ihr vorgelagerte PRPP-Synthese dient nicht nur der Bildung der Purine, sondern auch anderer Metabolite), stellt die Bildung von 5-Phosphoribosylamin aus 5-Phosphoribosyl-1-pyrophosphat und Glutamin dar; sie wird durch die *Amidophosphoribosyltransferase* katalysiert:

Ⓟ—Ribose—Ⓟ—Ⓟ + Glutamin

→ Phosphoribosylamin + Glutaminsäure + Ⓟ—Ⓟ

Diese Reaktion stellt den geschwindigkeitsbestimmenden Schritt in der Purinbiosynthese dar (Schrittmacher). Das Enzym, auch das aus menschlichen Geweben, unterliegt einer *negativen allosterischen Kontrolle* durch Purinnucleotide, vor allem durch zellphysiologische Konzentrationen von AMP, ADP, GMP und GDP.

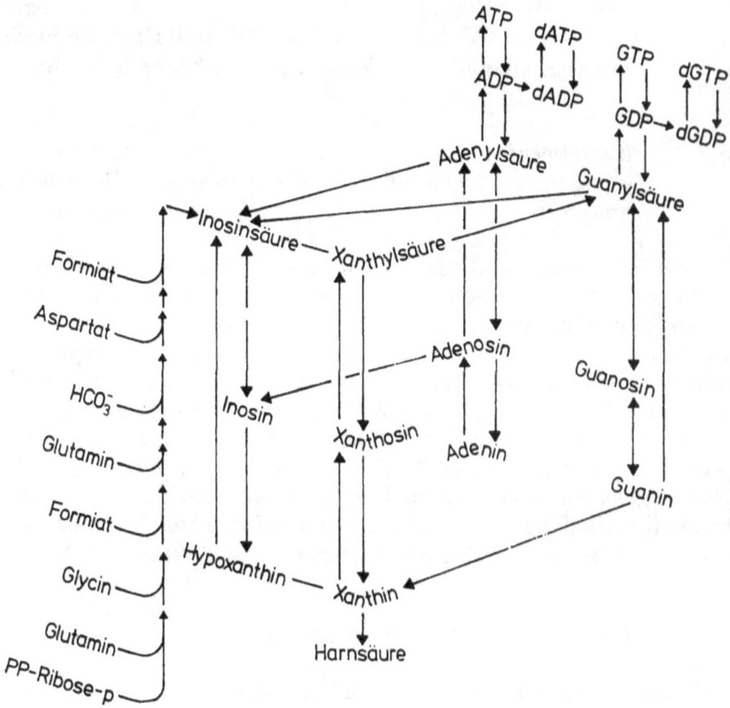

Abb. 83. Das „Gebäude" des Purinstoffwechsels (J. F. Henderson et al.: Purine and pyrimidine metabolism: pathways, pitfalls and perturbations, in: Purine and pyrimidine metabolism; Ciba Found, Symp. 48; Elsevier Amsterdam 1977)

Bei der Betrachtung von Abb. 83 wird deutlich, daß eine derartige Endprodukthemmung die Geschwindigkeit der gesamten Biosynthesekette hocheffektiv zu regulieren vermag. Wie bei jeder echten Schrittmacherreaktion tritt bei Veränderung ihres Substratdurchflusses infolge Verminderung oder Verstärkung der Endprodukthemmung eine Veränderung im Substratdurchfluß durch die gesamte Kette ein, die sich in einer Erhöhung oder Erniedrigung der Biosyntheserate ausdrückt. In der Synthesekette zwischen dem Phosphoribosylamin und den Purinnucleotiden gibt es kein weiteres Enzym, das einer ähnlichen Rückkopplungshemmung unterliegt.

Ist der Bedarf an Purinnucleotiden groß, wird die allosterische Hemmung des Enzyms infolge Abnahme der zellulären Spiegel der

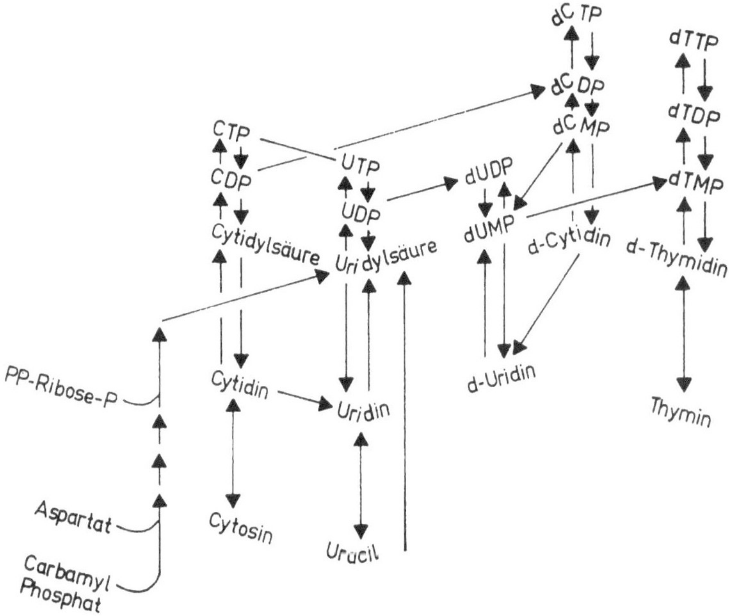

Abb. 84. Das „Gebäude" des Pyrimidinstoffwechsels (J. F. Henderson et al.: s. Abb. 83)

Purinnucleotide aufgehoben und die Synthese geht in großem Maße vor sich. Ist der Bedarf an Purinnucleotiden klein, so steigt ihr zellulärer Spiegel an, wodurch die Rückkopplungshemmung auf die Transferase zunimmt und der Substratdurchfluß durch die ganze Kette sinkt (*Prinzip der Selbstregulation*).

Beim Menschen wurde eine genetisch bedingte Erkrankung gefunden, die durch *Purinüberproduktion,* Gicht und Bildung von Harnsäuresteinen gekennzeichnet ist. Es wurde gefunden, daß dabei das Enzym, das der Transferase vorgelagert ist, veränderte kinetische Eigenschaften aufweist. Eine kinetische Analyse der *PRPP-Synthetase* zeigte nämlich, daß diese bei den betreffenden Patienten *rückkopplungsresistent* ist und eine Hyperaktivität aufweist. Während die PRPP-Synthetase gesunder Individuen durch ADP und GDP gehemmt wird, sind diese Nucleotide auf das Enzym der betreffenden Kranken völlig ohne Wirkung. Deshalb kommt es bei ihnen zu einer Überproduktion von PRPP. Da normalerweise der intrazelluläre PRPP-Spiegel *unterhalb* der Michae-

LIS-*Konstante* der Amidophosphoribosyltransferase für PRPP liegt, führt die Überproduktion dieses Metaboliten zu einer Aktivierung dieses Enzyms und damit zu einer Steigerung der Purinsyntheserate.

6.3.2. *Die Bedeutung der Phosphoribosyltransferasen* (LESCH-NYHAN-*Syndrom*)

Die Phosphoribosyltransferasen katalysieren die Umwandlung von freien Purinbasen in ihre Nucleotide durch Verbrauch von Phosphoribosylpyrophosphat (PRPP):

$$\text{Hypoxanthin} + \text{PRPP} \xrightarrow[\text{ribosyltransferase (HGPRT)}]{\text{Hypoxanthin-guanin-phospho-}} \text{Inosinsäure} + \text{PP}$$

Die HGPRT benutzt sowohl Hypoxanthin als auch Guanin als Substrat. Daneben gibt es auch eine *Adeninphosphoribosyltransferase*. Es scheint, daß diese Enzyme „Bergungs"- und „Aufräumungsfunktionen" im Purinstoffwechsel besitzen, indem sie die durch Abbau der Purinnucleotide freigesetzten Purine einer Wiederverwendung zuführen. Sie sind demzufolge von großer ökonomischer Bedeutung für den Zellstoffwechsel.

Beim Menschen ist ein vererbbarer Enzymdefekt an der HGPRT beschrieben worden (LESCH-NYHAN-*Syndrom*). Dieser äußert sich u. a. in Symptomen, die der Gicht sehr ähnlich sind: Harnsäuresteine, Nephropathien, Gichtknoten und akute Arthritis. In den Erythrozyten und in anderen Geweben solcher Patienten ist die Aktivität dieses Enzyms Null. Die Symptome dieser Erkrankung werden durch die oben gemachten Darlegungen über die Funktion des fehlenden Enzyms verständlich: infolge der nicht stattfindenden Wiederverwendung der durch den Stoffwechsel freigesetzten Purine kommt es zu deren massiven Oxidation zu Harnsäure, deren Spiegel in den Körperflüssigkeiten ansteigt und die sich infolge ihrer geringen Löslichkeit an verschiedenen Stellen des Organismus ablagert.

6.3.3. *Zellphysiologische Aspekte und Regulation der Pyrimidinsynthese*

Die Bildung der Pyrimidine wird durch die Synthese von *Carbamylphosphat* eingeleitet. Bei Säugetieren kennt man zwei *Carbamylphosphatsynthasen*. Die *Carbamylphosphatsynthase I* kommt ausschließlich in der Leber vor und ist ein *mitochondriales Enzym*. Sie synthetisiert Carbamylphosphat unter Verbrauch von NH_4^+, das für die *Harnstoffsynthese* Verwendung findet (S. 169).

Tabelle 10
PRPP-verbrauchende Stoffwechselwege

Reaktion	Bedeutung im Stoffwechsel	Auffindung im Text
Bildung von 5′-Phosphoribosylamin	Purinsynthese	III, S. 221
Bildung von Nucleotiden aus freien Basen	Synthese von Nucleotiden und Nucleotidcoenzymen	III, S. 226
Bildung von Orotidin-5′-phosphat	Synthese von Pyrimidinnucleotiden	III, S. 224
Bildung von Phosphoribosyl-ATP	Synthese von Histidin	III, S. 180

Die *Carbamylphosphatsynthase II* hingegen kommt in allen Geweben vor und ist im *Cytosol* lokalisiert. Sie bezieht den zur Carbamylphosphatsynthese benötigten Stickstoff aus dem Glutamin. Ihre Funktion ist, das für die *Pyrimidinsynthese* notwendige Carbamylphosphat bereitzustellen. Die intra- und extramitochondriale Carbamylphosphatsynthese verlaufen offenbar unabhängig voneinander; Carbamylphosphat ist nicht in der Lage, die innere Mitochondrienmembran zu durchdringen.

Die *Carbamylphosphatsynthase II* steht in tierischen Zellen als erstes Enzym des Pyrimidinsyntheseweges unter wirksamer *allosterischer Kontrolle* durch *UTP*. Indem das UTP auf dieses Enzym in zellphysiologischen Konzentrationen eine Hemmwirkung ausübt, erfolgt eine Selbstregulation dieser Stoffwechselkette, die eine Anhäufung der Endprodukte verhindert. Andererseits ist das für die Umwandlung von Orotat in Orotidinphosphat erforderliche *5-Phosphoribosyl-1-pyrophosphat* (PRPP) ein schon in kleinen Konzentrationen (5 μmol/l) wirkender allosterischer Aktivator der Carbamylphosphatsynthase, so daß dieses Enzym unter doppelter Kontrolle steht: *Hemmung* durch *UTP* und *Aktivierung* durch *PRPP*. Die Aktivierung durch PRPP hat offenbar den Sinn, daß dadurch die ersten Reaktionen der Purin- und Pyrimidinsynthese miteinander koordiniert werden. Die Purinsynthese beginnt mit

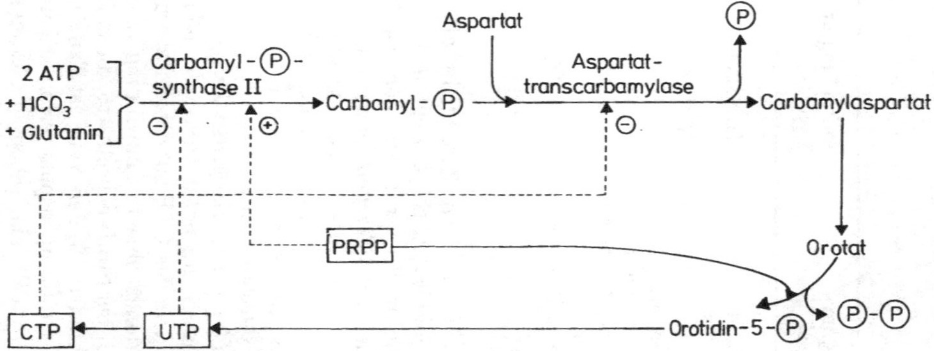

Abb. 85. Die Regulation der Pyrimidinbiosynthese

Die vom CTP ausgehende Rückkopplungshemmung der Aspartattranscarbamylase ist bakterienspezifisch, während die negative Kontrolle der Carbamylphosphatsynthase II durch UTP und ihre Aktivierung durch PRPP für den Säugetierorganismus gilt. Die Pyrimidinbiosynthese wird folglich in verschiedenen Lebewesen unterschiedlich reguliert der PRPP-Synthese. Wird diese bei Bedarf von Purinnucleotiden angekurbelt, so bewirkt das dabei gebildete PRPP auf allosterischem Wege eine Stimulierung der Pyrimidinsynthese. Dies hat zur Folge, daß Purin- und Pyrimidinnucleotide gleichzeitig synthetisiert werden, was eine wichtige Voraussetzung für die geordnete Biosynthese der Nucleinsäuren ist. Man muß beachten, daß PRPP für zahlreiche Reaktionen des Zwischenstoffwechsels gebraucht wird. Diese sind in Tab. 10 dargestellt (Abb. 85).

In *Bakterienzellen* wird die Pyrimidinsynthese nicht durch allosterische Beeinflussung der Carbamylphosphatsynthetase reguliert, sondern durch die den nächsten Schritt katalysierende *Aspartat-Transcarbamylase.* Dieses Enzym unterliegt der *negativen Rückkopplung* durch ein anderes Produkt dieser Stoffwechselkette, nämlich durch das *CTP* (Abb. 85).

Die Besprechung der Nucleinsäuresynthese erfolgt in DB IV.

7. Hinweise auf weiterführende und vertiefende Literatur bzw. Originalveröffentlichungen

1. Stoffwechsel der Kohlenhydrate

Advances in Carbohydrate Chemistry; Academic Press, New York, erscheint periodisch seit 1945.

Bielka, H. (Hrsg.): Molekularbiologie; VEB Gustav Fischer Verlag Jena 1985.

Cohen, P.: The role of protein phosphorylation in the hormonal control of enzyme activity, Eur. J. Biochemistry **151**, 439–448 (1985).

Fischer, E. H., L. M. G. Heilmeyer, Jr., and R. H. Haschke: Phosphorylase and the Control of Glycogen Degradation; Current Topics in Cellular Regulation; Vol 4, Academic Press, New York 1971.

Fischer, E. H., E. G. Krebs, H. Neurath, and E. R. Stadtman: Metabolic Interconversion of Enzymes, Springer-Verlag Berlin–Heidelberg–New York 1974.

Hanson, R. W., and M. A. Mehlman: Gluconeogenesis — its Regulation in Mammalian Systems; J. Wiley and Sons, New York 1976.

Hers, H. G.: The control of glycogen metabolism in the liver; Annual Review of Biochemistry **45**, 167–189 (1976).

Hofmann, E.: The significance of phosphofructokinase to the regulation of carbohydrate metabolism; in Reviews of Physiology, Biochemistry and Pharmacology, **75**, 1–68 (1976); Springer Verlag: Berlin–Heidelberg–New York.

Hofmann, E., and H.-J. Böhme (Eds.): Reaction Mechanisms and Control Properties of Phototransferases; 1. Gemeinsames Symposium der Biochemischen Gesellschaften der UdSSR und DDR, Akademie-Verlag Berlin 1973.

Hollmann, D.: Nicht-glykolytische Stoffwechselwege der Glucose; Georg Thieme Verlag, Stuttgart, 1961.

Krebs, E. G.: The phosphorylation of proteins: a major mechanism for biological regulation, Biochem. Society Transactions **13**, 813–820 (1985).

Roach, P. J., and J. Larner: Covalent phosphorylation in the regulation of glycogen synthetase; Mol. Cell. Biochemistry **15**, 179 (1977).

Shaltiel, S. (Ed.): Metabolic Interconversion of Enzymes 1975; Springer-Verlag: Berlin–Heidelberg–New York 1976.

Söling, H. D., and B. Willms (Eds.): Regulation of Gluconeogenesis; Georg Thieme Verlag, Stuttgart 1971.

Villar-Palasi, C., and J. Larner: Glycogenolysis and glycolysis; Annual Review of Biochemistry, **39**, 639–672 (1970).

Wieland, O., E. Helmreich, and H. Holzer (Eds.): Metabolic Interconversion of Enzymes; Springer-Verlag Berlin–Heidelberg–New York 1973.

2. Prinzipien der Stoffwechselregulation

Bücher, Th. und W. Rüssmann: Gleichgewicht und Ungleichgewicht im System der Glykolyse; Angewandte Chemie **75** 881–893 (1963).

Chance, B., W. F. Holmes, J. Higgins, and C. M. Conelly: The Crossover-Theorem; Nature (London) **182**, 1190–1193 (1958).

Crabtree, B., and E. A. Newsholme, A systematic approach to describing and analysing metabolic control systems, Trends in Biochem. Sciences **12**, 4–12 (1987).

Frieden, C.: Kinetic aspects of regulation of metabolic processes: The hysteretic enzyme concept; J. of Biological Chemistry **245**, 5788 (1970).

Heinrich, R., T. A. Rapoport, G. Jakobasch, and S. Rapoport; A linear steady-state treatment of enzymatic chains; European J. of Biochemistry **42**, 89–120 (1974).

Horecker, B. L., and E. R. Stadtman: Current Topics in Cellular Regulation; erscheint fortlaufend, 1971 ff.

Kacser, H. and J. W. Porteous: Control of metabolism: what do we have to measure?, Trends in Biochem. Sciences **12**, 5–14 (1987).

Krebs, H. A., and H. L. Kornberg: A survey of the energy transformations in liver matter; Ergebnisse der Physiologie **49**, 212 (1957).

Newsholme, E. A. und C. Start: Regulation des Stoffwechsels, Verlag Chemie, Weinheim New York 1977.

Pette, D.: Plan und Muster im zellulären Stoffwechsel; Naturwissenschaften **52**, 597 (1965).

SCRUTTON, M. C., and M. F. UTTER: The regulation of glycolysis and gluconeogenesis in animal tissues; Annual Review of Biochemistry, Vol. **37**, Palo Alto, USA 1968.
SEUBERT, W., and W. SCHONER: The Regulation of Pyruvate Kinase; Current Topics in Cellular Regulation, Vol. 3, Academic Press, New York 1971.
STADTMAN, E. R.: Allosteric regulation of enzyme activity; Advances in Enzymology **28**, 41 (1966).
WEBER, G.: Advances in Enzyme Regulation; Pergamon Press, Oxford 1963ff. bis 1987 26 Bände.
WOLSTENHOLME, G. E. W., and C. M. O'CONNOR: Regulation of Cell Metabolism (Symposium); Churchill, London 1959.

3. Lipidstoffwechsel

ANSELL, G. B., and J. N. HAWTHORNE: Phospholipids; BBA Library, Vol. 3, Elsevier Publishing Comp., Amsterdam 1964.
BLOCH, K.: Die Biosynthese des Cholesterins; Angew. Chemie **77**, 944 (1965).
DEULL, H. J.: The Lipids; Vol. 1 3, Interscience, New York 1951–1957.
FIESER, L. F. und M. FIESER: Steroide; Verlag Chemie Weinheim, Bergstraße 1961.
GOLDFINE, H.: Lipid Chemistry and Metabolism; Annual Review of Biochemistry, Vol. 37, Palo Alto USA, **1968**.
HENNING, U.: Multienzym-Komplexe; Angew. Chemie **78**, 865 (1966).
JEFCOATE, C., R.: Cytochrome P-450 of adrenal mitochondria; J. Biol. Chem. **252**, 8788 (1977).
KAZIRO, Y., and S. OCHOA: The metabolism of propionic acid; Advances in Enzymology **26**, 283 (1964).
KENNEDY, E.: Die Stoffwechselfunktion der Cytidin-Coenzyme; 11. Colloquium der Ges. f. Physiol. Chemie, Mosbach 1962, S. 62; Springer-Verlag, Berlin–Heidelberg–New York.
LYNEN, F.: Der Weg von der „aktivierten Essigsäure" zu den Terpenen und Fettsäuren; Angew. Chemie **77**, 929 (1965).
LYNEN, F.: The role of biotin-dependent carboxylations in biosynthetic reactions; Biochemical Journal **102**, 381–400 (1967).
NORDSTRÖM, J. L. et al.: Interconversion of active and inactive forms of rat liver hydroxylmethylglutaryl-CoA-reductase; J. Biol. Chem. **252**, 8924 (1977).
RADERECHT, H.-J.: Pathobiochemie des Lipidstoffwechsels; VEB Verlag und Gesundheit Berlin 1977.
SANDHOFF, K.: Biochemie der Sphingolipoidspeicherkrankheiten, Angewandte Chemie **89**, 283–295 (1977).
Sterol Biosynthesis and Function, Symposium der Biochemical Society, in: Biochem. Society Transactions **11**, 637–667 (1983).

4. Stoffwechsel der Porphyrine

GRANICK, S., and S. SASSA: δ-Aminolevulinic Acid Synthesis and the Control of Heme and Chlorophyll Synthesis, In: Metabolic regulation (VOGEL, J. J., Ed.): S. 77, Academic Press New York London 1971.

LATHE, G. H.: The degradation of heme by mammals and its excretion as conjugated bilirubin. In: Essays in biochemistry, Bd. 8 (CAMPBELL, P. N., GREVILLE, G. D., Eds.), S 107. Academic Press London 1972.

SHEMIN, D.: The biosynthesis of porphyrins; Ergebnisse der Physiologie **49**, 229 (1957).

SHEMIN, D.: On the synthesis of heme, Naturwissenschaften **57**, 185 (1970).

WITH, T. K.: Bile Pigments; Academic Press, New York 1968.

5. Stoffwechsel der Proteine und Aminosäuren

BACHMAIR, A., D. FINLEY, and A. VARSHAVSKY: In vivo half-life of a protein is a function of its amino-terminal residue, Science **234**, 179–186 (1986).

BLAKLEY, R. L.: The Biochemistry of Folic Acid and Related Pteridines; North-Holland-Amsterdam 1969.

BREMER, H. u. a.: Disturbances of Amino Acid Metabolism: Clinical Chemistry and Diagnosis, Urban und Schwarzenberg, Baltimore München 1981.

COHEN, G. N., I. SAINT-GIRONS, and P. TRUFFA-BACHI: The Evolution of Biosynthetic Parthways; Trends in Biochemical Sciences, S. 97, Mai 1977.

DESAUTELS, M., and A. L. GOLDBERG: The ATP-dependent breakdown of proteins in mammalian mitochondria, Biochem. Society Transactions **13**, 290–293 (1985).

GLAUMANN, H. et al.: Protein degradation in the lysosome, Biochem. Society Transactions **13**, 1010–1012 (1985).

GOLDBERG, A. L. et al.: The mechanism and regulation of the ATP-dependent protease La from *E. coli*, Biochem. Society Transactions **15**, 809–811 (1987).

GOLDIN, B. R., and C. FRIEDEN: L-Glutamate Dehydrogenase; Current Topics in Cellular Regulation Vol. 4, Academic Press, New York 1971.

HARRIS, R. A. et al.: Regulation of branched chain amino acid metabolism, Biochem. Society Transaction **14**, 1005–1008 (1986).

KIRSCHKE, H. et al.: Cathepsin L — a new proteinase from rat liver lysosomes; Eur. J. Biochem. **74**, 293–301 (1977).

LINGENS, F.: Die Biosynthese aromatischer Aminosäuren und deren Regulation. Angewandte Chemie **80**, 384 (1968).

MANNERVIK, B.: The enzymes of glutathione metabolism: an overview, Biochem. Society Transactions **15**, 717–718 (1987).

MAYER, R. J.: Protein degradation in animal cells, Biochem. Society Transactions **15**, 820–823 (1987).
McELROY, W. D., and B. GLASS: Amino Acid Metabolism; Johns Hopkins University Press, Baltimore 1955.
McGIVAN, J. D.: Regulation of amino acid transport in rat hepatocytes, Biochem. Society Transactions **14**, 995–999 (1986).
MEISTER, A.: Biochemistry of Amino Acids; Volumes I and II, Second Edition, Academic Press, New York, 1965.
MEISTER, A.: Transport and metabolism of glutathione and γ-glutamyl amino acids, Biochem. Society Transactions **11**, 793–794 (1983).
OXENDER, D. L. et al.: Cellular transport in the regulation of amino acid metabolism, Biochem. Society Transaction **14**, 993–995 (1986).
POGSON, C. I. et al.: Regulation of hepatic aromatic amino acid metabolism, Biochem. Society Transaction **14**, 999–1004 (1986).
RAPOPORT, S., W. DUBIEL, and M. MÜLLER: Characteristics of an ATP-dependent proteolytic system of rat liver mitochondria. FEBS-Letters **147**, 93–96 (1982).
SCHULTZE, H. E., and J. F. HEREMANS: Molecular Biology of Human Proteins; Elsevier Publishing Company, Amsterdam 1966.
TRUFFA-BACHI, P., and G. N. COHEN: Some Aspects of Amino Acid Biosynthesis in Microorganisms; Annual Review of Biochemistry, Vol. 37, Palo Alto, USA, 1968.

6. Stoffwechsel der Nucleinsäuren und Nucleotide

BUCHANAN, J. M., and G. C. HARTMAN: Enzymic reactions in the synthesis of the purines; Advances in Enzymology **21**, 199 (1959).
CHARGAFF, E., and J. N. DAVIDSON: The Nucleic Acids, Vols: 1–3, Academic Press, New York 1955–1960.
Ciba Foundation Symposium 48: Purine and Pyrimidine Metabolism 1977; Elsevier-Exerpta Medica-North Holland; Amsterdam 1977.
DAVIDSON, J. N.: The Biochemistry of the Nucleic Acids; Methuen and Co. Ltd. London 1963.
GEISSLER, E.: Desoxyribonucleinsäure; Akademie-Verlag, Berlin 1970.
HARBERS, E., G. F. DOMAGK, and W. MÜLLER: Introduction to Nucleic Acids; Reinhold Book Corporation, New York 1968.
LANGEN, P.: Antimetabolite des Nucleinsäurestoffwechsels – Biochemische Grundlagen der Wirkung; Akademie-Verlag Berlin 1968.
REICHARD, P.: The Biosynthesis of desoxyribonucleotides; European J. of Biochemistry **3**, 259 (1968).

8. Sachregister

Der Verfasser

- **vermittelt gründliche Kenntnisse über den Stoffwechsel des Menschen und der Säugetiere**

- **gibt eine gründliche Darstellung des Kohlenhydrat-, Fett-, Eiweiß- und Nucleinsäurestoffwechsels und berücksichtigt dabei die neuesten Ergebnisse der biochemischen und molekularbiologischen Forschung**

- **analysiert die Prinzipien der Stoffwechselregulation, behandelt diese unter den Aspekten der kybernetischen Steuerung und stellt die der Stoffwechselregulation zugrunde liegenden kinetischen und molekularen Gesetzmäßigkeiten ausführlich dar**

- **wendet sich vor allem an die Studierenden der Medizin, Biochemie, Biologie, Chemie und Pharmazie sowie an interessierte Naturwissenschaftler und Ärzte**

WISSENSCHAFTLICHE TASCHENBÜCHER

FSC
www.fsc.org
MIX
Papier | Fördert
gute Waldnutzung
FSC® C083411

Zeitfracht Medien GmbH
Ferdinand-Jühlke-Straße 7
99095 Erfurt, Deutschland
produktsicherheit@kolibri360.de